• Saisir (2ᵉ groupe)

INDICATIF				
Présent	**Imparfait**	**Passé simple**	**Futur simple**	**Conditionnel présent**
je sais**is**	je sais**issais**	je sais**is**	je sais**irai**	je sais**irais**
tu sais**is**	tu sais**issais**	tu sais**is**	tu sais**iras**	tu sais**irais**
il sais**it**	il sais**issait**	il sais**it**	il sais**ira**	il sais**irait**
nous sais**issons**	nous sais**issions**	nous sais**îmes**	nous sais**irons**	nous sais**irions**
vous sais**issez**	vous sais**issiez**	vous sais**îtes**	vous sais**irez**	vous sais**iriez**
ils sais**issent**	ils sais**issaient**	ils sais**irent**	ils sais**iront**	ils sais**iraient**

Passé composé	**Plus-que-parfait**	IMPÉRATIF	INFINITIF	PARTICIPE
		Présent	**Présent**	**Présent**
j'ai saisi	j'avais saisi	sais**is**	sais**ir**	sais**issant**
tu as saisi	tu avais saisi	sais**issons**		
il a saisi	il avait saisi	sais**issez**		
nous avons saisi	nous avions saisi	**Passé**	**Passé**	**Passé**
vous avez saisi	vous aviez saisi			
ils ont saisi	ils avaient saisi	aie saisi	avoir saisi	saisi
		ayons saisi		ayant saisi
		ayez saisi		

• Aller (3ᵉ groupe)

INDICATIF				
Présent	**Imparfait**	**Passé simple**	**Futur simple**	**Conditionnel présent**
je **vais**	j'**allais**	j'**allai**	j'**irai**	j'**irais**
tu **vas**	tu **allais**	tu **allas**	tu **iras**	tu **irais**
il **va**	il **allait**	il **alla**	il **ira**	il **irait**
nous **allons**	nous **allions**	nous **allâmes**	nous **irons**	nous **irions**
vous **allez**	vous **alliez**	vous **allâtes**	vous **irez**	vous **iriez**
ils **vont**	ils **allaient**	ils **allèrent**	ils **iront**	ils **iraient**

Passé composé	**Plus-que-parfait**	IMPÉRATIF	INFINITIF	PARTICIPE
		Présent	**Présent**	**Présent**
je suis **allé**	j'étais **allé**	**va**	**aller**	**allant**
tu es **allé**	tu étais **allé**	**allons**		
il est **allé**	il était **allé**	**allez**		
nous sommes **allés**	nous étions **allés**	**Passé**	**Passé**	**Passé**
vous êtes **allés**	vous étiez **allés**			
ils sont **allés**	ils étaient **allés**	sois **allé**	être **allé**	**allé**
		soyons **allés**		étant **allé**
		soyez **allés**		

• Dire (3ᵉ groupe)

INDICATIF				
Présent	**Imparfait**	**Passé simple**	**Futur simple**	**Conditionnel présent**
je d**is**	je d**isais**	je d**is**	je d**irai**	je d**irais**
tu d**is**	tu d**isais**	tu d**is**	tu d**iras**	tu d**irais**
il d**it**	il d**isait**	il d**it**	il d**ira**	il d**irait**
nous d**isons**	nous d**isions**	nous d**îmes**	nous d**irons**	nous d**irions**
vous d**ites**	vous d**isiez**	vous d**îtes**	vous d**irez**	vous d**iriez**
ils d**isent**	ils d**isaient**	ils d**irent**	ils d**iront**	ils d**iraient**

Passé composé	**Plus-que-parfait**	IMPÉRATIF	INFINITIF	PARTICIPE
		Présent	**Présent**	**Présent**
j'ai d**it**	j'avais d**it**	d**is**	d**ire**	d**isant**
tu as d**it**	tu avais d**it**	d**isons**		
il a d**it**	il avait d**it**	d**ites**		
nous avons d**it**	nous avions d**it**	**Passé**	**Passé**	**Passé**
vous avez d**it**	vous aviez d**it**			
ils ont d**it**	ils avaient d**it**	aie d**it**	avoir d**it**	d**it**
		ayons d**it**		ayant d**it**
		ayez d**it**		

COLLECTION PASSEURS DE TEXTES

Français 6ᵉ

Livre unique

SOUS LA DIRECTION DE **Corinne Abensour**

Adrien David, agrégé de Lettres modernes
Marie-Hélène Dumaître, agrégée de Lettres classiques
Maxime Durisotti, certifié de Lettres modernes
David Galand, agrégé de Lettres modernes
Sandra Galand, certifiée de Lettres modernes
Adeline Leguy, certifiée de Lettres modernes
Étienne Leterrier, agrégé de Lettres modernes
Valérie Monfort, agrégée de Lettres modernes
Alexandra de Montaigne, certifiée de Lettres modernes
Cécile Rabot, agrégée de Lettres classiques
Martine Rodde, certifiée de Lettres classiques
Fabrice Sanchez, agrégé de Lettres modernes
Justine Wanin, certifiée de Lettres modernes
Édith Wolf, agrégée de Lettres modernes

Avec la participation d'**Alexandre Winkler**, académie de Grenoble.
Avec la participation d'**Anastasia Ortenzio**, conteuse.

le Robert

Les auteurs remercient pour leur relecture Marjorie
Benkemmoun, Aurélie Échenique, et Julien Jaumonet,
professeurs de collège, et pour leurs conseils Aude Gard
et Catherine Rusticci, professeures des écoles.

Les compléments numériques de votre manuel

En complément du manuel :

• **un site** www.passeursdetextes-6e-eleve.fr propose aux élèves
les ressources qui leur sont destinées ;

• **un site** www.passeurs-de-textes.fr réservé aux enseignants
propose de nombreuses ressources ;

• **une version** e-book du roman de Jules Verne, *Michel Strogoff*,
accessible sur les sites enseignant et élève permet de travailler
sur le roman d'aventures de façon différenciée. Trois découpages sont
proposés : court, intermédiaire, long pour s'adapter à tous les lecteurs.

Direction éditoriale : Christine Asin
Édition : Mélanie Louis
Conception graphique de la couverture et de l'intérieur : Laurence Durandau
Mise en pages : Alinéa, Nadine Aymard, Lauriane Tiberghien
Iconographie : Laetitia Jannin
Dessins : Camille Beurton pour BiG, Marie Lévêque

© Le Robert 2016 – 25 avenue Pierre de Coubertin – 75211 Paris cedex 13
ISBN : 978-2-32-100530-8

Avant-propos

Nous sommes heureux de vous présenter *Passeurs de textes 6ᵉ*, un manuel conforme au nouveau programme de français mis en œuvre à la rentrée 2016.

Livre unique de français pour la classe de 6ᵉ, il accompagne les professeurs et les élèves dans cette dernière année du cycle 3, avec, à l'ouverture de chaque chapitre, des modules intitulés « ce que vous savez déjà », qui permettent de faire le point sur les connaissances acquises au CM, et de placer les apprentissages à venir dans cette continuité.

Les quatre entrées du nouveau programme sont abordées grâce à un large choix de textes et d'images.
Une **place centrale est faite à l'oral et à l'écriture**, omniprésents sous forme d'activités après chaque texte, et de grands ateliers **ludiques** proposant aux élèves des exercices de manipulation et d'invention.

Les activités proposées peuvent, le plus souvent, être déclinées pour le travail en petits groupes. Elles donnent lieu à des **réalisations** modestes ou plus ambitieuses. **Un projet final** est proposé à la fin de chaque chapitre et permet aux élèves **d'évaluer leurs compétences**.

Le manuel accueille une conteuse qui lit des textes du manuel et donne des conseils de diction et de lecture expressive aux élèves.
Elle met aussi en voix des textes qui donnent lieu à des **activités de compréhension orale**.

Des leçons de langue, complétées d'exercices variés, sont proposées dans la deuxième partie de l'ouvrage. **La grammaire, l'orthographe et le vocabulaire** sont aussi mobilisés tout au long du manuel dans les activités qui complètent les textes, ainsi que dans les doubles pages « des outils pour rédiger ».

Nous avons souhaité, en réalisant *Passeurs de textes*, participer de façon novatrice à la transmission de la littérature et de la langue française, et permettre, dès la 6ᵉ, une ouverture aux grands questionnements.
Nous espérons vivement que l'ouvrage vous accompagnera dans l'accomplissement de cet objectif.

L'équipe des auteurs Le Robert, *Passeurs de textes*

PROGRAMMES DE FRANÇAIS DU CYCLE 3

Bulletin officiel spécial n°11 du 26 novembre 2015

CM1-CM2	
Enjeux littéraires et de formation personnelle	**Indications de corpus**
Héros / héroïnes et personnages	
• Découvrir des œuvres, des textes et des documents mettant en scène des types de héros / d'héroïnes, des héros / héroïnes bien identifiés ou qui se révèlent comme tels. • Comprendre les qualités et valeurs qui caractérisent un héros / une héroïne. • S'interroger sur les valeurs socio-culturelles et les qualités humaines dont il / elle est porteur, sur l'identification ou la projection possible du lecteur.	On étudie : • un roman de la littérature jeunesse ou patrimonial mettant en jeu un héros / une héroïne (lecture intégrale) et • un récit, un conte ou une fable mettant en jeu un type de héros / d'héroïne ou un personnage commun devenant héros / héroïne ou bien • un album de bande dessinée reprenant des types de héros / d'héroïnes ou bien • des extraits de films ou un film reprenant des types de héros / d'héroïnes.
La morale en questions	
• Découvrir des récits, des récits de vie, des fables, des albums, des pièces de théâtre qui interrogent certains fondements de la société comme la justice, le respect des différences, les droits et les devoirs, la préservation de l'environnement. • Comprendre les valeurs morales portées par les personnages et le sens de leurs actions. • S'interroger, définir les valeurs en question, voire les tensions entre ces valeurs pour vivre en société.	On étudie : • un roman de la littérature jeunesse ou patrimonial (lecture intégrale), et • des albums, des contes de sagesse, des récits de vie en rapport avec le programme d'enseignement moral et civique et/ou le thème 2 du programme d'histoire de CM2 ou bien • des fables posant des questions de morale, des poèmes ou des chansons exprimant un engagement ou bien • une pièce de théâtre de la littérature de jeunesse.
Se confronter au merveilleux, à l'étrange	
• Découvrir des contes, des albums adaptant des récits mythologiques, des pièces de théâtre mettant en scène des personnages sortant de l'ordinaire ou des figures surnaturelles. • Comprendre ce qu'ils symbolisent. • S'interroger sur le plaisir, la peur, l'attirance ou le rejet suscités par ces personnages.	On étudie : • en lien avec des représentations proposées par la peinture, la sculpture, les illustrations, la bande dessinée ou le cinéma, un recueil de contes merveilleux ou de contes et légendes mythologiques (lecture intégrale) et • des contes et légendes de France et d'autres pays et cultures ou bien • un ou des albums adaptant des récits mythologiques ou bien • une pièce de théâtre de la littérature de jeunesse.
Vivre des aventures	
• Découvrir des romans d'aventures dont le personnage principal est proche des élèves (enfant ou animal par exemple) afin de favoriser l'entrée dans la lecture. • Comprendre la dynamique du récit, les personnages et leurs relations. • S'interroger sur les modalités du suspens et imaginer des possibles narratifs.	On étudie : • un roman d'aventures de la littérature de jeunesse (lecture intégrale) dont le personnage principal est un enfant ou un animal et • des extraits de différents classiques du roman d'aventures, d'époques variées ou bien • un album de bande dessinée.
Imaginer, dire et célébrer le monde	
• Découvrir des poèmes, des contes étiologiques, des paroles de célébration appartenant à différentes cultures. • Comprendre l'aptitude du langage à dire le monde, à exprimer la relation de l'être humain à la nature, à rêver sur l'origine du monde. • S'interroger sur la nature du langage poétique (sans acception stricte de genre).	On étudie : • un recueil de poèmes et • des poèmes de siècles différents, célébrant le monde et/ou témoignant du pouvoir créateur de la parole poétique ou bien • des contes étiologiques de différentes cultures.
Se découvrir, s'affirmer dans le rapport aux autres	
• Découvrir des récits d'apprentissage mettant en scène l'enfant dans la vie familiale, les relations entre enfants, l'école ou d'autres groupes sociaux. • Comprendre la part de vérité de la fiction. • S'interroger sur la nature et les difficultés des apprentissages humains.	On étudie : • un roman d'apprentissage de la littérature jeunesse ou patrimonial et • des extraits de différents classiques du roman d'apprentissage, d'époques variées ou de récits autobiographiques ou bien • des extraits de films ou un film autant que possible adapté de l'une des œuvres étudiées ou bien • des poèmes exprimant des sentiments personnels.

SIXIÈME	
Enjeux littéraires et de formation personnelle	**Indications de corpus**
Le monstre, aux limites de l'humain	
• Découvrir des œuvres, des textes et des documents mettant en scène des figures de monstres. • Comprendre le sens des émotions fortes que suscitent la description ou la représentation des monstres et le récit ou la mise en scène de l'affrontement avec eux. • S'interroger sur les limites de l'humain que le monstre permet de figurer et d'explorer.	On étudie : • en lien avec des documents permettant de découvrir certains aspects de la figure du monstre dans la peinture, la sculpture, l'opéra, la bande dessinée ou le cinéma, des extraits choisis de l'*Odyssée* et/ou des *Métamorphoses*, dans une traduction au choix du professeur. et • des contes merveilleux et des récits adaptés de la mythologie et des légendes antiques, ou des contes et légendes de France et d'autres pays et cultures. ou bien • des extraits de romans et de nouvelles de différentes époques.
Récits d'aventures	
• Découvrir des œuvres et des textes qui, par le monde qu'ils représentent et par l'histoire qu'ils racontent, tiennent en haleine le lecteur et l'entrainent dans la lecture. • Comprendre pourquoi le récit capte l'attention du lecteur et la retient. • S'interroger sur les raisons de l'intérêt que l'on prend à leur lecture.	On étudie : • un classique du roman d'aventures (lecture intégrale) et • des extraits de différents classiques du roman d'aventures, d'époques variées et relevant de différentes catégories ou bien • des extraits de films d'aventures ou un film d'aventures autant que possible adapté de l'un des livres étudiés ou proposés en lecture cursive.
Récits de création ; création poétique	
• Découvrir différents récits de création, appartenant à différentes cultures et des poèmes de célébration du monde et/ou manifestant la puissance créatrice de la parole poétique. • Comprendre en quoi ces récits et ces créations poétiques répondent à des questions fondamentales, et en quoi ils témoignent d'une conception du monde. • S'interroger sur le statut de ces textes, sur les valeurs qu'ils expriment, sur leurs ressemblances et leurs différences.	On étudie : • en lien avec le programme d'histoire (thème 2 : «Croyances et récits fondateurs dans la Méditerranée antique au Ier millénaire avant Jésus-Christ»), un extrait long de La Genèse dans la Bible (lecture intégrale) ; • des extraits significatifs de plusieurs des grands récits de création d'autres cultures, choisis de manière à pouvoir opérer des comparaisons et • des poèmes de siècles différents, célébrant le monde et/ou témoignant du pouvoir créateur de la parole poétique.
Résister au plus fort : ruses, mensonges et masques	
• Découvrir des textes de différents genres mettant en scène les ruses et détours qu'invente le faible pour résister au plus fort. • Comprendre comment s'inventent et se déploient les ruses de l'intelligence aux dépens des puissants et quels sont les effets produits sur le lecteur ou le spectateur. • S'interroger sur la finalité, le sens de la ruse, sur la notion d'intrigue et sur les valeurs mises en jeu.	On étudie : • des fables et fabliaux, des farces ou soties développant des intrigues fondées sur la ruse et les rapports de pouvoir et • une pièce de théâtre (de l'Antiquité à nos jours) ou un film sur le même type de sujet (lecture ou étude intégrale).

LE SOCLE COMMUN
DE CONNAISSANCES

Comprendre et s'exprimer à l'oral
(domaines 1, 2, 3)

1. Écouter pour comprendre un message oral, un propos, un discours, un texte lu (domaine 1)
2. Parler en prenant en compte son auditoire (domaine 1 et domaine 2)
3. Participer à des échanges dans des situations diversifiées (domaine 1 et domaine 2)
4. Adopter une attitude critique par rapport au langage produit (domaine 1 et domaine 3)

COMPÉTENCES COMPLÉMENTAIRES

5. Comprendre le sens des consignes. (domaine 2)
6. Exprimer ses sentiments et ses émotions en utilisant un vocabulaire précis. (domaine 3)
7. Fonder et défendre ses jugements en s'appuyant sur sa réflexion et sur sa maîtrise de l'argumentation (domaine 3)
8. Exprimer à l'écrit et à l'oral **ce qu'on ressent** face à une œuvre littéraire ou artistique. (domaine 5)

Lire (domaines 1, 5)

1. Lire avec fluidité (domaine 1)
2. Comprendre un texte littéraire et l'interpréter (domaine 1)
3. Comprendre des textes, des documents et des images et les interpréter (domaine 1 et domaine 5)
4. Contrôler sa compréhension, être un lecteur autonome (domaine 1)

COMPÉTENCES COMPLÉMENTAIRES

5. Comprendre les modes de production et le rôle de l'image (domaine 2)
6. Savoir utiliser de façon réfléchie des outils de recherche, notamment sur Internet (domaine 2)
7. Connaître le sens du principe de laïcité ; en mesurer la profondeur historique et l'importance pour la démocratie dans notre pays (domaine 3)
8. Comprendre que les lectures du passé éclairent le présent et permettent de l'interpréter. (domaine 5)

Écrire (domaine 1)

1. Produire des écrits variés (domaine 1)
2. Recourir à l'écriture pour réfléchir et pour apprendre (domaine 1)
3. Écrire avec un clavier rapidement et efficacement (domaine 1)
4. Écrire à la main de manière fluide et efficace (domaine 1)
5. Réécrire à partir de nouvelles consignes ou faire évoluer son texte (domaine 1)
6. Prendre en compte les normes de l'écrit pour formuler, transcrire et réviser (domaine 1)

COMPÉTENCES COMPLÉMENTAIRES

7. Gérer les étapes d'une production, écrite ou non, mémoriser ce qui doit l'être (domaine 2)
8. Savoir se constituer des outils personnels [pour] s'entraîner, réviser, mémoriser (domaine 2)
9. Savoir mobiliser différents outils numériques pour créer des documents intégrant divers médias et les publier ou les transmettre (domaine 2)
10. Imaginer, concevoir et réaliser des productions de natures diverses, y compris littéraires et artistiques (domaine 5)
11. Mobiliser son imagination et sa créativité au service d'un projet personnel ou collectif (domaine 5)

IV. Comprendre le fonctionnement de la langue (domaines 1, 2)

1. Identifier les constituants d'une phrase simple en relation avec son sens ; distinguer phrase simple et phrase complexe (domaine 1)
2. Observer le fonctionnement du verbe et l'orthographier (domaine 1)
3. Maitriser la forme des mots en lien avec la syntaxe (domaine 1)
4. Acquérir la structure, le sens et l'orthographe des mots (domaine 1)
5. Maitriser les relations entre l'oral et l'écrit (domaine 1 et domaine 2)

Ce que vous savez déjà sur les contes — 16

Partie 1 → Le monde des contes : bêtes, dragons et sorcières — 18

GROUPEMENT DE TEXTES

···> **Texte 1** *Ivan le Taurillon,* Contes russes. — 18

···> **Texte 2** *L'infirme et les singes mangeurs d'hommes,* Contes d'Amérique du Sud — 22

···> **Texte 3** *Dame Trude,* J. et W. Grimm — 26

ORAL Paroles de conteuse — 28

···> **Texte 4** *La Belle et la Bête,* J.-M. Leprince de Beaumont — 30

DES OUTILS POUR RÉDIGER Écrire un conte merveilleux — 34

ORAL Les contes : imaginer et raconter — 36

HISTOIRE DES ARTS *Hansel et Gretel* — 38

Partie 2 → L'univers de l'*Odyssée* : cyclopes, sirènes et mangeurs d'hommes — 42

PARCOURS DE LECTURE

···> Découvrir l'*Odyssée* d'Homère — 42

···> **Extrait 1** Le cyclope Polyphème : une terrible rencontre avec le monstre — 44

···> **Extrait 2** Combattre le monstre : dans l'antre du cyclope — 47

···> **Extrait 3** Résister aux Sirènes : charmes et maléfices — 50

···> **Extrait 4** Le héros victime des monstres : Charybde et Scylla — 53

LECTURE D'IMAGE *Ulysse entre Charybde et Scylla,* J. H. Füssli — 56

···> **Extrait 5** Civilisation contre barbarie : Ulysse retrouve Pénélope — 57

DU PLAISIR DES MOTS AU PLAISIR D'ÉCRIRE Monstres et merveilles — 60

Partie 3 → Thésée, un tueur de monstres — 64

LECTURE CURSIVE

Ariane contre le minotaure, M.-O. Hartmann — 64

Des livres et un film — 66

Ce que vous avez appris sur… les monstres — 68

CE QUE DIT LE B.O.

Le monstre, aux limites de l'humain

❋ Découvrir des œuvres, des textes et des documents mettant en scène des figures de monstres.

❋ Comprendre le sens des émotions fortes que suscitent la description ou la représentation des monstres et le récit ou la mise en scène de l'affrontement avec eux.

❋ S'interroger sur les limites de l'humain que le monstre permet de figurer et d'explorer.

COMPÉTENCES TRAVAILLÉES

LANGAGE ORAL

❋ Présenter oralement des explications, des informations ou un point de vue.

❋ Préparer et étayer sa prise de parole, par des écrits de travail.

❋ Comparer les usages de la langue à l'oral et à l'écrit.

❋ Donner une forme satisfaisante à ses propos et ses présentations orales.

LECTURE ET COMPRÉHENSION DE L'ÉCRIT

❋ Lire avec fluidité.

❋ Comprendre et interpréter des textes littéraires.

❋ Être sensible aux effets esthétiques des textes et aux valeurs qu'ils portent.

❋ Utiliser l'écriture pour entrer dans la lecture littéraire.

ÉCRITURE

❋ Articuler écriture et lecture de différents genres littéraires.

❋ Affirmer une posture d'auteur : être capable de réviser son texte.

LANGUE

❋ Acquérir la structure, le sens et l'orthographe des mots.

❋ Se familiariser avec la morphologie verbale et nominale.

❋ Observer le fonctionnement du verbe et l'orthographier.

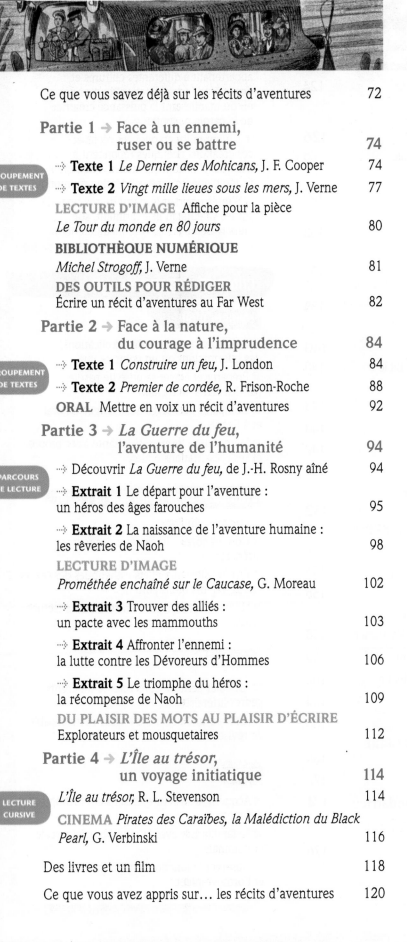

Ce que vous savez déjà sur les récits d'aventures   72

Partie 1 → Face à un ennemi, ruser ou se battre   74

GROUPEMENT DE TEXTES

⇢ **Texte 1** *Le Dernier des Mohicans*, J. F. Cooper   74

⇢ **Texte 2** *Vingt mille lieues sous les mers*, J. Verne   77

LECTURE D'IMAGE Affiche pour la pièce *Le Tour du monde en 80 jours*   80

BIBLIOTHÈQUE NUMÉRIQUE *Michel Strogoff*, J. Verne   81

DES OUTILS POUR RÉDIGER Écrire un récit d'aventures au Far West   82

Partie 2 → Face à la nature, du courage à l'imprudence   84

GROUPEMENT DE TEXTES

⇢ **Texte 1** *Construire un feu*, J. London   84

⇢ **Texte 2** *Premier de cordée*, R. Frison-Roche   88

ORAL Mettre en voix un récit d'aventures   92

Partie 3 → *La Guerre du feu*, l'aventure de l'humanité   94

PARCOURS DE LECTURE

⇢ Découvrir *La Guerre du feu*, de J.-H. Rosny aîné   94

⇢ **Extrait 1** Le départ pour l'aventure : un héros des âges farouches   95

⇢ **Extrait 2** La naissance de l'aventure humaine : les rêveries de Naoh   98

LECTURE D'IMAGE *Prométhée enchaîné sur le Caucase*, G. Moreau   102

⇢ **Extrait 3** Trouver des alliés : un pacte avec les mammouths   103

⇢ **Extrait 4** Affronter l'ennemi : la lutte contre les Dévoreurs d'Hommes   106

⇢ **Extrait 5** Le triomphe du héros : la récompense de Naoh   109

DU PLAISIR DES MOTS AU PLAISIR D'ÉCRIRE Explorateurs et mousquetaires   112

Partie 4 → *L'Île au trésor*, un voyage initiatique   114

LECTURE CURSIVE

L'Île au trésor, R. L. Stevenson   114

CINEMA *Pirates des Caraïbes, la Malédiction du Black Pearl*, G. Verbinski   116

Des livres et un film   118

Ce que vous avez appris sur… les récits d'aventures   120

CE QUE DIT LE B.O.

Récits d'aventures

✖ Découvrir des œuvres et des textes qui, par le monde qu'ils représentent et par l'histoire qu'ils racontent, tiennent en haleine le lecteur et l'entraînent dans la lecture.

✖ Comprendre pourquoi le récit capte l'attention du lecteur et la retient.

✖ S'interroger sur les raisons de l'intérêt que l'on prend à leur lecture.

COMPÉTENCES TRAVAILLÉES

LANGAGE ORAL

✖ Présenter oralement des explications, des informations ou un point de vue.

✖ Préparer et étayer sa prise de parole, par des écrits de travail.

✖ Donner une forme satisfaisante à ses propos et ses présentations orales.

✖ Renforcer les compétences linguistiques, la syntaxe et le lexique.

LECTURE ET COMPRÉHENSION DE L'ÉCRIT

✖ Lire avec fluidité.

✖ Être un lecteur autonome, y compris hors de la classe.

✖ Utiliser l'écriture pour entrer dans la lecture littéraire.

ÉCRITURE

✖ Manipuler le clavier et le traitement de texte.

✖ Articuler écriture et lecture de différents genres littéraires.

✖ Placer l'écriture à toutes les étapes des apprentissages.

✖ Affirmer une posture d'auteur : être capable de réviser son texte.

LANGUE

✖ Se familiariser avec la morphologie verbale et nominale.

✖ Analyser les composants de la phrase.

✖ Observer le fonctionnement du verbe et l'orthographier.

✖ Identifier les classes grammaticales.

Ce que vous savez déjà sur les récits explicatifs · · · 124

Partie 1 → **Des récits pour expliquer la création du monde** · · · 126

GROUPEMENT DE TEXTES

⤳ **Texte 1** La création du monde dans la Bible · · · 126

⤳ **Texte 2** L'engendrement des dieux dans la mythologie grecque · · · 130

⤳ **Texte 3** La création de la terre et du ciel chez les Vikings · · · 132

⤳ **Texte 4** L'origine de la vie en société chez les Iroquois · · · 135

DES OUTILS POUR RÉDIGER Écrire un récit de création · · · 138

Partie 2 → **La Bible, aux origines de la condition humaine** · · · 140

GROUPEMENT DE TEXTES

⤳ **Texte 1** Adam et Ève chassés du paradis, Bible · · · 140

LECTURE D'IMAGE *La Tour de Babel*, P. Bruegel l'Ancien · · · 143

⤳ **Texte 2** Le Déluge, Bible, Genèse · · · 144

⤳ **Texte 3** Le Déluge dans le Coran · · · 147

HISTOIRE DES ARTS Le Déluge · · · 148

Partie 3 → **Des poèmes pour célébrer la beauté du monde** · · · 152

GROUPEMENT DE TEXTES

⤳ **Texte 1** « Hymne à la terre », G. de Salluste du Bartas · · · 152

⤳ **Texte 2** « Prière à la nouvelle lune », *Le Chant des Bushmen/Xam* · · · 154

⤳ **Texte 3** « Soleils couchants », V. Hugo · · · 156

LECTURE D'IMAGES *Le Soleil*, N. de Stael et *San Benedetto, en regardant vers Fusina*, W. Turner · · · 158

⤳ **Texte 4** Anthologie de haïkus sur les saisons · · · 159

⤳ **Texte 5** « Le ciel, la nuit, l'été », G. Apollinaire · · · 162

⤳ **Texte 6** « Destin d'une eau », R. Queneau · · · 164

⤳ **Texte 7** « La forêt », E. Guillevic · · · 166

DU PLAISIR DES MOTS AU PLAISIR D'ÉCRIRE Jeux poétiques · · · 168

ORAL Dire la poésie · · · 172

Partie 4 → **Gilgamesh, une épopée fondatrice** · · · 174

LECTURE CURSIVE

Le Premier Roi du monde, J. Cassabois · · · 174

Des livres et un film · · · 176

Ce que vous avez appris sur… les récits de création et la création en poésie · · · 178

CE QUE DIT LE B.O.

Récits de création et création poétique

✳ Découvrir différents récits de création, appartenant à différentes cultures et des poèmes de célébration du monde et/ou manifestant la puissance créatrice de la parole poétique.

✳ Comprendre en quoi ces récits et ces créations poétiques répondent à des questions fondamentales, et en quoi ils témoignent d'une conception du monde.

✳ S'interroger sur le statut de ces textes, sur les valeurs qu'ils expriment, sur leurs ressemblances et leurs différences.

COMPÉTENCES TRAVAILLÉES

LANGAGE ORAL

✳ Présenter oralement des explications, des informations ou un point de vue.

✳ Préparer et étayer sa prise de parole, par des écrits de travail.

✳ Comparer les usages de la langue à l'oral et à l'écrit.

✳ Donner une forme satisfaisante à ses propos et ses présentations orales.

LECTURE ET COMPRÉHENSION DE L'ÉCRIT

✳ Lire avec fluidité.

✳ Comprendre et interpréter des textes littéraires.

✳ Être sensible aux effets esthétiques des textes et aux valeurs qu'ils portent.

✳ Utiliser l'écriture pour entrer dans la lecture littéraire.

ÉCRITURE

✳ Articuler écriture et lecture de différents genres littéraires.

✳ Affirmer une posture d'auteur : être capable de réviser son texte.

LANGUE

✳ Acquérir la structure, le sens et l'orthographe des mots.

✳ Se familiariser avec la morphologie verbale et nominale.

✳ Observer le fonctionnement du verbe et l'orthographier.

Des ruses pour tromper les puissants

CE QUE DIT LE B.O.

Résister au plus fort :
ruses, mensonges et masques

✖ Découvrir des textes de différents genres mettant en scène les ruses et détours qu'invente le faible pour résister au plus fort.

✖ Comprendre comment s'inventent et se déploient les ruses de l'intelligence aux dépens des puissants et quels sont les effets produits sur le lecteur ou le spectateur.

✖ S'interroger sur la finalité, le sens de la ruse, sur la notion d'intrigue et sur les valeurs mises en jeu.

COMPÉTENCES TRAVAILLÉES

LANGAGE ORAL

✖ Poursuivre la maîtrise du langage oral.

✖ Présenter oralement des explications, des informations ou un point de vue.

✖ Préparer et étayer sa prise de parole, par des écrits de travail.

✖ Renforcer les compétences linguistiques (syntaxe et lexique).

LECTURE ET COMPRÉHENSION DE L'ÉCRIT

✖ Lire avec fluidité.

✖ Être sensible aux effets esthétiques des textes et aux valeurs qu'ils portent.

✖ Utiliser l'écriture pour entrer dans la lecture littéraire.

✖ Structurer sa culture littéraire, à partir des œuvres lues les années passées.

ÉCRITURE

✖ Articuler écriture et lecture de différents genres littéraires.

✖ Affirmer une posture d'auteur : être capable de réviser son texte.

LANGUE

✖ Acquérir la structure, le sens et l'orthographe des mots.

✖ Se familiariser avec la morphologie verbale et nominale.

✖ Observer le fonctionnement du verbe et l'orthographier.

Ce que vous savez déjà sur les fables   182

Partie 1 → Faibles et puissants
dans les *Fables* de La Fontaine   184

GROUPEMENT DE TEXTES

⋯› **Texte 1** « Le Loup et l'Agneau », Jean de La Fontaine   184

⋯› **Texte 2** « Le Lion et le Rat », Jean de La Fontaine   186

⋯› **Texte 3** « Le Loup, la Chèvre et le Chevreau »,
Jean de La Fontaine   188

⋯› **Texte 4** « Le Lion amoureux », Jean de La Fontaine   190

ORAL Lire et dire un texte en vers   192

Partie 2 → Un fabliau pour rire des puissants   194

ŒUVRE INTÉGRALE

« Estula », Fabliaux et contes du Moyen Âge   194

DES OUTILS POUR RÉDIGER
Écrire un recueil collectif de fables   198

Partie 3 → *Le Médecin malgré lui,*
entre naïfs et rusés   200

PARCOURS DE LECTURE

⋯› Découvrir *Le Médecin malgré lui* de Molière   200

⋯› **Extrait 1** La révolte du faible :
scène de ménage (Acte I, sc. 1)   202

⋯› **Extrait 2** Coups contre coups :
la vengeance de Martine (Acte I, sc. 5)   205

⋯› **Extrait 3** Le pouvoir des mots :
un drôle de médecin (Acte II, sc. 4)   208

⋯› **Extrait 4** La force de l'amour :
ruse et déguisement (Acte III, sc. 6)   212

DU PLAISIR DES MOTS AU PLAISIR DE JOUER
Jeux théâtraux   216

Partie 4 → Renart, le malicieux   220

LECTURE CURSIVE

Le Roman de Renart   220

CINEMA *Fantastic Mr Fox*, W. Anderson   222

Des livres et un film   224

Ce que vous avez appris sur… les puissants et les rusés   226

Étude de la langue

I. La phrase et les mots : notions fondamentales

1 La phrase (simple et complexe), la ponctuation 230
2 Les types et les formes de phrases 232
3 Les classes de mots 234

II. Autour du nom

4 Les noms et les déterminants 236
5 Les fonctions dans le groupe nominal : l'épithète, le complément de nom 238
6 Les pronoms personnels 240
7 Les pronoms démonstratifs et possessifs 242

III. Autour du verbe

8 Le sujet 244
9 L'attribut du sujet 246
10 Les compléments d'objet direct et indirect, le complément d'objet second 248
11 Les compléments de phrase (ou compléments circonstanciels) : le lieu, le temps, la manière, le moyen 250

IV. Le verbe

12 Le verbe (généralités) 252
13 Le présent : valeurs, conjugaison des verbes du 1er et du 2e groupe 254
14 Le présent des verbes du 3e groupe, le passé composé, l'impératif 256
15 Le futur, le futur antérieur et le conditionnel présent 258
16 L'imparfait et le plus-que-parfait 260
17 Le passé simple 262
18 L'infinitif et le participe, l'accord du participe passé, les terminaisons en « -é » et « -er » 264
19 Employer les temps dans un récit au présent 266
20 Employer les temps dans un récit au passé 268

V. Orthographe

21 Le féminin des noms et des adjectifs 270
22 Le pluriel des noms et des adjectifs 272
23 Les accords dans le groupe nominal 274
24 L'accord du verbe avec son sujet 276

VI. Vocabulaire

25 Les synonymes et les hyperonymes, les homonymes 278
26 L'origine des mots, les familles de mots, le sens des mots 280
27 La formation des mots : mots simples, mots composés, mots dérivés 282
28 L'usage du langage et des codes de comportement en situation 284

CE QUE DIT LE B.O.

Les attendus de fin de cycle

Maîtriser les relations entre l'oral et l'écrit

- Ensemble des phonèmes du français et des graphèmes associés.
- Variation et marques morphologiques à l'oral et à l'écrit (noms, déterminants, adjectifs, pronoms, verbes).

Acquérir la structure, le sens et l'orthographe des mots

- Observations morphologiques : dérivation et composition, explications sur la graphie des mots, établissement de séries de mots (en lien avec la lecture et l'écriture).
- Mise en réseau de mots (groupements par champ lexical).
- Analyse du sens des mots : polysémie et synonymie, catégorisations (termes génériques/spécifiques).
- Découverte des bases latines et grecques, dérivation et composition à partir d'éléments latins ou grecs, repérage des mots appartenant au vocabulaire savant, construction de séries lexicales.

Maîtriser la forme des mots en lien avec la syntaxe

- Observation des marques du genre et du nombre entendues et écrites.
- Identification des classes de mots subissant des variations : le nom et le verbe ; le déterminant – l'adjectif – le pronom.
- Notion de groupe nominal et accords au sein du groupe nominal.
- Accord du verbe avec son sujet, de l'attribut avec le sujet, du participe passé avec être (à rapprocher de l'accord de l'attribut avec le sujet).
- Élaboration de règles de fonctionnement construites sur les régularités.

Identifier les constituants d'une phrase simple en relation avec sa cohérence sémantique ; distinguer phrase simple et phrase complexe

- Mise en évidence de la cohérence sémantique de la phrase : de quoi on parle et ce qu'on en dit, à quoi on peut rajouter des compléments de phrase facultatifs.
- Mise en évidence des groupes syntaxiques : le sujet de la phrase : un groupe nominal, un pronom, une subordonnée ; le prédicat de la phrase, c'est-à-dire ce qu'on dit du sujet (très souvent un groupe verbal formé du verbe et des compléments du verbe s'il en a) ; le complément de phrase : un groupe nominal, un groupe prépositionnel, un groupe adjectival, une subordonnée.
- Distinction phrase simple/phrase complexe à partir du repérage des verbes

Activités

Activités numériques

1. Baba Yaga en images — 21
2. La fabrique de contes — 25
3. Regarder des extraits de l'opéra d'Humperdinck — 41
4. Un monde de dangers — 91
5. Abraham, une figure biblique — 146
6. Créer une anthologie numérique de poèmes — 161
7. Réaliser un recueil de fables à l'aide d'Internet — 199
8. De Jean-Baptiste Poquelin à Molière — 201

Activités interdisciplinaires

1. SVT - Français : Y a-t-il des monstres pour la science ? — 33
2. Français - Éducation musicale : Écouter un extrait d'opéra — 41
3. Français - Éducation musicale : Le chant des Sirènes imaginé par les musiciens — 51
4. Français - Histoire - SVT- Arts plastiques : La vie durant la préhistoire — 101
5. Français - Arts plastiques - SVT : Mammouths et compagnie — 105
6. Mathématiques - Français : Ce que sait la science sur l'origine du monde — 137
7. Français - Arts plastiques : Réaliser un recueil de poèmes — 171
8. Français - Arts plastiques : Illustrer un recueil de fables — 199
9. Français - Arts plastiques : Costumes et décors — 211
10. Français - Arts plastiques : Tous en scène — 218

Accompagnement personnalisé

1. S'enregistrer pour mieux lire
2. Apprendre à ponctuer
3. Le vocabulaire pour décrire un animal
4. Apprendre à se relire
5. Utiliser un dictionnaire pour bien employer les mots
6. Mémoriser un texte poétique
7. Faire un plan
8. Imaginer une suite

Audiothèque

Retrouvez, sur le site de votre manuel, la lecture par la conteuse des textes suivants.

Chapitre 1

1. *La Clef d'or* — 17
2. *Ivan le Taurillon* — 18
3. *L'Infirme et les singes mangeurs d'hommes* — 22
4. *Dame Trude* — 26
5. Entretien avec Anastasia Ortenzio — 28
6. *La Belle et la Bête* — 30
7. **Compréhension orale :** *Le village Zrze et le dragon* — 36
8. Entrer dans l'*Odyssée* — 42
9. *Odyssée* : le Cyclope Polyphème — 44
10. *Odyssée* : Charybde et Scylla — 53
11. *Odyssée* : Ulysse retrouve Pénélope — 57

Chapitre 2

1. *Vingt mille lieues sous les mers* — 77
2. *Construire un feu* — 84
3. *Premier de cordée* — 88
4. **Compréhension orale :** *Le royaume de Kensuké* — 92

Chapitre 3

1. La création du monde dans la Bible — 126
2. L'origine de la vie en société chez les Iroquois — 135
3. Adam et Ève chassés du paradis — 140
4. La tour de Babel — 143
5. Hymne à la Terre — 152
6. Prière à la nouvelle lune — 154
7. « Soleils couchants » — 156
8. Haïkus sur les saisons — 159
9. « Destin d'une eau » — 164
10. « La forêt » — 166
11. **Compréhension orale :** « Automne malade » — 172

Chapitre 4

1. « Le Loup et l'Agneau » — 184
2. « Le Lion et le Rat » — 186
3. « Le Loup, la Chèvre et le Chevreau » — 188
4. « Le Lion amoureux » — 190
5. **Compréhension orale :** « La Colombe et la Fourmi » — 192
6. « Estula » — 194

Des monstres pour réfléchir et pour rêver

L'*Odyssée* d'Homère.
Illustration d'Edmond Dulac,
début du XXᵉ siècle.

Dans ce chapitre, vous allez :

❖ Faire le point sur ce que
vous savez déjà sur les contes . . . . p. 16

◎ Lire des contes
⇝ J. et W. Grimm, *La Clef d'or* . . . . p. 17
⇝ Contes russes, *Ivan le Taurillon* . . . . p. 18
⇝ Contes d'Amérique du Sud,
L'infirme et les singes mangeurs d'hommes . . . p. 22
⇝ J. et W. Grimm, *Dame Trude* . . . . p. 26
⇝ J.-M. Leprince de Beaumont, *La Belle et la Bête* . p. 30

◎ Partager les conseils d'une conteuse . . . . p. 28

◎ Écrire un conte . . . . p. 34

◎ Raconter un conte . . . . p. 36

◎ Réfléchir à l'adaptation d'*Hansel et Gretel* . . . . p. 38

◎ Lire l'*Odyssée* d'Homère . . . . p. 42
⇝ La rencontre avec le Cyclope Polyphème . . . . . p. 44
⇝ Ulysse combat le Cyclope . . . . p. 47
⇝ Les Sirènes dans l'*Odyssée* . . . . p. 50
⇝ Charybde et Scylla . . . . p. 53
⇝ Ulysse retrouve Pénélope . . . . p. 57

◎ Découvrir un tableau de Füssli . . . . p. 56

◎ Inventer des monstres et des légendes . . . . p. 60

◎ Lire des histoires noires de la mythologie
⇝ *Ariane contre le minotaure* . . . . p. 64

◎ Découvrir des livres et un film . . . . p. 66

❖ Faire le point sur ce que vous avez appris
sur les monstres . . . . p. 68

Le Petit Chaperon rouge.
Illustration de Joyce Mercer,
xxᵉ siècle.

1 Rassemblez vos connaissances

1. Faites une liste de personnages qui sont propres à l'univers des contes.
2. Quels lieux et quels objets trouve-t-on souvent dans les contes ?
3. Quelles actions peuvent s'y produire ?
4. Quelles formules ou expressions sont fréquentes au début et à la fin des contes ?

Le chat Botté, illustration de Nadeshda Illarion•

« Le Petit Chaperon Rouge rencontre le loup », tiré des *Histoires du temps passé* de Charles Perrault, 1922.

Les cygnes sauvages de Hans Christian Andersen. Impression couleur d'après aquarelle de Paul Hey, 1930.

2 Retrouvez l'univers du conte

Avant de répondre aux questions, lisez ce conte, que les frères Grimm ont laissé inachevé. Écoutez ensuite le même récit interprété par une conteuse.

1. Citez une ou plusieurs différences entre le texte du conte écrit et la version du conte raconté.
2. Dites ce qui, dans ce début de récit, évoque un conte (mots, objets, thèmes).
3. Imaginez ce que peut contenir la cassette. Tenez compte du fait que nous sommes dans l'univers des contes.
4. Dites quels événements et quels personnages pourraient intervenir dans la suite du récit.

La clef d'or

En plein hiver, un jour qu'il était tombé beaucoup de neige, un jeune homme pauvre fut obligé de sortir pour aller chercher du bois et le ramener sur sa luge. Le bois ramassé et la luge
5 chargée, il avait trop froid pour rentrer, et il voulut d'abord faire un petit feu pour se réchauffer un peu. Il commença par déblayer la neige avec le pied, mais quand il eut débarrassé un petit coin et mis le sol à nu, il y trouva une petite clef
10 d'or. Croyant alors qu'où se trouve la clef doit aussi se trouver la serrure correspondante, il se mit à creuser la terre et découvrit, en effet, une cassette de fer.

« Pourvu que ce soit la clef ! souhaita-t-il.
15 Dans la cassette ce sont sûrement des choses précieuses. » Il chercha mais il n'y avait pas de trou de serrure ; apparemment, il n'y en avait pas. Et pourtant si, tout à la fin, il en découvrit un, mais si minuscule qu'on pouvait à peine le
20 voir. Il essaya : mais oui ! la clef entrait parfaitement. Il lui donna un premier tour ; mais à présent il faut attendre qu'il ait fini d'ouvrir et qu'il ait soulevé le couvercle pour savoir quelles merveilles contenait la cassette.

Jacob et Wilhelm Grimm, *La Clef d'or*, 1850, trad. Armel Guerne, 1967.

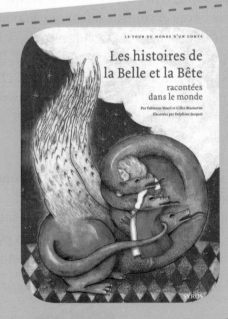

3 Découvrez le chapitre

Lisez le sommaire de ce chapitre (p. 14). Choisissez, parmi les titres des textes, celui qui vous plaît le plus. Quel type de personnages peut-il mettre en scène ? Qu'est-ce qui, dans ce titre, laisse penser que l'on va lire un conte ?

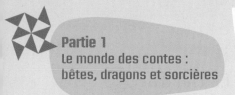

Partie 1
Le monde des contes :
bêtes, dragons et sorcières

GROUPEMENT DE TEXTES

1 ## Pourquoi les dragons ont disparu de Russie. Un conte merveilleux explicatif

Ivan le Taurillon

Le début du conte raconte la naissance magique, le même jour, de trois demi-frères : Ivan le tsarévitch (fils de tsar), Ivan le Serviteur et Ivan le Taurillon. Ils grandissent en douze mois assez vite pour ressembler à des jeunes gens de vingt ans. Tous trois sont vigoureux et beaux mais Ivan le Taurillon a une force exceptionnelle. Ils partent à l'aventure découvrir le monde. Les trois dragons du conte portent le même nom mais ce sont trois personnages différents.

✪ Extrait 1

[…] Les trois Ivan s'en allèrent à travers champs, ils chevauchèrent, chevauchèrent et ils arrivèrent à la rivière Smorodine là où un pont de viorne[1] la traverse. Ivan le Taurillon dit alors :

– Venez, frères, nous allons dresser notre tente pour passer la
5 nuit ici.

Les trois Ivan dressèrent leur tente près du pont de viorne et tirèrent à la courte paille pour savoir qui monterait la garde. Le sort tomba sur le tsarévitch Ivan.

Le serviteur Ivan et le taurillon Ivan se couchèrent sous la tente
10 et le tsarévitch Ivan prit la garde près du pont de viorne. Mais le taurillon Ivan ne pouvait pas dormir. Il se tournait et se retournait sans cesse et il se dit :

« Je vais aller voir comment Ivan le tsarévitch monte la garde. »

Ivan le Taurillon arriva près du pont et vit qu' Ivan le tsarévitch
15 était assis sur la berge et ronflait si fort que le pont en tremblait.

Ivan le Taurillon haussa les épaules, mais, à ce moment, il vit arriver sur le pont l'effroyable dragon Idolichtiè, l'effroyable dragon aux trois têtes. Il s'avançait gaiement, mais son cheval boitait.

– Quoi donc, mon beau cheval, tu boites ? demanda Idolichtiè.
20 Son destrier[2] lui répondit :

– Oui, je boite… parce que j'ai peur.

Le dragon s'esclaffa[3] :

– De quoi as-tu peur ? Il n'y a qu'une personne au monde qui puisse nous faire peur. Et c'est Ivan le Taurillon.
25 – Et me voilà ! cria Ivan le Taurillon et, d'un seul coup, il trancha les trois têtes du dragon. Il jeta les trois têtes et le corps dans la rivière Smorodine et il lâcha le cheval. Puis il retourna se coucher.

---

1. **Viorne** : arbuste dont le bois est dur.
2. **Destrier** : cheval.
3. **S'esclaffa** : éclata de rire.

Le matin, Ivan le Taurillon demanda à Ivan le tsarévitch :

– Comment s'est passée la garde, frère ?

30 – Bien, répondit Ivan le tsarévitch. Tout était calme, pas une feuille n'a bougé.

Puis les trois Ivan repartirent à travers champs, ils cheminèrent de-ci de-là et le soir, ils revinrent dans leur tente auprès du pont de viorne. Ce fut le tour d'Ivan le Serviteur de monter la garde.

35 Cette nuit encore, Ivan le Taurillon ne pouvait pas dormir, il se tournait et se retournait sans cesse et, enfin, il alla voir comment Ivan le Serviteur montait la garde. Il vit qu'Ivan le Serviteur dormait sur la berge et ronflait si fort que le pont en tremblait.

Ivan le Taurillon haussa les épaules, mais, à ce moment, il vit
40 arriver sur le pont Idolichtiè, l'effroyable dragon aux six têtes. Il s'avançait gaiement, mais son cheval boitait. [...]

⭐ **Extrait 2**

[...] Ivan le Taurillon alla près du pont de viorne et attendit long-temps, assez longtemps, et voilà qu'arriva sur le pont l'effroyable Idolichtiè, le dragon aux neuf têtes. Il s'avançait gaiement, mais son
45 cheval boitait.

– Quoi donc, mon beau cheval, tu boites ? J'espère que tu n'as pas peur ?

Le cheval répondit :

– J'ai peur... j'ai peur d'Ivan le Taurillon.

50 Le dragon s'esclaffa :

– Il ne faut pas avoir peur d'Ivan le Taurillon. Je le prendrai dans une de mes mains, de l'autre je l'écraserai et je l'aplatirai comme une crêpe.

Alors Ivan le Taurillon s'écria :

55 – C'est à voir !

Volga et ses troupes (1902)
par Ivan Bilibine.
Aquarelle et encre sur papier.

Il dégaina son épée, du premier coup, trancha trois des têtes du dragon, du second coup encore trois têtes mais, avant qu'il ait eu le temps de lui porter un troisième coup, l'effroyable Idolichtiè recolla ses têtes avec son doigt de feu et se retrouva avec ses neuf têtes. Ils

60 continuèrent à combattre, le combat durait, durait, Ivan le Taurillon tranchait toujours des têtes, mais, chaque fois, avant qu'il les ait toutes tranchées, Idolichtiè les recollait avec son doigt de feu. Ivan le Taurillon vit qu'il n'arriverait pas à vaincre Idolichtiè aux neuf têtes et au doigt de feu.

65 À ce moment, près de la tente blanche, le cheval d'Ivan le Taurillon frappa le sol de ses sabots. Il frappa si fort que le pont de viorne en trembla, il frappa si fort que la rivière Smorodine rejaillit sur la berge. Mais Ivan le tsarévitch et Ivan le Serviteur dormaient si profondément qu'ils n'entendirent pas le bruit des sabots et ils ne

70 lâchèrent pas le cheval.

Et déjà Idolichtiè pressait Ivan le Taurillon, le bousculait, le maintenait solidement sur le sol. Ivan le Taurillon réussit à enlever une de ses bottes, il la jeta vers la tente

75 blanche sur la bride de son destrier : la botte rompit la bride et le cheval se précipita sur le dragon.

Il martela le dragon, Ivan le Taurillon se redressa et lui trancha son doigt de feu et,

80 ensuite, il abattit aisément les neuf têtes. Puis il retourna à la tente, attacha son cheval et alla se coucher. […]

C'est ainsi qu'Ivan le Taurillon et ses frères débarrassèrent la Sainte Russie des trois dragons Idolichtiè. […]

Contes russes, traduction J. Karel
et A. Dartigues, 2009.

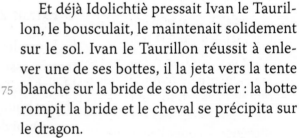

Illustration des *Contes de l'Isba*
(1931) par Ivan Bilibine.

Si vous avez fini de lire
Repérez deux répliques de dialogue répétées plusieurs fois et apprenez-les par cœur.

Comprendre le texte

Des monstres et un héros

1 Faites la liste des personnages surnaturels (humains ou non).

2 Quels personnages sont présentés comme des monstres ?

3 Citez les particularités du héros qui le rendent extraordinaire (origine, qualités). Utilisez le conte et la présentation du texte pour répondre.

Un conte merveilleux explicatif

4 Qu'explique ce conte ? Citez la phrase qui donne cette explication.

5 Rappelez des actions du récit qui sont impossibles dans la réalité.

6 Lisez la définition du merveilleux (→ À retenir). Pourquoi peut-on affirmer que ce récit est du domaine du merveilleux ? Utilisez des éléments de vos réponses précédentes pour l'expliquer.

Un conte écrit dans le style oral

7 Citez un passage de récit et des formules répétés au moins deux fois.

8 Dans les récits oraux, les conteurs utilisent beaucoup les répétitions. Selon vous, quelle est leur utilité pour eux ? Et pour les auditeurs ?

Bilan

9 Pour les personnages monstrueux, dites précisément quelles sont les particularités qui en font des monstres.

à retenir

Dans les récits merveilleux, on trouve des éléments surnaturels. Il peut s'agir de personnages (fées, dragons, sorcières), d'événements (métamorphoses, animaux qui parlent), d'objets (baguettes, sacs, miroirs magiques), de lieux (forêts enchantées, royaumes sous-marins). Le lecteur qui entre dans ce type de récits accepte les éléments invraisemblables sans s'en étonner : il sait qu'ils font partie du domaine du merveilleux auquel appartient le conte.

 ## Activités

LANGUE IV.1

Dans la phrase « Le sort tomba sur le tsarévitch Ivan » (l. 7-8), dites à quelle classe grammaticale appartient chaque mot.
→ **Les classes de mots** p. 234

ORAL Raconter une partie de conte I.2

Entre les deux extraits, un passage du texte a été supprimé.
a) À deux, en vous aidant de votre connaissance du récit et de vos réponses, reconstituez le passage manquant sous forme de notes, qui vous serviront de base pour raconter à l'oral.
b) Votre narration comprendra deux moments de dialogue et de courts éléments de récit.
c) Vous vous répartirez les rôles dans les dialogues et vous vous partagerez les moments de récit.
d) Vous raconterez oralement le passage reconstitué.

 ### Écoute

Écoutez la fin du récit lue par la conteuse.
a) Citez deux personnages d'ennemis qui apparaissent à la fin du récit et un personnage qui aide les trois Ivan.
b) Décrivez Baba-Yégabika. Quels sont ses pouvoirs ?
c) Quel passage avez-vous trouvé particulièrement bien interprété par la conteuse ? Avez-vous repéré des façons de dire qui retiennent l'attention de l'auditeur ?

ORAL Exprimer son opinion I.7

Quel personnage de ce conte préférez-vous ? Expliquez votre choix en évoquant vos goûts personnels. Serait-il possible de dessiner ce personnage ? Justifiez votre réponse. Répondez à l'écrit ou à l'oral par des phrases complètes. Faites un dessin si vous pensez cela possible.

 ## Activité numérique II.6

Baba Yaga en images

Cherchez des images de Baba Yaga sur Internet.

📄 Votre professeur vous distribuera la fiche 1 pour guider votre travail.

Partie 1
Le monde des contes :
bêtes, dragons et sorcières

GROUPEMENT
DE TEXTES

❷ Comment le plus faible peut triompher du monstre. Un conte d'initiation

L'infirme[1] et les singes mangeurs d'hommes

Des singes mangeurs d'hommes dévorent les chasseurs et terrorisent les villages. Trois frères décident de combattre ces monstres. Le cadet, infirme, est méprisé par les autres, qui s'en vont sans lui dans la forêt. Une grenouille propose son aide aux deux frères partis à la recherche des singes si l'un d'eux accepte de l'épouser. Mais ils se moquent d'elle.

Un cyclope, dans *Les mille et une nuits* (1912). Illustration par Lucien Laforge.

[...] Ils continuèrent leur route et ne prêtèrent pas attention à ce que la grenouille leur criait encore, mais ils aperçurent, sur le sol, des os et des crânes humains éparpillés. Tout à coup, les branches, au-dessus de leur tête, se mirent à craquer ; les feuilles laissèrent
5　voir le visage d'un singe, tout noir, seuls brillaient ses yeux sanglants à l'éclat féroce.

Les deux frères furent remplis de terreur, mais déjà le deuxième monstre leur sautait dessus et les jetait sur le sol. Puis les deux mangeurs d'hommes les tuèrent et se mirent aux apprêts[2] de leur festin.
10　Pendant ce temps, l'infirme surveillait le feu et attendait. Le temps passait, ses frères ne revenaient pas.

Le cadet se dit que quelque chose leur était arrivé. Il se leva à grand-peine, s'appuya sur un bâton et, clopin-clopant, partit à leur recherche.
15　Lui aussi passa par le marais et rencontra la grenouille.

– Je sais que tu es à la recherche de tes frères, je t'aiderai si tu m'acceptes pour épouse, lui dit-elle.

– Je deviendrai ton mari avec plaisir, lui répondit l'infirme en souriant. De toute façon, personne d'autre ne voudrait de moi...
20　Là-dessus, la grenouille sortit du marais et ordonna :

– Marche derrière moi, et ne dévie ni à droite, ni à gauche, si tu aimes la vie !

Elle le guida sur un étroit sentier au milieu du marais, la fange[3] bouillonnait, montait, tourbillonnait, mais l'infirme n'y faisait pas
25　attention.

À la fin, la grenouille l'amena à une fontaine d'eau pure.

– Plonge-toi dedans trois fois, même si tu ressens des douleurs terribles, lui dit-elle.

L'infirme planta en terre son bâton, s'y appuya et sauta dans l'eau.
30　Il ne ressentit rien de spécial, mais l'eau était trop chaude.

Il se plongea une deuxième fois, et alors la fontaine se mit à bouillir, et, quand il se plongea pour la troisième fois, il ressentit de vives douleurs.

1. **Infirme :** personne handicapée.
2. **Aux apprêts :** à la préparation.
3. **Fange :** boue.
4. **Banda son arc :** prépara son arc.

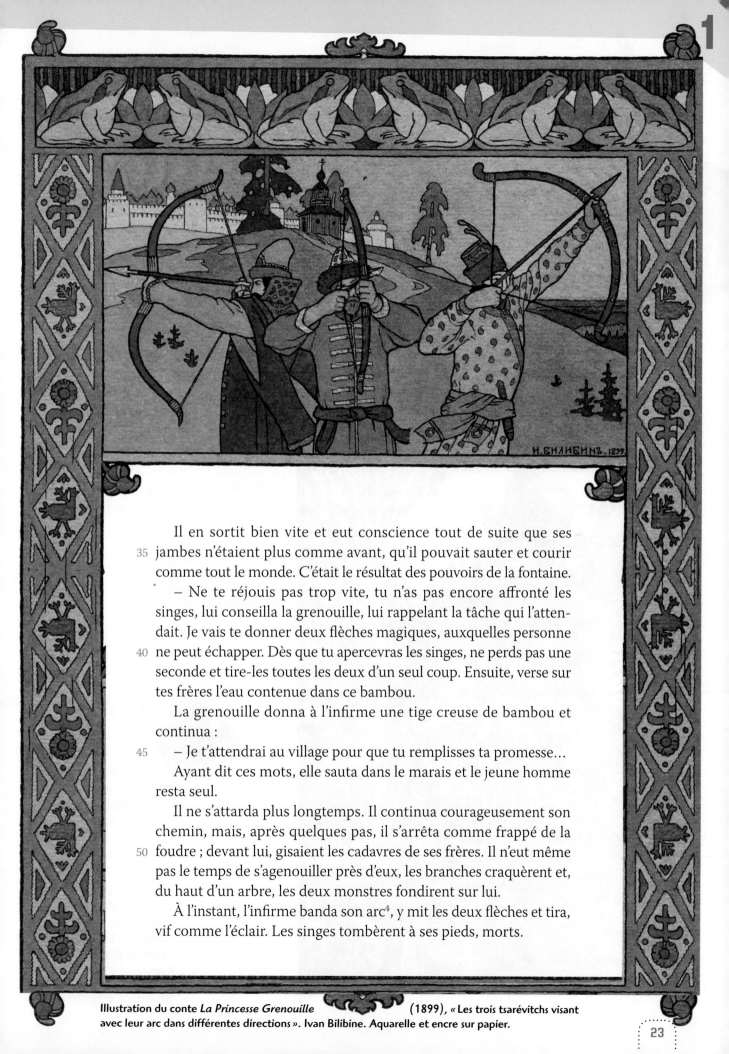

Il en sortit bien vite et eut conscience tout de suite que ses
35 jambes n'étaient plus comme avant, qu'il pouvait sauter et courir
comme tout le monde. C'était le résultat des pouvoirs de la fontaine.

   — Ne te réjouis pas trop vite, tu n'as pas encore affronté les
singes, lui conseilla la grenouille, lui rappelant la tâche qui l'attendait. Je vais te donner deux flèches magiques, auxquelles personne
40 ne peut échapper. Dès que tu apercevras les singes, ne perds pas une
seconde et tire-les toutes les deux d'un seul coup. Ensuite, verse sur
tes frères l'eau contenue dans ce bambou.

   La grenouille donna à l'infirme une tige creuse de bambou et
continua :

45   — Je t'attendrai au village pour que tu remplisses ta promesse…

   Ayant dit ces mots, elle sauta dans le marais et le jeune homme
resta seul.

   Il ne s'attarda plus longtemps. Il continua courageusement son
chemin, mais, après quelques pas, il s'arrêta comme frappé de la
50 foudre ; devant lui, gisaient les cadavres de ses frères. Il n'eut même
pas le temps de s'agenouiller près d'eux, les branches craquèrent et,
du haut d'un arbre, les deux monstres fondirent sur lui.

   À l'instant, l'infirme banda son arc[4], y mit les deux flèches et tira,
vif comme l'éclair. Les singes tombèrent à ses pieds, morts.

Illustration du conte *La Princesse Grenouille* (1899), « Les trois tsarévitchs visant
avec leur arc dans différentes directions ». Ivan Bilibine. Aquarelle et encre sur papier.

Illustration des *Contes de l'Isba* (1931) par Ivan Bilibine.

5. Ne se dédit pas : n'est pas revenu sur sa décision.

55   Ensuite, le jeune homme, suivant les instructions de la grenouille, versa sur ses frères l'eau contenue dans le bambou. Et, à peine les premières gouttes les avaient-elles touchés, qu'ils se redressèrent avec peine.

    – Qu'est-ce qui nous est arrivé ?

60   – Et qu'est-ce que tu fais ici ? demandèrent-ils l'un après l'autre.

    Leur cadet leur relata son expédition et ajouta qu'il allait se marier avec la grenouille.

    Les deux aînés écoutaient, écoutaient et, quand il eut fini, ils dirent :

    – Qui a jamais vu un homme se marier avec une grenouille ? Tu

65 ne peux pas infliger une honte pareille à la famille !

    Mais l'infirme ne se dédit pas[5]. Ses frères discutaient de son projet en le raisonnant ou en se fâchant, mais pendant ce temps, il ne pensait qu'à retourner au village pour retrouver la grenouille.

    Cependant, de loin, il vit qu'une jeune fille inconnue attendait de-

70 vant leur hutte, elle lui souriait et, quand il se fut approché, elle lui dit :

    – Tu ne me reconnais pas ? Je suis pourtant la grenouille du marais...

Contes d'Amérique du Sud, racontés par Vladimir Hulpach, 1976.

Illustration du *Prince Ivan et la princesse grenouille* (1930) par Ivan Bilibine. Aquarelle et gouache sur papier.

Si vous avez fini de lire

Cherchez qui est le héros de l'histoire, qui sont ses ennemis (il peut y avoir deux éléments de réponse) et quel personnage l'aide à surmonter les obstacles. Vous ferez part à vos camarades de votre réponse.

Comprendre le texte

Des êtres doublement monstrueux

1 Recopiez le passage du texte où les singes sont décrits et où leur attaque des deux frères est racontée.

2 Dans ce passage, soulignez les adjectifs qui décrivent les singes. Encadrez un nom synonyme de « peur ». Citez les verbes qui décrivent les actions.

3 Les singes sont monstrueux de deux manières. Justifiez cette affirmation en utilisant vos réponses précédentes.

Un conte d'initiation

4 Au début du récit, le héros paraît-il capable de vaincre les monstres ? Qui l'aide à le faire ?

5 Dans quelle situation le héros doit-il faire preuve de courage physique ?

6 Dans quelle situation doit-il faire preuve de sang-froid ?

7 Dans quelle situation doit-il faire preuve de modestie et de douceur ?

8 Expliquez ce qui a changé pour le héros entre le début et la fin du récit.

9 Qu'appelle-t-on une initiation dans la pratique d'un sport ou d'un art ? Lisez la définition du récit d'initiation (→ À retenir). Pourquoi peut-on affirmer que ce conte est un récit d'initiation ?

Bilan

10 Relisez votre réponse à la question 3. Selon vous, lequel des deux aspects de la monstruosité des singes est le plus effrayant ?

11 Quelles qualités du héros, les monstres mettent-ils en valeur ? En quoi est-ce intéressant dans un récit d'initiation ?

à retenir

Dans un **récit d'initiation**, le héros (ou l'héroïne) affronte des épreuves et suit un parcours difficile. Il/elle réussit grâce à ses qualités et à l'aide d'un ou de plusieurs personnages. Après son succès, il/elle se transforme et devient plus accompli(e) : il/elle peut se marier, devenir roi/reine, s'enrichir, acquérir des connaissances ou la sagesse.

Activités

LANGUE **IV.3**

Dans la phrase ci-dessous, remplacez « l'infirme » par « les infirmes ». Modifiez les terminaisons des verbes pour les mettre au pluriel.
L'infirme planta en terre son bâton, s'y appuya et sauta dans l'eau.

→ **Le passé simple** p. 262

ÉCRITURE — Imaginer la fin d'un récit **III.7**

Imaginez à deux la fin du récit et rédigez-la.

● *Avant d'écrire*
– Quel événement surnaturel mentionné à la fin de l'extrait faut-il expliquer ?
– Quels sont les quatre personnages dont vous devrez raconter le sort ?

● *Conseils d'écriture*
– Rappelez-vous que ce conte est un récit d'initiation : la fin doit montrer le triomphe du héros, qui deviendra plus accompli.
– Tenez compte des qualités de caractère du héros (modestie et douceur).

● *Quand vous avez fini, relisez-vous.*
– Comprend-on bien qui est la grenouille ?
– Les phrases ont-elles toutes un verbe ?
– Les phrases font-elles moins de deux lignes ?

Si vous avez fini d'écrire
Dans ce conte, il y a une fontaine magique. Imaginez quel autre pouvoir elle pourrait avoir dans un récit différent avec un personnage de votre invention. Écrivez une phrase pour expliquer ce pouvoir. Dans une autre phrase, montrez votre personnage en train de recourir à la force magique de la fontaine.

Activité numérique **III.9**

La fabrique de contes
Allez sur le site de la BNF et suivez les instructions données pour fabriquer à deux un conte.

Votre professeur vous distribuera la fiche 2 pour guider votre travail.

Partie 1
Le monde des contes :
bêtes, dragons et sorcières

GROUPEMENT
DE TEXTES

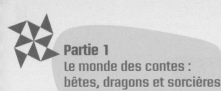

3 **Méfiez-vous de la curiosité !**
Un conte d'avertissement

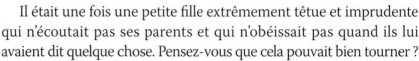

Dame Trude

Il était une fois une petite fille extrêmement têtue et imprudente qui n'écoutait pas ses parents et qui n'obéissait pas quand ils lui avaient dit quelque chose. Pensez-vous que cela pouvait bien tourner ?

Un jour, la fillette dit à ses parents : « J'ai tellement entendu parler
5 de Dame Trude que je veux une fois aller chez elle : il paraît que c'est fantastique et qu'il y a tant de choses étranges dans sa maison, alors la curiosité me démange. »

Les parents le lui défendirent rigoureusement et lui dirent :

« Écoute : Dame Trude est une mauvaise femme qui pratique
10 toutes sortes de choses méchantes et impies[1] ; si tu y vas, tu ne seras plus notre enfant ! »

La fillette se moqua de la défense de ses parents et alla quand même là-bas. Quand elle arriva chez Dame Trude, la vieille lui demanda :

15 – Pourquoi es-tu si pâle ?

– Oh ! dit-elle en tremblant de tout son corps, c'est que j'ai eu si peur de ce que j'ai vu.

– Et qu'est-ce que tu as vu ? demanda la vieille.

– J'ai vu sur votre seuil[2] un homme noir, dit la fillette.

20 – C'était un charbonnier[3], dit la vieille.

– Après, j'ai vu un homme vert, dit la fillette.

– Un chasseur dans son uniforme, dit la vieille.

– Après, j'ai vu un homme tout rouge de sang.

– C'était un boucher, dit la vieille.

25 – Ah ! Dame Trude, dans mon épouvante, j'ai regardé par la fenêtre chez vous, mais je ne vous ai pas vue : j'ai vu le Diable en personne avec une tête de feu.

– Oho ! dit la vieille, ainsi tu as vu la sorcière dans toute sa splendeur ! Et cela, je l'attendais et je le désirais de toi depuis longtemps :
30 maintenant tu vas me réjouir.

Elle transforma la fillette en une grosse bûche qu'elle jeta au feu, et quand la bûche fut bien prise et en train de flamber, Dame Trude s'assit devant et s'y chauffa délicieusement en disant : « Oh ! le bon feu, comme il flambe bien clair pour une fois ! »

Jacob et Wilhelm Grimm, *Dame Trude*,
traduction de A. Guerne, 1967.

John William Waterhouse,
Circe Invidiosa, 1892.

1. **Impies :** contraires à la religion et aux choses sacrées.
2. **Seuil :** entrée d'une maison.
3. **Charbonniers :** les charbonniers fabriquaient du charbon avec le bois des arbres. Ils habitaient des cabanes dans la forêt et leur visage était noirci par la fumée.

Écoute

Vous avez entendu deux interprétations du conte. Laquelle préférez-vous ? Donnez une ou plusieurs raisons pour expliquer votre préférence.

Si vous avez fini de lire
Ce conte fait-il peur ? Expliquez votre réaction.

Comprendre le texte

La sorcière, un personnage attirant et effrayant

1 Au début du texte, l'héroïne emploie deux adjectifs pour qualifier les choses que l'on peut voir chez Dame Trude : relevez-les. Ces mots ont-ils un sens toujours positif ou négatif ?

2 Dans l'image de Dame Trude donnée par les parents, relevez trois adjectifs de sens très négatifs. Lequel est lié à la religion ?

3 Relisez les deux derniers paragraphes du texte. Nommez deux sentiments et une sensation éprouvés par Dame Trude avant et pendant la capture de sa proie. En quoi cela rend-il le personnage encore plus effrayant ?

4 Qui est réellement Dame Trude ?

Un conte d'avertissement

5 Quels défauts de caractère et quel sentiment poussent l'héroïne à aller chez Dame Trude ? Citez la réaction qui montre l'enfant comme particulièrement coupable.

6 Recopiez la phrase où les parents expriment une interdiction. Soulignez le passage où ils menacent leur enfant. Que pensez-vous de cette menace ?

7 Relevez une phrase du début du texte directement adressée au lecteur.

8 Lisez la définition du conte d'avertissement (→ À retenir). En utilisant vos réponses aux questions 5 à 7 et cette définition, expliquez pourquoi on peut dire que ce récit est un conte d'avertissement.

Bilan

9 Qu'est-ce qui fait de Dame Trude un monstre ?

à retenir

Dans un **conte d'avertissement**, l'auteur avertit le lecteur d'un danger lié à un mauvais comportement. Le récit montre un héros (ou une héroïne) qui se laisse entraîner à mal agir et qui en est puni(e). Les contes d'avertissement finissent donc mal.

Activités

ORAL   Inventer une morale   I.7

– Proposez une morale pour conclure le conte des frères Grimm.
– Jugez-vous l'héroïne entièrement coupable ?
– Son châtiment est-il mérité ?
– Est-il proportionnel à sa faute ?
Argumentez votre réponse en utilisant des éléments du texte.

ÉCRITURE   Changer le sens d'un récit   III.6

Transformez ce conte d'avertissement en conte d'initiation.
Vous conserverez (en y faisant les modifications nécessaires) le début du récit jusqu'à « tu ne seras plus notre enfant ».
Vous rédigerez la suite et la fin du récit modifié.

● *Avant d'écrire*
Un conte d'initiation finit bien et montre le héros (ou l'héroïne) plus accompli(e) à la fin du récit qu'au début. Quelle leçon l'héroïne pourrait-elle recevoir ici ? En quoi pourrait-elle s'améliorer ?

● *Conseils d'écriture*
– Modifiez le caractère de l'héroïne. Vous pouvez conserver ses défauts mais vous lui ajouterez des qualités qui lui permettront d'affronter Dame Trude.
– Ajoutez un personnage qui aidera l'héroïne à triompher de la sorcière.
Vous pouvez utiliser pour l'imaginer l'un des personnages du conte.

● *Quand vous avez fini, relisez–vous.*
– Le début du texte des frères Grimm et la fin que vous avez imaginée s'enchaînent-ils logiquement ?
– Dans les passages de récit, avez-vous bien mis les verbes au passé simple et à l'imparfait ?

Si vous avez fini d'écrire
Voici des expressions synonymes. Classez-les de la plus faible à la plus forte : être effrayé(e), craindre, être épouvanté(e), avoir peur, être terrifié(e). Employez-en trois dans des phrases.

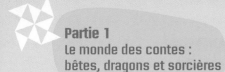

Partie 1
Le monde des contes :
bêtes, dragons et sorcières

Paroles de conteuse

Entretien avec Anastasia Ortenzio

Le métier de conteuse

1. Une conteuse, qu'est-ce que c'est ?

C'est quelqu'un qui raconte des histoires précieuses pour elle. C'est-à-dire des histoires qui lui parlent, la touchent fortement.
C'est aussi quelqu'un qui, en racontant, fait cadeau de ses histoires à ceux qui l'écoutent. L'envie de partager le récit est présent dès le départ dans la démarche de toute conteuse.

2. Comment travaille une conteuse ?

D'abord elle rencontre une histoire qu'elle lit ou qu'on lui raconte. Ensuite elle fait des recherches pour savoir le plus de choses possibles sur cette histoire : ses origines, sa signification, son sens caché parfois. Elle compare différentes versions et en retient l'essentiel (le plus important). Puis elle va faire sienne l'histoire en la reformulant avec ses propres mots. Elle peut modifier beaucoup ou peu le récit mais garde toujours l'essentiel. Tout cela prend beaucoup de temps. Conter, c'est recréer une histoire.

Louis Janmot, *Le poème de l'âme : le toit paternel*, 1854.

3. D'où viennent les contes ?

Ils viennent des ancêtres, des gens qui vivaient autrefois et les ont racontés à leurs amis, à leur famille, aux plus jeunes. Souvent on commence un conte en disant : «Cette histoire, c'est un tel qui me l'a racontée». En tout cas, les contes sont des histoires très anciennes (mais il existe aussi des «contes urbains» qui sont plus récents).

Certains pensent qu'à l'origine, il y avait des gestes de métiers, que le récit commentait, dont il donnait l'origine. D'autres disent que les contes viennent des rêves que l'on fait. Les contes peuvent aussi permettre de raconter des choses que l'on a vécues et qui sont difficiles à expliquer logiquement.

 Votre professeur vous fera écouter la suite de l'entretien avec Anastasia Ortenzio.

Homère racontant les actions des Grecs anciens durant la guerre de Troie. Gravure couleur du XIXᵉ siècle.

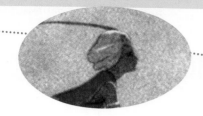
Oral

Activité 1

Les secrets d'Anastasia Ortenzio pour bien lire un texte

1. Préparez-vous.

– D'abord, expirez à fond, pour vider le plus possible l'air en vous : l'air entrera tout seul ensuite, sans effort. Respirez calmement et naturellement. Faites cela deux fois.

– Lisez debout. Mettez-vous bien droit, les épaules basses et imaginez que vous faites sortir une colonne d'air vers le bas en expirant. Faites cela deux fois.

– Faites un son comme celui qu'on produit en fermant la bouche pour exprimer que ce qu'on mange est bon : « Mmmmmmm ». Puis faites rouler ce son de bas en haut de votre visage, comme s'il suivait la marche d'une roue. Faites cela plusieurs fois.

– Obligez-vous à lire un ton plus bas que votre voix normale : cela calme.

2. Lisez lentement, n'hésitez pas à faire des pauses. Vous pouvez même ralentir le rythme lorsque l'action va vite : on l'imaginera mieux.

Activité 2

Les secrets d'Anastasia Ortenzio pour bien raconter une histoire

1. Imaginez l'histoire.

Imaginez chaque épisode comme si vous deviez le dessiner (décor, moment du jour, personnages avec leurs attributs...). Pensez aux bruits, aux odeurs...

Demandez-vous comment se tiennent et bougent les personnages. Ont-ils des tics ou manies ? Quelle est leur voix ? Associez-les à des personnages réels, dont vous reproduirez la façon d'être et de parler.

2. Choisissez un récit ou un épisode qui vous plaît particulièrement.

3. Racontez l'histoire avec vos propres mots. Commencez par exemple par : « Je vais vous raconter une histoire incroyable... »

Illustration de *La pierre philosophale* de Hans Christian Andersen, par A. Resignani, 1945.

Activité 3

Apprenti conteur

Réalisez d'abord les exercices préparatoires indiqués dans les activités 1 et 2.

Puis mettez-vous en équipe de trois. Lisez le conte *Les Fées* de Charles Perrault. Partagez le conte en trois. Chacun se chargera d'une partie du récit. Fermez le livre. Celui qui doit raconter le début se tourne vers son voisin et lui dit : « Figure-toi que... » avant de reformuler avec ses propres mots l'épisode dont il est chargé. Puis un autre élève fait de même pour la suite, et le dernier pour la fin.

Vous pouvez aussi choisir un conte que vous avez lu et que vous voulez raconter en entier ou en partie et en faire le récit devant la classe.

Partie 1
Le monde des contes :
bêtes, dragons et sorcières

GROUPEMENT
DE TEXTES

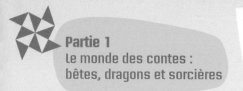

4 · Qui est le vrai monstre ? Un conte moral

La Belle et la Bête

> Par une nuit d'orage, un marchand se réfugie dans un château.
> Or, ce château appartient à la Bête, une créature terrifiante
> qui reproche au marchand d'avoir cueilli sans autorisation une
> rose dans son jardin. La Bête laisse la vie sauve au marchand,
> à condition qu'une de ses trois filles prenne sa place. La plus
> jeune, qu'on appelle la Belle, accepte et se rend chez la Bête
> malgré la peur que lui inspire ce monstre.

1. **Affligées** : tristes.
2. **Paraissait** : était visible.
3. **Frémir** : trembler.
4. **Esprit** : intelligence, finesse.

[...] Elle ouvrit la bibliothèque et vit un livre où il y avait écrit en lettres d'or : *Souhaitez, commandez : vous êtes ici la reine et la maîtresse.*

« Hélas ! dit-elle, en soupirant, je ne souhaite rien que de revoir
5 mon pauvre père, et de savoir ce qu'il fait à présent » : elle avait dit cela en elle-même. Quelle fut sa surprise, en jetant les yeux sur un grand miroir, d'y voir sa maison, où son père arrivait avec un visage extrêmement triste. Ses sœurs venaient au-devant de lui et, malgré les grimaces qu'elles faisaient pour paraître affligées[1], la joie
10 qu'elles avaient de la perte de leur sœur, paraissait[2] sur leur visage. Un moment après, tout cela disparut, et la Belle ne put s'empêcher de penser que la Bête était bien complaisante, et qu'elle n'avait rien à craindre d'elle. À midi, elle trouva la table mise et, pendant son dîner, elle entendit un excellent concert, quoiqu'elle ne vît personne.
15 Le soir, comme elle allait se mettre à table, elle entendit le bruit que faisait la Bête, et ne put s'empêcher de frémir[3].

« La Belle, lui dit ce monstre, voulez-vous bien que je vous voie souper ?

— Vous êtes le maître, répondit la Belle, en tremblant.
20 — Non, reprit la Bête, il n'y a ici de maîtresse que vous. Vous n'avez qu'à me dire de m'en aller, si je vous ennuie ; je sortirai tout de suite. Dites-moi, n'est-ce pas que vous me trouvez bien laid ?

— Cela est vrai, dit la Belle, car je ne sais pas mentir, mais je crois que vous êtes fort bon.
25 — Vous avez raison, dit le monstre, mais, outre que je suis laid, je n'ai point d'esprit[4] : je sais bien que je ne suis qu'une bête.

— On n'est pas bête, reprit la Belle, quand on croit n'avoir point d'esprit : un sot n'a jamais su cela.

— Mangez donc, la Belle, lui dit le monstre, et tâchez de ne vous
30 point ennuyer dans votre maison ; car tout ceci est à vous ; et j'aurais du chagrin, si vous n'étiez pas contente.

— Vous avez bien de la bonté, dit la Belle. Je vous avoue que je suis bien contente de votre cœur ; quand j'y pense, vous ne me paraissez plus si laid.

Illustration de *La Belle et la Bête*
par David Sala (éd. Casterman).

 écoute

Trouvez-vous le conte plus facile à comprendre en écoutant la conteuse ou en lisant le texte ? Comment la conteuse fait-elle pour différencier la façon de parler des personnages dans les dialogues ?

5. **Faux** : qui manque de sincérité.

6. **Corrompu** : sans pureté, qui aime faire le mal.

7. **Ingrat** : qui n'a pas de reconnaissance pour le bien qu'on lui fait.

8. **En le refusant** : en refusant sa proposition.

Si vous avez fini de lire

À quel siècle ce conte a-t-il été écrit ? Citez trois expressions que l'on n'emploierait plus aujourd'hui.

35   – Oh dame, oui, répondit la Bête, j'ai le cœur bon, mais je suis un monstre.

– Il y a bien des hommes qui sont plus monstres que vous, dit la Belle, et je vous aime mieux avec votre figure, que ceux qui, avec la figure d'hommes, cachent un cœur faux[5], corrompu[6], ingrat[7].

40   – Si j'avais de l'esprit, reprit la Bête, je vous ferais un grand compliment pour vous remercier, mais je suis un stupide ; et tout ce que je puis vous dire, c'est que je vous suis bien obligé. »

La Belle soupa de bon appétit. Elle n'avait presque plus peur du monstre ; mais elle manqua mourir de frayeur, lorsqu'il lui dit :

45   « La Belle, voulez-vous être ma femme ? »

Elle fut quelque temps sans répondre ; elle avait peur d'exciter la colère du monstre en le refusant[8] : elle lui dit enfin en tremblant :

« Non, la Bête. »

Dans le moment, ce pauvre monstre voulut soupirer : et il fit 50 un sifflement si épouvantable, que tout le palais en retentit : mais la Belle fut bientôt rassurée ; car la Bête lui ayant dit tristement, « adieu la Belle », sortit de la chambre, en se retournant de temps en temps pour la regarder encore. La Belle, se voyant seule, sentit une grande compassion pour cette pauvre Bête :

55   « Hélas, disait-elle, c'est bien dommage qu'elle soit si laide, elle est si bonne ! »

Jeanne-Marie Leprince de Beaumont, *La Belle et la Bête*, 1757.

Illustration de *La Belle et la Bête* par David Sala (éd. Casterman).

Comprendre le texte

La Bête, un monstre ?

1 Essayez de comprendre grâce au contexte le sens des mots «complaisante» (l. 12), «obligé» (l. 42) et «compassion (l. 54).

2 L'apparence de la Bête est-elle décrite ? Citez deux passages du texte qui font penser que la Bête est un monstre (plusieurs réponses sont possibles).

3 Dans le dialogue entre la Belle et la Bête, cette dernière parle-t-elle comme un monstre ou comme un être humain ?

4 Concluez : selon vous, la Bête est-elle un monstre ?

5 Trouvez-vous que la Bête du film (image **1**) correspond bien au personnage du conte ? Donnez deux raisons pour justifier votre opinion.

Un conte moral

6 Dans les lignes 37 à 39, La Belle explique quels hommes elle juge monstrueux. Relevez les adjectifs qui les qualifient. De quelle sorte de défauts s'agit-il ?

7 Lisez la définition du conte moral (→ À retenir). En vous aidant de cette définition et de votre réponse précédente, dites pourquoi on peut affirmer que ce récit est un conte moral. Formulez-en par écrit la morale.

Bilan

8 Quelle nouvelle vision du monstre ce texte introduit-il ? Êtes-vous d'accord avec cette vision ?

> ### à retenir
>
> Dans un **conte moral**, à l'époque de Madame Leprince de Beaumont, l'auteur montre la beauté d'une qualité morale, d'une vertu. Le héros (ou l'héroïne) qui possède cette qualité est récompensé(e) et le conte finit bien.

 **Activités**

LANGUE **IV.3**

Dans la phrase qui commence par « Ses sœurs » (l. 8), remplacez « ses sœurs » par « sa sœur » et faites les modifications nécessaires.

ORAL Raconter la fin d'un conte **I.2**

En vous aidant des deux dernières phrases du texte et des images **2** et **3**, imaginez la fin du conte puis racontez-la oralement.

ÉCRITURE Écrire à partir d'images **III.1**

Écrivez un texte à partir des images proposées.

● *Avant d'écrire*

– Proposez une légende pour les images **4**, **5** et **6**.
– Écrivez un texte à partir de ces images. Votre texte pourra être un récit à la 3ᵉ ou à la 1ʳᵉ personne mais aussi une description, un poème, une réflexion ou une évocation.

● *Conseils d'écriture*

– Les images vous serviront uniquement à lancer votre imagination, vous n'avez pas à reprendre le conte *La Belle et la Bête*.

● *Quand vous avez fini, relisez–vous.*

– Faites lire votre texte à votre voisin(e) puis demandez-lui de donner un titre à votre écrit.
– En lisant ce titre, vous pourrez vérifier que votre lecteur/lectrice a bien compris ce que vous avez voulu exprimer.

Si vous avez fini d'écrire
Imaginez les raisons pour lesquelles le prince a été transformé.

Scènes du film *La Belle et la Bête* de Jean Cocteau (1946).

Activité interdisciplinaire

Y a-t-il des monstres pour la science ?

SVT – Français

📄 Votre professeur vous distribuera la fiche I pour guider votre travail.

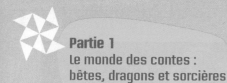

Partie 1
Le monde des contes :
bêtes, dragons et sorcières

Écrire un conte merveilleux

Vocabulaire du conte merveilleux

1 Des verbes pour faire parcourir l'espace à un personnage

Faites correspondre un verbe de la liste 1 à un groupe nominal de la liste 2.

Plusieurs solutions sont possibles.

Liste 1 : parcourir • franchir • traverser • sillonner • croiser

Liste 2 : une rivière • une route • un pont • une forêt • une mer

> **Orthographe**
>
> Conjuguez les cinq verbes de la liste 1 au présent à la 3e personne du singulier et du pluriel. Mémorisez l'orthographe de ces formes.

2 Des verbes pour raconter un combat

a. Pour chaque verbe, proposez un complément différent.

Exemple : saisir → *il saisit son adversaire.*

Saisir, trancher, presser, marteler, couper, rompre, se précipiter sur, frapper, bousculer, maintenir, abattre, vaincre.

b. Employez « saisir », « trancher » et « abattre » dans une phrase au passé simple à la 3e personne du singulier.

> **Orthographe**
>
> Mémorisez l'orthographe des formes utilisées à la question b.
> Cherchez le passé simple de la 3e personne des verbes « rompre » et « vaincre ». Mémorisez l'orthographe de ces deux formes.

3 Des verbes d'action à employer dans des phrases

a. Choisissez le verbe qui convient parmi les deux mots placés entre parenthèses.

1. Le prince (dit / parla) son secret à la jeune fille.
2. La sorcière (connaissait / savait) transformer les humains en animaux.

3. Ivan le Taurillon (triompha / vainquit) des trois dragons Idolichtiè.
4. L'infirme (se battit / combattit) contre les singes mangeurs d'hommes.
5. La Bête (était en quête / cherchait) une jeune fille qui accepte de l'épouser.
6. Le Cyclope (demanda / interrogea) Ulysse à propos de son nom.
7. La Belle (craint / se demande) que la Bête ne se fâche de son refus.

b. Employez dans chaque phrase le verbe que vous n'avez pas choisi, en effectuant les modifications nécessaires pour que la construction soit correcte.

4 Des adjectifs pour décrire un monstre

a. Parmi les mots suivants, dites lesquels vous pourriez employer pour décrire l'aspect général du monstre.

Immense, difforme, épais, long, écailleux, visqueux, terne, aiguisé, poilu, glacé, bosselé, flamboyant, trapu.

b. Choisissez huit adjectifs dans la liste ci-dessus et associez chacun à un nom désignant une partie du corps d'un monstre.

> **Orthographe**
>
> Mettez au féminin les adjectifs suivants : difforme, épais, long, visqueux, aiguisé, flamboyant. Mémorisez leur orthographe aux deux genres.

5 Des mots et des expressions pour éviter les répétitions

Remplacez le verbe « être » dans le texte suivant.

Le monstre est immense. Son cou est écailleux. Ses griffes sont aiguisées. Son haleine est glacée. Ses yeux sont flamboyants. Son cri est aigu. Il est comme une montagne.

Vous utiliserez deux catégories de tournures :

a. des expressions dont le sujet est le monstre ou une partie du monstre.
Avoir (une partie du corps) + un adjectif. Paraître. Ressembler à. Flamboyer.

b. des expressions dont le sujet est « on ».
Sentir. Voir. Entendre.

Des outils pour rédiger

6 Des expressions pour exprimer la peur

Classez les expressions suivantes de la plus forte à la plus faible.

1. Être épouvanté.
2. Avoir peur.
3. Être terrifié.
4. Trembler d'effroi.
5. Ressentir de la crainte.
6. Être pris de panique.
7. Éprouver de l'inquiétude.

7 Des expressions de temps pour organiser le récit

Complétez le texte. Vous pouvez ajouter des phrases pour que l'ensemble constitue un épisode de récit.

Il était une fois un frère et une sœur... Leurs parents...
Un jour... Alors... Tout à coup... À ce moment...
Ensuite... À la fin...

Grammaire pour écrire un conte merveilleux

8 Employer les temps dans un récit au passé

Mettez les verbes entre parenthèses au temps qui convient : passé simple ou imparfait.

Un homme pauvre (trouver) un jour une petite clé d'or. Il la (ramasser) et la (mettre) dans sa poche. Mais comme il ne (savoir) pas quoi en faire, il l'(oublier) bientôt. Or il y (avoir) dans ce royaume un homme riche qui (s'ennuyer). Pour se distraire, il (collectionner) toute sorte d'objets. Mais la collection qu'il (préférer), c'(être) celle qui (rassembler) des milliers de clés. Un jour, il se (dire)

qu'elle (être) complète tant il en (avoir). Or, un soir qu'il (être) à l'auberge, il (voir) l'homme pauvre sortir de sa poche une minuscule clé d'or en disant à l'aubergiste...

➡ **Employer les temps dans un récit au passé**, p. 268

9 Employer les pronoms pour éviter les répétitions

Utilisez des pronoms de la liste pour supprimer les répétitions. Modifiez les phrases si nécessaire.

Pronoms : qui, elle, le sien.

1. **La fillette** retrouva son chemin. **La fillette** repartit à la recherche de son frère.
2. Le dragon avait **un doigt de feu**. **Ce doigt de feu** lui permettait de soigner ses blessures.
3. Ulysse voit **les bateaux** de ses compagnons détruits par la tempête. **Son bateau** est heureusement intact.

➡ **Les pronoms**, p. 240 et 242

10 Ponctuer les dialogues

Ponctuez le dialogue en utilisant les signes suivants : deux-points, points, points d'interrogation, virgules, tirets.

Le prince demanda au génie
Peux-tu m'aider à trouver l'eau qui guérit
Oui dit le génie à condition que tu me promettes d'en rapporter un flacon pour moi
Je te le promets assura le prince
Tiens dit le génie voici deux flacons d'argent L'eau qui guérit ne peut être transportée que dans ces flacons.

➡ **La ponctuation**, p. 230

 Vers l'écriture collective d'un conte merveilleux

Écrivez un conte merveilleux en groupes. ‖.5

Étape 1 La classe est divisée en trois groupes. Chaque groupe rédige une partie du conte.

Étape 2 Toute la classe lit ce que chaque groupe a rédigé.

Étape 3 Par petits groupes, vous rédigez les éléments qui manquent pour relier les morceaux de l'histoire de manière à obtenir un conte complet.

Votre professeur vous distribuera la fiche 1 pour guider votre travail.

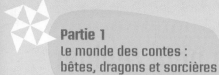

Partie 1
Le monde des contes :
bêtes, dragons et sorcières

Les contes : imaginer et raconter

Activité 1

Écouter un conte

Anastasia Ortenzio, « Le village Zrze et le dragon », in *Aux Origines du monde. Contes et légendes des Balkans*, 2008.

Écoutez votre professeur ou la conteuse lire l'extrait de « Le village Zrze et le dragon » et répondez aux questions suivantes.

1. Quel épisode ou passage du conte préférez-vous ? Pouvez-vous en répéter une phrase ou des expressions ?

2. Dessinez un personnage, un objet ou un lieu que l'audition du conte vous a fait imaginer.

3. Faites le portrait oral du héros ou de l'héroïne.

4. Faites le portrait oral du personnage qui s'oppose à lui ou à elle.

5. Rappelez une des épreuves qu'il (ou elle) réussit à surmonter.

6. Reçoit-il (ou elle) une aide ? De qui ? Pourquoi reçoit-il (ou elle) cette aide ?

7. Résumez la situation finale du récit.

8. Citez des expressions qui montrent que le récit est un conte.

9. Aimez-vous la façon dont la conteuse raconte ? Justifiez votre opinion en donnant deux exemples de ce que vous avez aimé ou de ce que vous n'avez pas apprécié.

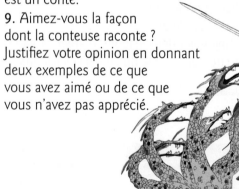

Illustration du conte
Les deux frères (1932),
des frères Grimm par
Xavier Kozminski.

Activité 2

Imaginer les voix des personnages des contes

Formez des équipes de deux. Inventez une phrase de sorcière. Chacun des deux la dira avec une voix différente.

Vous ferez la même chose pour une phrase de fée, d'ogre, de chat qui parle, de chien qui parle, de roi, de reine, de génie ou de tout autre personnage de conte que vous connaissez.

Aladin ou la lampe magique. Miniature illustrant le conte des *Mille et une nuits* (xixe siècle).

Activité 3

Imaginer un épisode de conte à partir d'images

Par groupes de quatre, imaginez un conte à partir des images proposées.

1. Chacun des quatre membres du groupe choisit une image et imagine avec précision ce qu'elle représente.

Exemple : ce chemin à travers la forêt a été enchanté par la fée Verte. Il mène à son royaume où tous les êtres sont végétaux.

2. Rassemblez ensuite vos idées pour produire un épisode de récit utilisant les éléments inspirés par les quatre images. Prenez des notes non rédigées.

3. Faites un récit oral de votre épisode.

4. Soyez un vrai conteur ou une vraie conteuse :
– pensez aux images que vous évoquez pour que les auditeurs les imaginent ;
– interpellez au moins une fois votre auditoire ;
– posez au moins une question ;
– animez votre récit pour captiver votre public.

Comment illustrer un conte ?
Hansel et Gretel

❶ Le conte et ses illustrateurs

L'histoire

Le petit Hansel et sa sœur Gretel, aussi appelés Jeannot et Margot, sont les enfants d'un pauvre bûcheron. Les parents ne pouvant les nourrir décident de les abandonner dans la forêt où ils se perdent. Ils arrivent bientôt devant une maison en pain avec des fenêtres en sucre, qu'ils commencent à grignoter. La vieille sorcière – qui a construit la maison pour attirer les enfants afin de les manger – enferme Hansel dans une cage. Gretel doit cuisiner afin d'engraisser son frère. Comme elle est à moitié aveugle, la sorcière demande chaque jour à Hansel de lui tendre son doigt pour qu'elle voie s'il a grossi et celui-ci lui tend à sa place un os. La sorcière a l'impression que Hansel ne grossit pas. Mais un jour, elle n'a plus la patience d'attendre et décide de manger l'enfant. Elle se prépare à faire cuire Hansel, et demande à Gretel de regarder dans le four pour voir s'il est chaud. La petite fille prétend être trop petite et lui dit de vérifier elle-même. Quand la sorcière se penche dans le four, Gretel la pousse et referme la porte du four derrière elle. Les enfants prennent les joyaux qui se trouvaient dans la maison de la sorcière et s'enfuient. Ils rentrent ainsi chez eux.

Activité 1

II.1

Lisez à plusieurs l'extrait suivant du conte en vous répartissant les rôles : le narrateur, les personnages. Faites-en une lecture expressive qui corresponde aux sentiments exprimés par les trois personnages ci-dessus.

Comme il y avait quatre semaines de passées et que Jeannot restait toujours maigre, elle fut prise d'impatience et ne voulut pas attendre davantage. « Hola, Margot, cria-t-elle à la petite fille, dépêche-toi et apporte de l'eau. Que Jeannot soit gras ou maigre, demain je le tue-
5 rai et je le ferai cuire. » Ah, comme la pauvre petite sœur se désola quand il lui fallut porter de l'eau, et comme les larmes lui coulaient le long des joues ! « O mon Dieu, viens-nous en aide, s'écria-t-elle, si les bêtes sauvages nous avaient dévorés dans les bois, au moins nous serions morts ensemble. – Fais-moi grâce des tes piailleries,
10 dit la vieille, tout cela ne servira de rien. »
Dès le petit matin, Margot dut sortir, suspendre la marmite d'eau et allumer le feu. « Nous allons d'abord faire le pain, dit la vieille, j'ai déjà chauffé le four et pétri la pâte ». Elle poussa la pauvre Margot vers le four d'où sortaient déjà les flammes. « Glisse-toi dedans, dit
15 la sorcière, et vois s'il est à bonne température pour enfourner le pain. » Et quand Margot serait dedans, elle fermerait la porte du poêle , Margot y rôtirait puis elle la mangerait aussi. Mais la petite devina ce qu'elle avait en tête et dit : « Je ne sais pas comment faire, comment vais-je entrer là-dedans ? – Petite oie, dit la vieille, l'ou-
20 verture est assez grande, regarde, je pourrais y passer moi-même. » Elle se mit à quatre pattes pour s'approcher du four et y fourra la tête. Alors Margot la poussa si bien qu'elle entra tout entière dans le four, puis elle ferma la porte de fer et tira le verrou. Hou ! la vieille se mit à pousser des hurlements épouvantables ; mais Margot se
25 sauva et la sorcière impie brûla lamentablement.

Jacob et Wilhelm Grimm, « Jeannot et Margot »,
in *Contes*, trad. par Marthe Robert, 1976.

Activité 2 — II.3

Le texte du conte est souvent accompagné d'illustrations qui renvoient à certains moments du récit. Remettez dans l'ordre du récit les images suivantes.

1

Illustration du conte des frères Grimm sous le titre *Jean et Marguerite*, 1890.

2

Hansel et Gretel, carte postale, début du XXᵉ siècle.

3

Hansel et Gretel, série de cartes postales imprimées en chromolithographie, vers 1900.

Hansel et Gretel, « Les enfants s'approchent de la maison en pain d'épices ». Carte postale allemande, vers 1910.

4

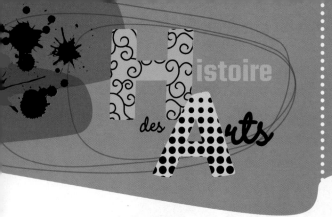

Comment adapter un conte ?
Hansel et Gretel

❷ L'opéra de Humperdinck

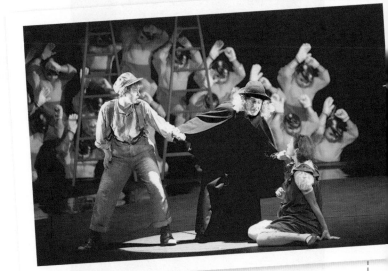

Qu'est-ce qu'un opéra ?

Un opéra est une pièce de théâtre entièrement chantée. Les chanteurs jouent chacun le rôle d'un personnage. Ils sont accompagnés par un orchestre. Il y a des solistes, des chœurs et l'orchestre. L'opéra est donc un spectacle qui combine plusieurs arts : la musique, le théâtre, les arts visuels (décors)…

Comment s'écrit un opéra ?

L'histoire que l'on veut raconter est d'abord écrite dans un livret par un librettiste. Elle peut être l'adaptation d'un roman ou d'un conte. Comme une pièce de théâtre, elle est découpée en actes et en scènes. Le compositeur écrit ensuite la musique. Le librettiste et lui travaillent ensemble.

L'opéra d'Hansel et Gretel

Les frères Grimm ont recueilli au XIXᵉ siècle le conte d'Hansel et Gretel, connu aussi sous le titre de Jeannot et Margot. En 1891, le compositeur Engelbert Humperdinck écrit pour les enfants un opéra à partir de ce conte. Le livret suit le conte de Grimm tout en le modifiant parfois. Ainsi à la fin, Hansel et Gretel après s'être débarrassés de la sorcière délivrent d'autres enfants qu'elle avait envoûtés puis retrouvent leurs parents.

Activité 3 II.5

Observer la mise en scène

Observez cette photo prise lors d'une représentation de l'opéra.

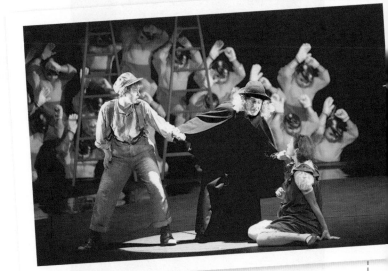

Hansel et Gretel, mise en scène de Yannis Kokkos au théâtre du Châtelet (2000).

ⓐ Qui sont les personnages que l'on voit sur la scène ?

ⓑ À quel moment du conte est-on parvenu selon vous ?

ⓒ Les chanteurs sont-ils ou non des enfants ? Pourquoi selon vous ?

ⓓ Trouvez-vous la sorcière impressionnante ou non ?

Activité interdisciplinaire

Écouter et chanter
Français – Éducation musicale

Le compositeur a inséré dans sa musique une chanson traditionnelle. Écoutez-la.

GRETEL
J'ai vu un petit homme dans la forêt,
Immobile et muet sous son mantelet
Dis, qui peut être ce nain,
Qui dans la forêt se tient,
Revêtu d'un rouge mantelet ?

Debout sur une jambe dans la forêt
Sur sa petite tête, il porte un bonnet
Dis, qui peut être ce nain,
Qui dans la forêt se tient,
Portant sur la tête un noir bonnet ?

Votre professeur vous distribuera la fiche 2 pour guider votre travail.

Activité numérique

Écouter et regarder

Regardez, sur Internet, quatre extraits de la réalisation de l'opéra de Paris (2013).
images 1 à 4. Quels moments du conte adapté pour l'opéra reconnaissez-vous ?
image 2. Comment est transposée la maison en pain d'épices ?
image 3. Comment est représentée la sorcière ?
image 4. À quel moment du livret correspond la fin de l'extrait ?

Hansel et Gretel à l'Opéra National de Paris, Palais Garnier (2013).

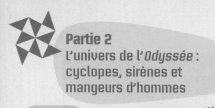

Partie 2
l'univers de l'*Odyssée* :
cyclopes, sirènes et
mangeurs d'hommes

PARCOURS
DE LECTURE

Découvrir l'*Odyssée* d'Homère

L'*Odyssée* est avec l'*Iliade* le premier texte à l'origine de la littérature occidentale. Elle a été écrite en grec par le poète Homère au VIIIe siècle avant notre ère. C'est une épopée, c'est-à-dire une histoire chantée (*épos* est un mot grec signifiant « le chant »). Ces récits étaient racontés et chantés devant un public par un aède (un chanteur) qui s'accompagnait d'une lyre. « Odyssée » vient du nom grec du héros Ulysse : Odysseus.
Le chant 1 de l'*Odyssée* débute par une invocation à la Muse qui va inspirer le poète et parler par sa voix.

1. **Les bœufs du Soleil :**
les compagnons d'Ulysse ont attiré ainsi la colère du dieu dont les bœufs étaient sacrés.

Homère et Calliope, Antonio Canova (1757 - 1822)

L'homme aux mille ruses

C'est l'homme aux mille ruses, Muse, qu'il faut me dire ! Celui qui erra tant sur Terre après avoir détruit la ville sacrée de Troie, qui connut les cités et les mœurs de tant d'hommes, celui qui, sur les mers, souffrit tant pour sauver sa vie et ramener ses compagnons.
5 Mais malgré tous ses efforts, il ne le put, et ils moururent, victimes de leur sottise, ces fous qui mangèrent les bœufs du Soleil[1]. Et ce dieu leur ôta la journée du retour. Déesse, fille de Zeus, dis-nous aussi quelques-unes de ces aventures !

Homère, *Odyssée*, chant I, VIIIe s. av. J.-C.,
traduction adaptée de V. Bérard.

Ἄνδρα μοι ἔννεπε, Μοῦσα, πολύτροπον, ὃς μάλα πολλὰ
πλάγχθη, ἐπεὶ Τροίης ἱερὸν πτολίεθρον ἔπερσε·
πολλῶν δ᾽ ἀνθρώπων ἴδεν ἄστεα καὶ νόον ἔγνω,
πολλὰ δ᾽ ὅ γ᾽ ἐν πόντῳ πάθεν ἄλγεα ὃν κατὰ θυμόν,
ἀρνύμενος ἥν τε ψυχὴν καὶ νόστον ἑταίρων.

Muse jouant de la flûte pour Apollon. Vase grec.

Comprendre le texte

1 Écoutez l'invocation à la muse. Que lui demande le poète ? Se présente-t-il plutôt comme un écrivain ou comme un conteur ? Justifiez votre réponse.

2 Relisez l'invocation puis recopiez et complétez le texte suivant :
Nous savons par le titre de l'œuvre que le héros s'appelle ….
Le poète grec H…, sans nommer son héros, nous fait comprendre ce que nous allons entendre. Il va raconter les aventures d'un homme aux ….
Il situe ces aventures dans le temps. Elles se déroulent après la ….
Le récit relate les … endurées par le héros, qui veut ramener ses … chez eux. Mais il n'y réussira pas car ces derniers ont mangé les … et se sont attiré la colère de ce dieu.

3 Situez sur la carte les noms suivants :
Mer Méditerranée, Grèce, Afrique, Espagne, Turquie, Corse, Sardaigne, Sicile.
Vous vous reporterez souvent à cette carte pour suivre le voyage d'Ulysse.

4 Les Grecs se servaient d'une écriture différente de la nôtre.

a) Le mot « alphabet » est formé à partir du nom des deux premières lettres grecques : alpha (α, majuscule A) et bêta (β, majuscule B). Combien comptez-vous de lettres α dans le premier vers du texte grec ?
b) Comment appelle-t-on en français la lettre « y » ? Concluez : en français, presque tous les mots qui contiennent la lettre « y » sont des mots d'origine ….

5 Découvrez qui étaient les Muses.
Filles de Zeus et de Mnémosyne (la déesse de la Mémoire), elles étaient neuf, régnaient sur les arts et inspiraient les artistes.
Quelle est, selon vous, celle à qui s'adresse le poète ?
– Clio, la Muse de l'Histoire
– Euterpe, la Muse de la Musique
– Thalia, la Muse de la Comédie
– Melpomène, la Muse de la Tragédie
– Calliope, la Muse de la Poésie épique
– Terpsichore, la Muse de la Poésie lyrique et de la Danse
– Érato, la Muse du Chant nuptial
– Polymnie, la Muse de la Pantomime et de la Rhétorique
– Uranie, la Muse de l'Astronomie et de l'Astrologie

Carte du périple d'Ulysse

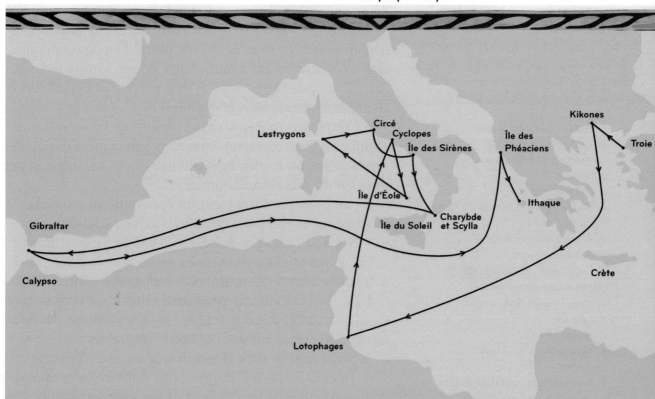

600 km

1 Le Cyclope Polyphème

Une terrible rencontre avec le monstre

La guerre de Troie terminée, le héros grec Ulysse reprend la mer pour rentrer sur l'île d'Ithaque, dont il est le roi. Là-bas l'attendent son épouse Pénélope et son fils Télémaque, qu'il a quittés dix ans auparavant. Avec ses compagnons, il débarque sur une île sauvage habitée par les Cyclopes (c'est-à-dire les « Yeux Ronds »), des géants qui ont un seul œil au milieu du front.

Et nous parvînmes à la terre des Cyclopes orgueilleux et sans lois qui, confiants dans les Dieux immortels, ne plantent pas de leurs mains et ne labourent pas. Mais, n'étant ni semées, ni cultivées, toutes les plantes poussent seules, le blé et l'orge, et les vignes qui
5 leur donnent le vin de leurs grandes grappes que font croître les pluies de Zeus. Les agoras[1] ne leur sont pas connues, ni les coutumes ; ils habitent au sommet de hautes montagnes, dans de profondes cavernes, et chacun d'eux gouverne sa femme et ses enfants, sans se préoccuper des autres […].
10 Nous vîmes une haute caverne ombragée de lauriers, près de la mer. Là habitait un géant qui, seul et loin de tous, menait paître ses troupeaux, et ne se mêlait point aux autres, mais vivait à l'écart, faisant le mal. C'était un monstre prodigieux. Il ne ressemblait pas à un homme qui mange le pain, mais au faîte[2] boisé d'une haute
15 montagne, qui se dresse, seul, au milieu des autres sommets.
Quittant les vaisseaux, je partis avec douze compagnons, emportant une outre[3] de peau de chèvre, pleine d'un doux vin noir. Nous arrivâmes rapidement à l'antre[4] du Cyclope, sans l'y trouver, car il paissait ses troupeaux dans les gras pâturages. Quand il revint, il
20 alluma le feu, nous aperçut et nous dit :
– Ô Étrangers, qui êtes-vous ? D'où venez-vous sur la mer ? Est-ce pour un trafic, ou errez-vous sans but, comme des pirates qui vagabondent sur la mer, exposant leurs âmes au danger et portant les calamités aux autres hommes ?
25 Il parla ainsi, et notre cœur fut épouvanté au son de la voix du monstre et à sa vue. Mais, prenant la parole, je lui dis :
– Nous sommes des Achéens[5] venus de Troie et nous errons entraînés par tous les vents sur les vastes flots de la mer, cherchant notre demeure par des routes et des chemins inconnus. Ainsi Zeus
30 l'a voulu. […] Ô Excellent, respecte les Dieux, car nous sommes tes suppliants[6], et Zeus est le vengeur des suppliants et des étrangers dignes d'être reçus comme des hôtes[7] vénérables[8].
Je parlai ainsi, et il me répondit avec un cœur farouche :
– Tu es insensé, ô Étranger, et tu viens de loin, toi qui m'or-
35 donnes de craindre les Dieux et de me soumettre à eux. Les Cy-

1. **Agora :** place principale de la ville où se tenaient les marchés et les réunions publiques.
2. **Faîte :** sommet.
3. **Outre :** grande gourde de cuir.
4. **Antre :** repaire, caverne.
5. **Achéens :** Grecs.
6. **Suppliants :** personnes qui prient, supplient qu'on leur accorde l'hospitalité au nom des dieux.
7. **Hôtes :** invités.
8. **Vénérables :** qu'il faut respecter.
9. **Tempétueux :** qui déchaîne les tempêtes.

1

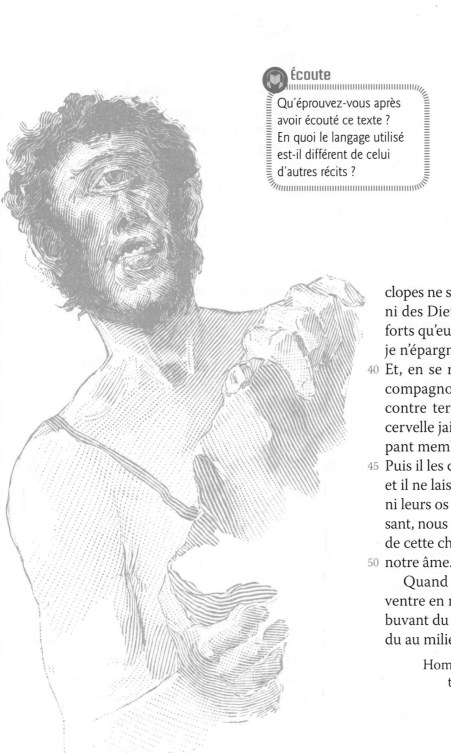

Écoute

Qu'éprouvez-vous après avoir écouté ce texte ? En quoi le langage utilisé est-il différent de celui d'autres récits ?

clopes ne se soucient pas de Zeus tempétueux[9], ni des Dieux heureux, car nous sommes plus forts qu'eux [...]. Pour éviter la colère de Zeus, je n'épargnerai ni toi, ni tes compagnons [...].

40 Et, en se ruant, il étendit les mains sur mes compagnons, il en saisit deux et les écrasa contre terre comme des petits chiens. Leur cervelle jaillit et coula sur la terre. Et, les coupant membre à membre, il prépara son repas.

45 Puis il les dévora comme un lion montagnard, et il ne laissa ni leurs entrailles, ni leurs chairs, ni leurs os pleins de moelle. Et nous, en gémissant, nous levions nos mains vers Zeus, en face de cette chose affreuse, et le désespoir envahit

50 notre âme.

Quand le Cyclope eut empli son vaste ventre en mangeant les chairs humaines et en buvant du lait sans mesure, il s'endormit étendu au milieu de l'antre, parmi ses troupeaux.

Homère, *Odyssée*, chant IX, VIIIe s. av. J.-C., traduction adaptée de Leconte de Lisle.

Le cyclope Polyphème, illustration d'Antoine Calbet (1897).

Si vous avez fini de lire
Dessinez le Cyclope.

45

La rencontre d'un monstre

1 Relevez les deux noms communs qui désignent le Cyclope dans le deuxième paragraphe. Recopiez dans ce paragraphe le passage où le personnage est évoqué par une comparaison puis expliquez à quoi il est comparé.

2 Quelles sont les deux particularités du Cyclope qui terrifient Ulysse et ses compagnons ?

Civilisation contre sauvagerie

3 Lisez la rubrique « À retenir ». Dans le texte, comment Ulysse se présente-t-il ? Comment demande-t-il à être accueilli ? Au nom de qui ?

4 Relevez, dans deux colonnes, les expressions qui décrivent l'attitude d'Ulysse devant les dieux et celles qui décrivent l'attitude du Cyclope. Montrez en quoi elles sont opposées.

5 Les Grecs appelaient les humains les « mangeurs de pain ». Quelle action du Cyclope l'associe à la sauvagerie ?

Une définition de la civilisation

6 Dans le premier paragraphe, relevez les expressions négatives qui caractérisent le comportement des Cyclopes : habitation, travaux, relations avec les autres. Proposez une autre expression de sens opposé pour chacune d'elles. Pourquoi peut-on dire que vous obtenez alors une définition de la civilisation ?

Bilan

7 En reprenant l'ensemble de vos réponses, donnez une première définition du monstre.

LANGUE   **IV.2**

Relevez les verbes au passé simple du 3ᵉ paragraphe jusqu'à « pâturages » (l. 19). Mettez-les à la 3ᵉ personne.

➔ **Le passé simple** p. 262

LANGUE   Connaître l'origine des mots   **II.8**

En latin, le citoyen, l'habitant d'une cité se dit *civis*, la ville se dit *urbs* et *civitas*. En grec, le citoyen se dit *politès* et la ville *polis*.

a) Proposez à l'oral une définition de chacun des mots suivants en vous aidant si besoin du dictionnaire : urbanisme, urbanité, politesse, civil, police, civilisation, politique, incivilité, civisme, policé.

b) Recopiez le tableau puis classez les mots de la liste ci-dessus selon leur racine latine ou grecque.

Latin *civis*, le citoyen ; *civitas*, la cité	
Latin *urbs*, la ville	
Grec *politès*, le citoyen ; Grec *polis*, la ville	

c) Expliquez le rapport de sens entre chaque mot français et sa racine latine ou grecque.

d) Employez un des mots français dans une phrase qui en montrera le sens (sans en donner la définition). Exemple : *La police est intervenue rapidement sur les lieux de l'accident.*

à retenir

La valeur de l'hospitalité est sacrée chez les Grecs. Zeus protège les voyageurs et les étrangers et peut même prendre l'apparence d'un voyageur pour mettre les humains à l'épreuve.

Si vous avez fini d'écrire
Rédigez quelques phrases pour répondre aux questions suivantes : Aimez-vous que les gens soient polis avec vous ? Pourquoi ?

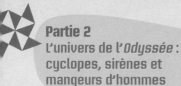

Partie 2
L'univers de l'*Odyssée* :
cyclopes, sirènes et
mangeurs d'hommes

PARCOURS
DE LECTURE

② Combattre le monstre

Dans l'antre du Cyclope

> **Quand le Cyclope est parti, Ulysse cherche un moyen pour se sauver avec ses compagnons. Il fabrique un épieu, grand bâton taillé en pointe, qui va lui servir d'arme. Au retour du monstre, il lui fait boire du vin, boisson dont le Cyclope n'a pas l'habitude.**

Ayant bu le doux breuvage, le Cyclope m'en demanda de nouveau :

– Donne-m'en encore, mon cher, et dis-moi promptement ton nom, afin que je te fasse un présent d'hospitalité[1] dont tu te ré-
5 jouisses…

Il parla ainsi, et de nouveau je lui donnai ce vin ardent[2] en lui adressant ces paroles flatteuses[3] :

– Cyclope, tu me demandes mon nom illustre[4]. Je te le dirai, et tu me feras le présent d'hospitalité que tu m'as promis. Mon nom
10 est Personne. Mon père et ma mère et tous mes compagnons me nomment Personne.

Je parlai ainsi, et, dans son âme farouche[5], il me répondit :

– Eh bien, je mangerai Personne après tous ses compagnons, tous les autres avant lui. Voilà le présent d'hospitalité que je te ferai.

15 Il parla ainsi, et il tomba à la renverse, et il gisait, courbant son cou monstrueux. Le sommeil qui dompte tout le saisit, et de sa gorge jaillirent le vin et des morceaux de chair humaine ; et il vomissait ainsi, plein de vin. Aussitôt je mis l'épieu[6] sous la cendre, pour l'échauffer ; je rassurai mes compagnons, afin qu'épouvantés,
20 ils ne m'abandonnent pas. Puis, comme l'épieu d'olivier, bien que vert, allait s'enflammer dans le feu, car il brûlait violemment, je le retirai du feu. Mes compagnons étaient autour de moi […]. Ayant saisi l'épieu d'olivier aigu par le bout, ils l'enfoncèrent dans l'œil du Cyclope […] Et le sang chaud en jaillissait, et la vapeur de la
25 pupille[7] ardente brûla ses paupières et son sourcil ; les racines de l'œil frémissaient, comme lorsqu'un forgeron plonge une grande hache ou une doloire[8] dans l'eau froide, et qu'elle crie, stridente. Le monstre hurla horriblement, et les rochers en retentirent. Nous nous enfûmes épouvantés. Il arracha de son œil l'épieu souillé de
30 beaucoup de sang, et, plein de douleur, il le rejeta. Alors, à haute voix, il appela les Cyclopes qui habitaient autour de lui les cavernes des promontoires[9] battus des vents. En entendant sa voix, ils accoururent de tous côtés ; debout autour de l'antre[10], ils lui demandaient pourquoi il se plaignait :

35 – Pourquoi, Polyphème, pousses-tu de telles clameurs[11] dans la

Ulysse s'enfuyant du repaire de Polyphème sous son bélier.
Lécythe à figures noires (590 avant J.-C.), Staatliche Antikensammlung, Munich.

1. **Hospitalité** : bon accueil.
2. **Ardent** : brûlant.
3. **Flatteuses** : aimables.
4. **Illustre** : célèbre.
5. **Farouche** : sauvage, cruelle.
6. **Épieu** : bâton taillé en pointe.
7. **Pupille** : centre de l'œil.
8. **Doloire** : petite hache.
9. **Promontoires** : sommets.
10. **Antre** : grotte.
11. **Clameurs** : cris.

Ulysse aveuglant le Cyclope.
Illustration de l'album
Ulysse aux mille ruses
d'Yvan Pommaux (2011).

nuit divine et nous réveilles-tu ? Souffres-tu ? Quelque mortel a-t-il enlevé tes brebis ? Quelqu'un veut-il te tuer par force ou par ruse ?

Et le robuste Polyphème leur répondit du fond de son antre :

– Ô amis, qui me tue par la ruse et non par la force ? Personne.

40 Et ils lui répondirent ces paroles ailées :

– Oui, nul ne peut te faire violence, puisque tu es seul. Mais on ne peut échapper aux maux qu'envoie le grand Zeus. Supplie ton père, le roi Poséidon.

Ils parlèrent ainsi et s'en allèrent. Alors je ris, parce que mon 45 nom les avait trompés, ainsi que ma ruse irréprochable.

Alors, le Cyclope gémissant et plein de douleurs, tâtant avec les mains, enleva le rocher de la porte, et, s'asseyant là, il étendit les bras, afin de saisir ceux de nous qui voudraient sortir avec les brebis.

50 Les mâles des brebis étaient forts et laineux, beaux et grands, et ils avaient une laine de couleur violette. Je les attachai par trois avec l'osier tordu sur lequel dormait le Cyclope monstrueux et féroce. Celui du milieu portait sous lui un homme, et les deux autres, de chaque côté, cachaient mes compagnons. Il me restait un bélier, le 55 plus grand de tous. Je l'attrape par le dos, et, me glissant sous son ventre, je saisis fortement de mes mains sa laine très épaisse. Rien ne lasse mon courage. Et c'est ainsi qu'en gémissant nous attendons la divine Aurore.

Et quand l'Aurore aux doigts de rose apparut, le Cyclope poussa 60 les mâles des troupeaux au pâturage. Accablé de douleurs, il tâtait le dos de tous les béliers qui passaient devant lui, et l'insensé ne s'apercevait pas que mes compagnons étaient liés sous le ventre des béliers laineux. À peine éloignés de l'antre et de l'enclos, je quittai le premier le bélier et je détachai mes compagnons. Et nous pous-65 sâmes promptement hors de leur chemin les troupeaux chargés de graisse, jusqu'à ce que nous fussions arrivés à notre navire.

Homère, *Odyssée*, chant IX, VIIIᵉ s. av. J.-C.,
traduction adaptée de Leconte de Lisle.

Si vous avez fini de lire

Observez les images et faites-les correspondre à un moment du récit. Identifiez pour chacune le support et l'époque de production.

Comprendre le texte

L'hospitalité du Cyclope

1 Relisez les lignes 3 et 4. Comment le Cyclope semble-t-il se comporter ?

2 Quel est en vérité le « présent d'hospitalité » du Cyclope ? Que pensez-vous d'un tel cadeau ?

3 Relevez, dans les lignes 15 à 19, les expressions qui décrivent le Cyclope comme un être qui fait horreur. Quelle désignation, à la ligne 52, résume cette impression ?

Ulysse aux mille ruses

4 Quelles sont les trois ruses qui permettent à Ulysse d'échapper au Cyclope ? Lisez la rubrique « À retenir ». En quoi Ulysse se montre-t-il digne de son ancêtre divin ?

5 Aux lignes 24 à 27, que voit-on, et qu'entend-on ? Quel est l'effet produit sur le lecteur ?

6 Montrez comment la ruse de Personne a été prévue dès le départ par Ulysse.

7 Expliquez en détail pourquoi Ulysse mérite bien son surnom d'« avisé » lorsqu'il imagine un moyen de sortir de la grotte.

Bilan

8 Face au « monstre féroce », quelles qualités permettent au héros de l'emporter ?

 ## Activités

LANGUE `IV.1`

Relevez les sujets des verbes et les attributs du sujet dans la phrase « Les mâles des brebis... violette » (l. 50 à 51).

→ **Le sujet** p. 244

→ **L'attribut du sujet** p. 246

ORAL Lire de manière expressive `II.2`

À votre tour, devenez conteur ou conteuse : préparez à deux la lecture expressive d'une partie du texte (lignes 1 à 11 ou 35 à 43). L'un(e) de vous lira et l'autre dira ce qu'il ou elle pense de cette lecture. Puis vous inverserez les rôles.

ÉCRITURE Réinvestir du vocabulaire en contexte `III.2`

Employez les mots « farouche », « illustre » et « hospitalité » dans des phrases situées dans un contexte autre que celui de l'*Odyssée* pour en montrer le sens.

ORAL Débattre sur un personnage `I.7`

Peut-on reprocher à Ulysse certains défauts dans cet épisode ?
Ulysse est-il un héros parfait ? Vous débattrez de cette question.

à retenir

Ulysse est le descendant du dieu Hermès (Mercure pour les latins). Ce dieu est le guide des voyageurs et personnifie l'habileté et la ruse. Il est aussi le dieu du vol et du mensonge mais également le patron des orateurs.

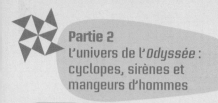

Partie 2
l'univers de l'*Odyssée* :
cyclopes, sirènes et
mangeurs d'hommes

PARCOURS
DE LECTURE

3 Résister aux Sirènes

Charmes et maléfices

La rencontre du Cyclope marque le début de l'errance d'Ulysse. En effet, poursuivi par le dieu de la mer Poséidon, qui veut venger son fils Polyphème, le héros va mettre dix ans à rentrer chez lui et affrontera de nombreux périls sur la mer. Il arrive chez la déesse magicienne Circé, qui transforme en cochons les compagnons d'Ulysse. Mais le héros déjoue ses ruses et Circé devient son alliée. Avant qu'il ne poursuive son périple, elle l'avertit de plusieurs dangers qu'il va devoir affronter, en commençant par les Sirènes…

– Tu rencontreras d'abord les Sirènes qui charment tous les hommes qui les approchent ; mais il est perdu celui qui, par imprudence, écoute leur chant, et jamais sa femme et ses enfants ne le reverront dans sa demeure, et ne se réjouiront. Les Sirènes le char-
5 ment par leur chant harmonieux, assises dans une prairie, autour d'un grand amas[1] d'ossements d'hommes et de peaux en putré-faction[2]. Navigue rapidement au-delà, et bouche les oreilles de tes compagnons avec de la cire molle, de peur qu'aucun d'eux entende. Pour toi, écoute-les, si tu veux ; mais que tes compagnons te lient,
10 à l'aide de cordes, dans la nef[3] rapide, debout contre le mât, par les pieds et les mains, avant que tu écoutes avec une grande volupté la voix des Sirènes. Et, si tu pries tes compagnons, si tu leur ordonnes de te délier, qu'ils te chargent de plus de liens encore. […]
Nous approchâmes à portée de la voix, et la nef rapide, étant
15 proche, fut promptement aperçue par les Sirènes ; alors elles chan-tèrent leur chant harmonieux :
– Viens, ô illustre Ulysse, grande gloire des Achéens. Arrête ta nef, afin d'écouter notre voix. Aucun homme n'a dépassé notre île sur sa nef noire sans écouter notre douce voix ; puis, il s'éloigne,
20 plein de joie, et sachant de nombreuses choses. Nous savons, en effet, tout ce que les Achéens et les Troyens ont subi devant la grande Troie par la volonté des Dieux, et nous savons aussi tout ce qui arrive sur la terre nourricière[4].
Elles chantaient ainsi, faisant résonner leur belle voix, et mon
25 cœur voulait les entendre ; en remuant les sourcils, je fis signe à mes compagnons de me détacher ; mais ils agitaient plus ardemment les avirons ; et, aussitôt, Périmède et Euryloque[5], se levant, me char-gèrent de plus de liens.
Après que nous les eûmes dépassées et que nous n'entendîmes
30 plus leur voix et leur chant, mes chers compagnons retirèrent la cire de leurs oreilles et me détachèrent.

Homère, *Odyssée*, chant XII, VIIIe s. av. J.-C.,
traduction adaptée de Leconte de Lisle.

Sirènes, par Caroline Smith
(1999). Gouache.

1. **Amas :** tas.
2. **Putréfaction :** pourriture.
3. **Nef :** navire.
4. **Nourricière :** qui produit la nourriture pour les êtres vivants.
5. **Périmède et Euryloque :** compagnons d'Ulysse.

⊚ Comprendre le texte

Les Sirènes : des créatures « charmantes »

1 Cherchez dans le dictionnaire les différents sens du verbe « charmer » et de l'adjectif « charmant ».

2 Quel mot Circé emploie-t-elle pour décrire le chant des Sirènes ? Trouvez un synonyme de ce mot.

3 Que disent les Sirènes ? Quel attrait ce discours peut-il exercer sur les hommes ?

Les Sirènes : des créatures maléfiques

4 Quel passage descriptif rend les Sirènes repoussantes ?

5 Relevez des mises en garde dans les paroles de Circé. En quoi les Sirènes sont-elles dangereuses ?

LANGUE
IV.2

Dans le passage « Navigue... si tu veux » (l. 7 à 9), relevez les impératifs et mettez-les à la 2e personne du pluriel.

➔ **L'impératif** p. 256

Activité interdisciplinaire

Le chant des Sirènes imaginé par les musiciens

Français – Éducation musicale

Écoutez les extraits proposés de *Sirènes* de Claude Debussy et du *Chant à la lune* d'Anton Dvorak.

📄 Votre professeur vous distribuera la fiche 3 pour guider votre travail.

Ulysse et les Sirènes, John William Waterhouse (1891).
National Gallery of Victoria. Huile sur toile.

a. Ulysse et les Sirènes, vase grec. British museum.

b. Sirènes, manuscrit médiéval. *Bestiaire d'Amour*, Richard Fournival, 1250. BNF.

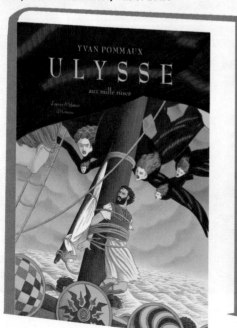

Couverture de l'album
Ulysse aux mille ruses
d'Yvan Pommaux (2011).

Les représentations des Sirènes : de la femme oiseau à la femme poisson

1. Observez les représentations de Sirènes sur les documents a et b. Dites quelle est la technique employée dans la représentation. Laquelle date de l'Antiquité gréco-latine, laquelle du Moyen Âge ?

2. Quelles différences observez-vous dans la représentation des Sirènes entre ces deux époques ? Qu'ont-elles d'animal, qu'ont-elles d'humain ? Sont-elles plutôt des êtres humains ou des animaux ?

3. Cherchez la définition du mot « hybride ». En quoi les Sirènes sont-elles des êtres hybrides ?

Une illustration contemporaine de l'*Odyssée*

4. Observez la couverture d'une adaptation moderne de l'Odyssée. Quel est l'épisode représenté ? Selon vous, l'illustrateur a-t-il bien rendu la personnalité des Sirènes ?

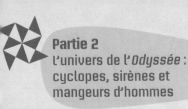

Partie 2
L'univers de l'*Odyssée* :
cyclopes, sirènes et
mangeurs d'hommes

**PARCOURS
DE LECTURE**

4 Le héros victime des monstres

Charybde et Scylla

**La magicienne Circé, qui a mis Ulysse en garde contre
les Sirènes, le prévient aussi de deux autres dangers.**

Vous croiserez deux écueils. L'un, de son faîte[1] aigu, atteint le
ciel, et une nuée bleue l'environne sans cesse. Jamais aucun mortel
ne pourrait y monter ou en descendre, quand il aurait vingt bras et
vingt pieds, tant la roche est haute et semblable à une pierre polie.
5 Au milieu de l'écueil il y a une caverne noire [...], c'est là qu'habite
Scylla qui pousse des rugissements et dont la voix est aussi forte
que celle d'un jeune lion. C'est un monstre prodigieux, et nul n'est
joyeux de l'avoir vu, pas même un Dieu. Elle a douze pieds dif-
formes, et six longs cous sortent de son corps ; à chaque cou est
10 attachée une tête horrible, et dans chaque gueule pleine de la noire
mort il y a une triple rangée de dents épaisses et nombreuses. Elle
est plongée dans la caverne creuse jusqu'aux reins ; mais elle étend
au dehors ses têtes, et, regardant autour de l'écueil, elle saisit les
dauphins, les chiens de mer et les autres monstres innombrables
15 qu'elle veut prendre. Jamais les marins ne pourront se glorifier
d'avoir passé auprès d'elle sains et saufs sur leur nef[2], car chaque
tête enlève un homme hors de la nef à proue bleue. L'autre écueil
voisin que tu verras, Ulysse, est moins élevé, et tu en atteindrais
le sommet d'un trait. Il y croit un grand figuier sauvage chargé de
20 feuilles, et, sous ce figuier, la divine Charybde engloutit l'eau noire.
Et elle la revomit trois fois par jour et elle l'engloutit trois fois horriblement. Et si tu arrivais quand elle l'engloutit, Celui qui ébranle
la terre[3], lui-même, voudrait te sauver, qu'il ne le pourrait pas. [...]

Ayant repris la mer, Ulysse et ses compagnons aperçoivent les
25 *écueils.*

M'étant revêtu de mes armes splendides, et ayant pris deux longues lances, je montai sur la proue de la nef d'où je croyais apercevoir d'abord la rocheuse Scylla apportant la mort à mes compagnons. Mais je ne pus la voir, mes yeux se fatiguaient à regarder de
30 tous les côtés de la Roche noire.

Nous traversions ce détroit en gémissant. D'un côté était Scylla ;
et, de l'autre, la divine Charybde engloutissait l'horrible eau salée de
la mer ; et, quand elle la revomissait, celle-ci bouillonnait comme
dans un bassin sur un grand feu, et elle la lançait en l'air, et l'eau
35 pleuvait sur les deux écueils. Et quand elle engloutissait de nouveau
l'eau salée de la mer, elle semblait bouleversée jusqu'au fond, et elle
rugissait affreusement autour de la Roche ; et le sable bleu du fond
apparaissait. La pâle terreur saisit mes compagnons. Nous regar-
dions Charybde, car c'était d'elle que nous attendions notre perte ;
40 mais, pendant ce temps, Scylla enleva de la nef creuse six de mes

1. **Faîte :** sommet.
2. **Nef :** navire.
3. **Celui qui ébranle la terre :**
Poséidon.

Circé met en garde Ulysse contre Charybde et Scylla, illustration de l'album *Ulysse aux mille ruses* d'Yvan Pommaux (2011).

🎧 **écoute**

Écoutez la lecture de l'extrait par la conteuse. Celle-ci suit-elle toujours la ponctuation du texte ? Pourquoi, selon vous, introduit-elle des rythmes nouveaux ?

plus braves compagnons. Et, comme je regardais sur la nef, je vis leurs pieds et leurs mains qui passaient dans l'air ; et ils m'appelaient dans leur désespoir.

45 De même qu'un pêcheur, du haut d'un rocher, avec une longue baguette, envoie dans la mer, aux petits poissons, un appât enfermé dans la corne d'un bœuf sauvage, et jette chaque poisson qu'il a pris, palpitant, sur le rocher ; de même Scylla emportait mes compagnons palpitants et les dévorait sur le seuil, tandis qu'ils poussaient des cris et qu'ils tendaient vers moi leurs mains. Et c'était la chose la plus lamentable de toutes celles que j'aie vues dans mes courses 50 sur la mer.

Homère, *Odyssée*, chant XIII, VIIIe s. av. J.-C.,
traduction adaptée de Leconte de Lisle.

Si vous avez fini de lire

Précisez, par le contexte, le sens des mots suivants puis employez-les dans des phrases de votre invention : « écueil » (l. 1), « nuée » (l. 2), « caverne » (l. 5), « désespoir » (l. 43).

Comprendre le texte

Des monstres ou des dangers réels ?

1 Lisez le passage qui décrit le corps de Scylla (l. 5 à l. 12). Selon vous, quels mots s'emploient pour désigner les parties du corps d'un être humain ? pour désigner celles d'un animal ? Quel effet ce mélange de vocabulaire produit-il sur le lecteur ?

2 Relevez deux expressions qui décrivent la position exacte de Scylla et une qui décrit la position de Charybde. Où habite chacun des deux monstres ? À quel élément de la nature sont-ils donc associés ?

3 À quel animal réel les monstres sont-ils associés ?

4 Observez la carte des voyages d'Ulysse, p. 43. Où sont situés Charybde et Scylla ? En quoi la position géographique correspond-elle à la description du texte ?

Les souffrances humaines

5 À quoi sont comparés les compagnons d'Ulysse dans le dernier paragraphe ? Que souligne cette comparaison ?

6 Qu'éprouvent les compagnons d'Ulysse ? Comment se comportent-ils ? Relevez trois expressions à l'appui de votre réponse.

7 Ulysse et ses compagnons sont-ils, dans cet épisode, vainqueurs ou vaincus ? Quelles réalités naturelles les monstres représentent-ils ici ?

Bilan

8 En vous rappelant les extraits précédents, dites quelles sont les caractéristiques communes des monstres combattus par Ulysse. Rappelez pourquoi il les combat et quel est le but final de sa quête.

à retenir

Les monstres de l'Odyssée sont **des êtres hybrides**, mi-hommes mi-animaux. Ils sont très effrayants. Ils peuvent représenter les dangers réels qui guettaient les marins, entraînaient des souffrances et souvent la mort.

Activités

LANGUE IV.2

Dans la phrase « D'un côté était Scylla... les deux écueils. » (l. 31 à 35), relevez les verbes conjugués, donnez leur infinitif et leur groupe et conjuguez trois d'entre eux au présent (un de chaque groupe).

➜ **Le présent** p. 254 et 256

ÉCRITURE Décrire un monstre III.1

Décrivez un troisième monstre marin, immobile puis en action.

• *Avant d'écrire*

a) Pour décrire le monstre : notez ses caractéristiques physiques. De quels animaux est-il composé ? Quel est son aspect général ? sa taille ? Notez les détails sur lesquels vous voulez attirer l'attention (sa peau, ses pattes, ses yeux...) Quelle est sa couleur ? Pousse-t-il des cris ? Comment se déplace-t-il ?
b) Pour le faire agir : notez qui il attaque, pourquoi, quand, où. Dites comment il agit (il attrape, il mord, il écrase...).
c) Pour décrire son repaire : notez où il vit. Imaginez un détail qui rend ce repaire repoussant ou effrayant.

• *Conseils d'écriture*

a) Pour décrire le monstre immobile : reprenez la structure du passage relevé dans la question 1 : *c'est un monstre...* (effet général) ; *il a...* (son aspect) ; *il ...* (son repaire)
b) Pour décrire le monstre en action : relisez les verbes d'action repérés dans les questions 2 et 3. Donnez-en quatre autres.

• *Quand vous avez fini, relisez-vous.*

Assurez-vous que vous avez correctement ponctué le texte et employé des phrases de différents types (exclamatif, interrogatif) pour donner de la vivacité à votre évocation.

Si vous avez fini d'écrire
Dessinez votre monstre.

Représenter les monstres

Johann Heinrich **Füssli** est un peintre britannique du XVIIIe siècle. Ses tableaux ont souvent une dimension fantastique.

1 Quand cette représentation a-t-elle été réalisée ? Dans quel pays ? Par qui ? Donnez sa taille et son support.

2 Trouvez-vous cette représentation de Scylla impressionnante ou non ? Donnez deux détails à l'appui de votre réponse.

3 Comment le monstre est-il représenté ? A-t-il une ou plusieurs têtes ? Que fait-il ? Par quelle couleur l'eau est-elle figurée ? et les rochers ?

4 Comment le bateau d'Ulysse est-il représenté ? Pourquoi, selon vous, le héros est-il nu ?

5 Trouvez, dans le texte d'Homère, trois phrases qui correspondent au tableau : une qui décrit le héros, une autre les compagnons, une troisième le repaire du monstre.

Johann Heinrich Füssli, *Ulysse entre Charybde et Scylla* (1794-1796).
Huile sur toile, 126 x 101 cm, musée des Beaux-Arts d'Argovie, Aarau (Suisse).

Partie 2
l'univers de l'*Odyssée* :
cyclopes, sirènes et
mangeurs d'hommes

PARCOURS DE LECTURE

5 Civilisation contre barbarie

Ulysse retrouve Pénélope

> Ulysse échappe aux dangers de la mer et arrive sur la terre des Phaéciens, un peuple bienveillant et civilisé. Il leur raconte ses malheurs. Émus, ils le reconduisent à Ithaque. Là, Ulysse, sous les traits d'un mendiant, vainc les jeunes prétendants qui se sont installés dans son palais, attendant que sa femme Pénélope choisisse l'un d'eux pour époux. Il doit à présent persuader Pénélope qu'il est bien son mari.

Ulysse de retour à Ithaque retrouve sa femme Pénélope. Illustration par John Flaxman (1810).

1. **Euryclée** : c'est la nourrice d'Ulysse.
2. **Nuptiale** : du mariage.
3. **Rameaux** : branches d'arbre avec le feuillage.
4. **Airain** : bronze.
5. **Cordeau** : petite corde tendue entre deux bâtons pour obtenir une ligne droite.
6. **Tarière** : outil pour percer le bois.
7. **Pourprée** : rouge.

 écoute

Lisez le texte puis écoutez la conteuse. Dites quels sentiments éprouvent Ulysse et Pénélope et ce que vous éprouvez.

Ulysse s'assit de nouveau sur le trône qu'il avait quitté, et, se tournant vers sa femme, il lui dit :

– Malheureuse ! Parmi toutes les femmes, les Dieux qui ont des demeures olympiennes t'ont donné un cœur dur. Aucune autre

5 femme ne resterait aussi longtemps loin d'un mari qui, après avoir tant souffert, revient, dans la vingtième année, sur la terre de la patrie. Allons, nourrice, étends mon lit, afin que je dorme, car, assurément, cette femme a un cœur de fer dans la poitrine !

La sage Pénélope lui répondit :

10 – Malheureux ! je ne te glorifie ni ne te méprise mais je ne te reconnais pas encore, me souvenant trop de ce que tu étais quand tu partis d'Ithaque sur ta nef aux longs avirons. Va, Euryclée[1], étends, hors de la chambre nuptiale[2], le lit compact qu'Ulysse a construit lui-même, et jette sur le lit dressé des tapis, des peaux et des cou-

15 vertures splendides.

Elle parla ainsi, pour mettre à l'épreuve son mari ; mais Ulysse, irrité, dit à sa femme douée de prudence :

– Ô femme ! quelle triste parole as-tu dite ? Qui donc a transporté mon lit ? Aucun homme vivant, même plein de jeunesse, n'a

20 pu, à moins qu'un Dieu lui soit venu en aide, le transporter, et même le mouvoir aisément. Et le travail de ce lit est un signe certain, car je l'ai fait moi-même, sans aucun autre. Il y avait, dans l'enclos de la cour, un olivier au large feuillage, verdoyant et plus épais qu'une colonne. Tout autour, je bâtis ma chambre nuptiale avec de lourdes

25 pierres ; je mis un toit par-dessus, et je la fermai de portes solides et compactes. Puis je coupai les rameaux[3] feuillus et pendants de l'olivier, et je tranchai au-dessus des racines le tronc de l'olivier, et je le polis soigneusement avec l'airain[4], en m'aidant du cordeau[5]. Et l'ayant troué avec une tarière[6], j'en fis la base du lit que je construisis

30 au-dessus et que j'ornai d'or, d'argent et d'ivoire ; puis je tendis au fond la peau pourprée[7] et splendide d'un bœuf. Je te donne ce signe certain ; mais je ne sais, ô femme, si mon lit est toujours au même endroit, ou si quelqu'un l'a transporté, après avoir tranché le tronc de l'olivier, au-dessus des racines.

Si vous avez fini de lire
En rassemblant vos souvenirs, énumérez des moments où Ulysse vous a semblé vivre loin de la civilisation, dans un monde hostile.

35 Il parla ainsi, et le cœur et les genoux de Pénélope défaillirent tandis qu'elle reconnaissait les signes certains que lui révélait Ulysse. Elle pleura quand il eut décrit les choses comme elles étaient ; jetant ses bras au cou d'Ulysse, elle baisa sa tête et lui dit :

– Ne t'irrite pas contre moi, Ulysse, toi, le plus prudent des
40 hommes ! Les Dieux nous ont accablés de maux ; ils nous ont envié la joie de jouir ensemble de notre jeunesse et de parvenir ensemble au seuil de la vieillesse. Ne me blâme[8] pas si, dès que je t'ai vu, je ne t'ai pas embrassé. Mon âme tremblait qu'un homme, venu ici, me trompât par ses paroles ; car beaucoup méditent des ruses mau-
45 vaises… Maintenant tu m'as révélé les signes certains de notre lit, qu'aucun homme n'a jamais vu. Nous seuls l'avons vu, toi, moi et ma servante Actoris que me donna mon père quand je vins ici et qui gardait les portes de notre chambre nuptiale. Enfin, tu as persuadé mon cœur, bien qu'il fût plein de méfiance.

50 Elle parla ainsi, et le désir de pleurer saisit Ulysse, et il pleurait en serrant dans ses bras sa chère femme si prudente.

Homère, *Odyssée*, chant XXIII, VIIIe s. av. J.-C.,
traduction adaptée de Leconte de Lisle.

Ulysse et Pénélope, Johann Heinrich Wilhelm Tischbein (1802). Peinture, Oldenburg, Landesmuseum.

Comprendre le texte

L'art et la technique constitutifs de la civilisation

1 Relevez les mots qui désignent les outils et les matériaux qu'a employés Ulysse pour faire le lit. Relevez ensuite les verbes qui décrivent les gestes d'Ulysse.

2 À l'aide de vos réponses à la question précédente, dites quelle sorte d'artisan est Ulysse.

L'intelligence et l'amour comme valeurs de la civilisation

3 Expliquez en quoi la situation de Pénélope est délicate. Quelle ruse invente-t-elle pour s'assurer de l'identité d'Ulysse ?

4 Comment s'adresse-t-elle à Ulysse (l. 10 à 15) ? Lui parle-t-elle en personne sensée ou non, polie ou non, civilisée ou non ? Mérite-t-elle d'être appelée la « sage Pénélope » ?

5 Relisez le texte de la ligne 18 à la fin. Expliquez comment est montrée l'émotion de chaque personnage, leur amour réciproque. Quels gestes traduisent ce que Pénélope et Ulysse ressentent ?

Bilan

6 Lisez la rubrique « À retenir ». Citez plusieurs éléments qui montrent que le texte prend place dans le cadre d'une vie civilisée. Opposez-les aux comportements des monstres dans les autres épisodes.

à retenir

Le retour à la maison est pour Ulysse le retour à la civilisation. Cette civilisation se définit comme la maîtrise des arts et des techniques mais aussi comme le respect des valeurs morales : l'homme civilisé est un être inventif, intelligent et capable d'aimer.

 **Activités**

LANGUE   **IV.4**

Recopiez les lignes 10 à 12 (« Malheureux… avirons »). Discutez avec votre voisin pour dire quels mots sont difficiles à écrire. Dictez ou prenez en dictée la moitié du texte en vous le répartissant avec votre voisin.

ORAL   Dire un texte de façon expressive   **II.2**

Mémorisez dix lignes du passage où Ulysse répond à Pénélope (l. 18 à 34). Dites-le de façon expressive.

ÉCRITURE   Décrire une personne qui crée **III.2**

Décrivez une personne (qui peut être vous) en train de fabriquer quelque chose.

● *Avant d'écrire*

– Partez de votre expérience personnelle car vous décrirez mieux. Choisissez ce dont vous allez montrer la fabrication : un objet, un vêtement, quelque chose que l'on mange, un origami, un jouet ?
– Faites la liste du matériel dont il faudra se servir : les outils, les matériaux.
– Faites la liste des verbes qui vont permettre de décrire les gestes accomplis.
– Donnez des adjectifs qui serviront à décrire l'objet réalisé : sera-t-il beau ou non, réussi ou non ?

● *Conseils d'écriture*

Vous chercherez à décrire chaque étape de la fabrication le plus précisément possible. Vous pourrez faire comprendre ce qu'éprouve le créateur de l'objet et comment il se comporte : est-il appliqué, méthodique, calme, énervé, fier ou déçu du résultat ?

● *Quand vous avez fini, relisez-vous.*
Assurez-vous d'avoir écrit un texte clair et précis.

Si vous avez fini d'écrire
Dessinez l'objet dont vous avez décrit la fabrication.

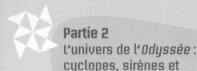

Partie 2
L'univers de l'*Odyssée* :
cyclopes, sirènes et
mangeurs d'hommes

Monstres et merveilles

Activité 1

Fiches d'identité imaginaires

Voici une liste de personnages qui appartiennent
au merveilleux :

Sorcière, fée, dragon, sirène (deux sortes de
sirènes), troll, cyclope, lutin, elfe, nain, loup-
garou.

Pour chacun d'eux, faites une fiche d'identité
que vous illustrerez ensuite et dans laquelle vous
préciserez :

– le récit ou le type de récit dans lequel il apparaît
(citez des titres de récits si vous en connaissez) ;
– l'apparence qu'on lui prête (vous préciserez
si le personnage peut être considéré comme un
monstre) ;
– les pouvoirs qu'il a ;
– le lieu réel ou imaginaire où il vit ;
– son rôle dans la vie des humains (bénéfique
ou maléfique).

Activité 2

Mots-valises et monstres grecs

Voici un exemple de mot-valise avec sa définition :
Girafée: Fée au long cou et aux longs cils qui
ne donne pour dons que la rapidité à la course
et la discrétion.

– Expliquez le fonctionnement du mot-valise.
– Cherchez ce que sont une chimère, un centaure
puis un sphinx dans la mythologie grecque
et inventez des mots-valises pour les désigner.

« Un hibouledogue ».
Illustration de l'album
*Mes nouveaux animaux
de Compagnie* par
Roland Garrigue.

Troll dans *La Reine des Neiges* (2013).

Activité 3

Mots-valises et monstres hybrides

Voici des mots-valises désignant des êtres
hybrides :

Trollclope, cyrcière, sirelfe, dratin.

– Pour chacun d'eux, dites de quelles créatures
il est composé.
– Choisissez-en un et imaginez son portrait
en expliquant ses particularités. Vous pouvez
également faire un dessin.
– Imaginez votre rencontre avec cet être. Que se
passe-t-il ? Vous pouvez faire de cette rencontre
le début d'une histoire.

Du plaisir des mots au plaisir d'écrire

Inventer l'histoire de Médusine

Médusine était coiffeuse à Paris. Et puis une sorcière est entrée dans son salon pour se faire couper les cheveux. La coupe ne lui a pas plu. Elle s'est vengée sur la pauvre Médusine.

Imaginez la suite du récit pour qu'il corresponde à l'image.

Rêverie sur les monstres et autres créatures imaginaires

– Lisez, mémorisez puis récitez ce poème. Vous le direz comme si vous racontiez une histoire qui vous est vraiment arrivée.

Monstres

Il y a des monstres qui sont très bons,
Qui s'assoient contre vous les yeux clos de tendresse
Et sur votre poignet
Posent leur patte velue.
Un soir
Où tout sera pourpre dans l'univers,
Où les roches reprendront leurs trajectoires de folles,
Ils se réveilleront.

Eugène Guillevic, *Terraqué*, 1945.

– **Imaginez ce qui se passera le soir où les monstres s'éveilleront.**

Un monstre en « ul »

– Cherchez à deux le plus possible de mots finissant par « ul », « ule » ou « ulle ».
– Complétez votre recherche sur Internet pour trouver quinze mots finissant ainsi.
– En vous aidant de l'image, continuez le texte suivant (vous pouvez utiliser plusieurs fois un mot).

Le Gudugul
Couvert de scrofules, de fistules, de nodules, sous la pellicule de l'eau, je hulule et fais des bulles.

Andromède delivrée par Persée,
Piero di Cosimo (1510).

Partie 2
L'univers de l'*Odyssée* :
cyclopes, sirènes et
mangeurs d'hommes

Activité 7

Des monstres à inventer

Voici le nom d'autres monstres figurant dans
le livre *La Vie secrète des monstres* : le Miroipatte,
la Vampirine, le Fusaka de nuit, Ron le rouge,
le Kronk, le Draniche.

Choisissez un de ces noms et imaginez
le monstre ainsi désigné.
Vous donnerez ses particularités, décrirez (ou
dessinerez) son apparence.
Vous pouvez aussi le montrer agissant dans
un récit.

Illustration de l'album *Comment ratatiner
les monstres* par Roland Garrigue.

Activité 8

Une fée et sa légende

Mélusine est une fée très populaire en France
au Moyen Âge. D'apparence humaine (c'est une très
belle femme), elle épouse le roi Raimondin
(le roi du monde) avec qui elle a plusieurs enfants.
Elle protège et enrichit le royaume, où elle fait
bâtir et bâtit elle-même des villes et des châteaux
magnifiques. Elle fait promettre à son époux qu'il
ne cherchera jamais à la voir le samedi, jour où elle
prend son bain. Mais un jour…

– En vous aidant de ce début, des illustrations
et de leur légende, imaginez la fin de la légende
de la fée Mélusine.

Le roi Raimondin épie sa
femme, la fée Mélusine,
dans son bain. L'homme
s'effraie en voyant
la queue de serpent
de sa femme.
Xylographie tirée de
Mélusine de Thuring
Von Ringoltingen, 1456.

L'envol de Mélusine,
son retour pour soigner
ses deux derniers
enfants. *Mélusine et
le chevalier au cygne*,
Manuscrit flamand
(1480-1490),
Paris, BNF.

Activité 9

Les souhaits et les fées

– Formulez trois vœux et imaginez la fée
qui pourrait les exaucer (vous créerez votre
personnage selon votre fantaisie et lui donnerez
un nom).

– Racontez le moment où vous formulez vos
vœux sous la forme d'un dialogue entre vous
et la fée.

Du plaisir des mots au plaisir d'écrire

Des titres pour créer des histoires

Voici des titres de récits :

– *L'Oiselle de feu et la Fille-Roi*
– *La Cane aux plumes d'or, la truie aux soies d'or et la cavale à la crinière d'or*
– *Le Lait de la bête sauvage*
– *Les Gouslis qui vibrent tout seuls*

Imaginez ce qu'ils peuvent raconter et écrivez la partie que vous voulez de l'histoire imaginée.

Illustration de l'album *L'oiseau de feu* par Charlotte Gastaut (2014).

Logorallye : jouer en empruntant les mots des autres

– Recopiez trois passages d'une ligne au maximum qui vous plaisent particulièrement dans un des contes des pages 17 à 31. Prenez de préférence des expressions plus courtes qu'une phrase.

– Intégrez ces phrases ou expressions dans un texte de votre invention.

Être un personnage imaginaire

Écrivez à votre guise la suite d'un de ces débuts de récit. Vous n'êtes pas du tout obligé(e) de rester dans l'univers du conte ou du mythe. Laissez votre fantaisie vous guider.

– Je suis une petite fille très jolie. On m'appelle le Petit Chaperon rouge.
– J'ai cent ans et j'habite un château.
– Je suis un paisible Cyclope. J'aime vivre seul avec mes bêtes sur cette île que m'a donnée mon père Poséidon.

Le Petit Chaperon Rouge, affiche de J. Hassall (1930).

Dans le labyrinthe

Ariane contre le minotaure, Marie-Odile Hartmann

En pénétrant dans la salle réservée aux femmes, Tarrha sourit devant le spectacle qui s'offrait à elle. « Par Zeus, quelle agitation ! » pensa-t-elle. Partout, dans la grande salle, des tissus multicolores jonchaient le sol. Des servantes allaient et venaient
5   en s'interpellant. D'autres, installées devant des métiers à tisser, bavardaient avec entrain. La nourrice cherchait des yeux sa maîtresse, Ariane, fille du puissant roi Minos de Crète, quand la voix de la princesse s'éleva soudain au-dessus du brouhaha :

— Soumada ! Réza ! Nous mourons de soif ! Apportez-nous de
10 l'eau bien fraîche !

Elle aperçut Tarrha et la salua joyeusement :

— Nourrice, comment vas-tu ce matin ? Où étais-tu donc ? Les couturières sont arrivées ! Il faut que tu me conseilles !

— Toi ? Écouter mes conseils ? soupira Tarrha. On aura tout vu !

15 Comme Ariane venait d'avoir seize ans, elle pouvait désormais siéger à la tribune royale lors de la célébration de l'équinoxe d'automne. C'était une très
20 grande fête, la plus importante du calendrier : l'enterrement de l'année finissante.

Marie-Odile Hartmann, *Ariane contre le Minotaure*, 2004.

Francisco Zurbaran,
Le Minotaure, **1634,**
Musée du Prado, Madrid.

Activité

Recherches documentaires

Faites des recherches sur Thésée :

1. Qui est son vrai père ? Citez un exploit accompli avant le début de l'action du roman.

2. De quelle ville son père est-il le roi ? Situez-la sur la carte (page 112).

3. Pourquoi fait-il partie des otages ?

Présentation orale du roman en groupes

La classe est partagée en trois groupes.

Groupe 1 (chap. 1-5)

Si vous faites partie du premier groupe, vous présenterez à la classe le début du roman : les chapitres 1 à 5.

1. Expliquez la situation de départ et le début de l'action du récit.

📄 Votre professeur vous distribuera la fiche 1 pour guider votre travail. Cette fiche porte sur les personnages d'Ariane, de Dédale et du Minotaure. Vous expliquerez aussi ce qu'est le labyrinthe, et quel pacte lie Athènes à la Crète.

2. Faites une présentation de plusieurs images à chercher en ligne sur le thème du labyrinthe en vous aidant des questions de la fiche.

Groupe 2 (chap. 6-8)

Si vous faites partie du deuxième groupe, vous serez chargé des chapitres 6, 7, 8.

📄 Votre professeur vous distribuera la fiche 2 pour guider votre travail.

1. Racontez à la classe l'essentiel de l'action en vous aidant des questions de la fiche 2. Développez les étapes du récit du combat, depuis l'entrée dans le labyrinthe jusqu'à la victoire et la fuite de Thésée.

2. Faites une présentation d'images à chercher en ligne sur le thème du Minotaure.

Groupe 3 (chap. 9-10)

Si vous êtes dans le troisième groupe, vous présenterez les chapitres 9 et 10 et l'épilogue.

📄 Votre professeur vous distribuera la fiche 3 pour guider votre travail.

1. Expliquez les suites et les conséquences de l'action racontée par le groupe 2. Racontez ce que fait Thésée et comment se passe son retour à Athènes. Vous expliquerez ce que devient Ariane.

2. Faites une présentation d'images à chercher en ligne sur les thèmes d'Ariane endormie et d'Ariane et Dionysos.

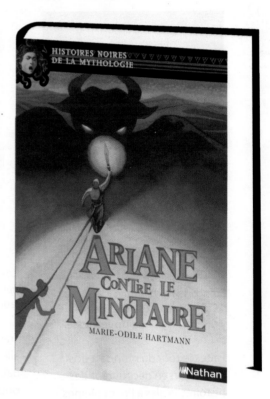

ÉCRITURE — Travail individuel de rédaction

1. Cherchez quatre représentations du combat de Thésée contre le Minotaure : un vase grec à figures noires (de votre choix), une mosaïque romaine qu'on peut voir à Pompéi, un tableau de Cima et une statue de Jules Ramey qu'on peut voir aux Tuileries.

2. Relisez le passage du combat dans le livre (p. 82 « Soudain », jusqu'à p. 83 : « la taille du Minotaure »). Racontez par écrit l'épisode du combat en utilisant si vous le voulez des éléments du texte et des détails des images. Vous devez raconter ce combat à la première personne et du point de vue du Minotaure.

Des livres et un film

Pour les amateurs de monstres féroces

Françoise Rachmuhl,
15 légendes extraordinaires de dragons, Flammarion Jeunesse.

Faites le tour du monde à dos de dragon en découvrant des histoires faciles à lire et pleines d'action. Vous apprendrez ainsi que les dragons vietnamiens sont bienveillants alors que leurs cousins japonais dévorent les jeunes filles. Vous découvrirez que le dragon Ronin d'Amazonie aime la solitude alors que ses pareils moldaves vivent en famille. Vous assisterez aux exploits des héros et des saints qui les ont vaincus.

Pour les amateurs de contes merveilleux venus d'ailleurs

Contes russes, traduit du russe par Luda, illustré par Bilibine, Seuil jeunesse.

Traverser la forêt la nuit pour aller chez la terrible sorcière Baba-Yaga ; échapper à la poursuite de l'horrible Kochtchéï l'immortel ; dévorer l'espace sur le dos du magnifique loup gris ; voir Vassilissa-la-Subtile tirer de sa manche un lac bleu et des cygnes : rien n'est impossible dans le monde des contes russes. Les illustrations vous emmènent dès la première page loin dans le merveilleux et le texte vous parle avec la voix d'une conteuse.

Contes du Kordofan, recueillis par Patricia Musa, École des Loisirs.

Qu'est-ce qu'un ghoul ? Combien de têtes a une ghoula ? Pourquoi sont-ils si terrifiants ? Comment se garder de l'oiseau carnivore El Azrag ? Comment vaincre un monstre né du corps d'une hyène ? Le vaillant Mohammed, l'héroïque Hassna, la courageuse mère de Sabila le savent et combattent ces créatures maléfiques. Lisez leurs aventures que nous content les femmes du Soudan.

Pour les amateurs de films beaux et mystérieux

Le monstre et son montreur

● **Lisez l'un des livres proposés.**

Formez une équipe de 2 élèves : l'un des deux est un monstre trouvé dans le livre, l'autre… **un montreur de monstre !**

Vous pouvez vous déguiser et travailler voix et déplacements. Vous préparerez à l'avance les éléments de vos discours.

● Le montreur essaye de faire adopter son monstre par un des spectateurs.

Il le présente. Il explique comment le monstre vit et se nourrit. Il en fait l'éloge et montre à quel point ce monstre est extraordinaire : fort, redoutable, méchant, ou au contraire bienveillant, facile à nourrir et entretenir, distrayant, etc.

● Le monstre fait un discours où il explique comment il vit sa condition de monstre.

Quelles capacités et quels pouvoirs a-t-il ? Est-il content de sa vie ? Aimerait-il changer quelque chose à son existence ? Le fait d'être considéré comme un monstre le gêne-t-il ou non ?

● Les élèves qui le souhaitent peuvent adopter un monstre. Ils expliquent leur choix et l'emmènent s'asseoir à côté d'eux. Le livre intitulé *Jésus Betz* ne peut pas être exploité pour cette activité.

⊙ **Pour les amateurs d'histoires palpitantes et émouvantes**

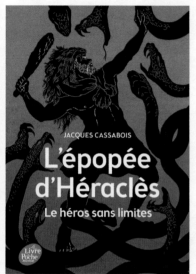

Jacques Cassabois, **L'épopée d'Héraclès,** Livre de poche jeunesse.

Vivez les aventures extraordinaires du plus fort des héros : Héraclès, l'Hercule romain. Encore au berceau il étouffe les serpents que la déesse Héra a envoyés pour le tuer… Ensuite, pour expier un crime, il accomplit ses douze travaux fameux. Les dieux et les monstres peuplent la Grèce antique que parcourt le héros.

Jésus Betz, Fred Bernard, illustré par François Roca, Seuil jeunesse.

Que ressent un être humain qui est un monstre pour les autres ? Jésus Betz n'a ni bras ni jambes, mais il pense, vit et aime comme tout le monde. Il écrit à sa mère, qui l'a abandonné, une lettre lui racontant ses aventures. Une histoire magnifiquement illustrée, pour vivre dans la peau d'un monstre.

Le voyage de Chihiro, Film d'animation japonais de Hayao Miyazaki.

La petite Chihiro déménage avec ses parents. Sur le trajet vers leur nouvelle maison, ils arrivent à un tunnel mystérieux qui les fait pénétrer dans un autre monde peuplé d'esprits, de monstres et de dragons… Chihiro pourra-t-elle sauver ses parents qui ont été transformés en cochons ?
Un film d'animation de l'artiste japonais dont vous connaissez peut-être aussi *Princesse Mononoké* ou *Mon voisin Totoro*.

1 Bilan du chapitre

Répondez aux questions suivantes en donnant à chaque fois un exemple.

1. Un conte d'avertissement finit-il bien ou mal ? Pourquoi ?
2. Citez des objets, lieux et personnages que l'on peut trouver dans un conte merveilleux.
3. Qu'est-ce qui change chez le héros entre le début et la fin d'un conte initiatique ?
4. Citez trois monstres de l'Odyssée. Pour chacun d'eux, donnez une caractéristique.
5. Quelles sont les qualités du héros Ulysse ? Qu'est-ce qui fait sa force ?
6. Citez quatre actions humaines qui, pour les Grecs, caractérisent la vie civilisée.
7. Citez deux monstres hybrides et deux monstres terrifiants non hybrides. Dans quels récits apparaissent-ils ?
8. Un monstre est-il toujours méchant ? Développez votre réponse en citant des épisodes de récit.

J. et W. Grimm, *Les deux frères*. Édition illustrée de 1924 environ.

Ulysse et les sirènes, d'après un vase grec antique par l'école française, XIXe siècle.

2 Exprimer son opinion sur un récit

Demandez-vous quel est votre texte préféré avant de compléter les phrases suivantes.

1. J'ai surtout aimé... parce qu'on y voit...
2. Le monstre y est...
3. Le héros ... monstres et ... des épreuves difficiles comme...
4. On est pris par l'action dans le passage où...
5. Je me souviens de l'expression : « ... ».

3 **Projet final :**
Raconter une histoire de monstres

Dans ce chapitre, vous avez appris à :

* **lire à haute voix un texte de manière expressive ;**
* **partager et comprendre les émotions produites par sa lecture ;**
* **comprendre les valeurs et les représentations qu'il véhicule.**

Étape 1 → Travail en commun

En groupe de trois, vous allez imaginer les « ingrédients » d'une histoire dans laquelle un monstre joue un rôle. Discutez entre vous et prenez des notes en suivant les indications.
– Imaginez d'abord le monstre : est-il hybride ou non ? En quoi est-il monstrueux ? Où vit-il ? Comment vit-il ?
– Inventez votre héros : s'agit-il d'un héros ou d'une héroïne ? Quelles sont ses qualités morales et physiques ? Comment vit-il ?
– Imaginez le début de l'action : pourquoi le héros est-il conduit à affronter le monstre ?

Étape 2 → Travail d'écriture individualisée

L'un des membres du groupe écrit une phrase pour raconter le début de l'action, qui peut être un combat. Il passe la feuille à un autre, qui continue le récit par une phrase après avoir lu ce qu'a écrit le premier. Le troisième prend la suite et écrit la phrase suivante. Si l'action n'est pas finie, la feuille continue à tourner dans le groupe jusqu'à la fin de l'épisode.

Étape 3 → Lecture orale des récits

Relisez l'épisode et faites les corrections nécessaires avant de réaliser une lecture orale de votre texte à la classe.

Évaluez-vous

Vous allez évaluer en groupe de trois un des récits entendus en remplissant le tableau.

	Oui	Non	Pas tout à fait
L'action est-elle compréhensible ?			
Le monstre est-il facile à imaginer pour l'auditeur ?			
L'action est-elle intéressante ?			
La langue vous paraît-elle correcte ?			
La lecture orale est-elle expressive ?			

Des récits d'aventures pour voyager et pour apprendre

Couverture du livre *The scout Buffalo Bill,* par Han. W.F. Cody.
Illustration P. Frenzeny, fin du XIXe siècle.

Dans ce chapitre, vous allez :

❖ Faire le point sur ce que vous savez
déjà sur les récits d'aventures . . . . p. 72

◎ Lire des scènes de combat
⋯▷ Fenimore Cooper, *Le Dernier des Mohicans* . . . p. 74
⋯▷ Jules Verne, *Vingt mille lieues sous les mers* . . p. 77

◎ Analyser une affiche . . . . p. 80

◎ Lire une œuvre intégrale
⋯▷ Jules Verne, *Michel Strogoff* . . . . p. 81

◎ Écrire un récit d'aventures au Far West . . . . p. 82

◎ Lire des récits d'aventures dans un milieu hostile
⋯▷ Jack London, *Construire un feu* . . . . p. 84
⋯▷ Roger Frison-Roche, *Premier de cordée* . . . . . . p. 88

◎ Mettre en voix un récit d'aventures . . . . p. 92

◎ Lire des extraits de *La Guerre du feu*
de J.-H. Rosny aîné . . . . p. 94
⋯▷ Le départ pour l'aventure . . . . p. 95
⋯▷ Les rêveries de Naoh . . . . p. 98
⋯▷ Un pacte avec les mammouths . . . . p. 103
⋯▷ La lutte contre les Dévoreurs d'Hommes. . . . p. 106
⋯▷ Le triomphe du héros . . . . p. 109

◎ Étudier une représentation de Prométhée . . . . p. 102

◎ Écrire des récits d'aventures . . . . p. 112

◎ Découvrir l'univers des pirates dans
L'île au trésor et Pirates des Caraïbes . . . . p. 114

◎ Découvrir des livres et un film. . . . . p. 118

❖ Faire le point sur ce que vous avez appris
sur les récits d'aventures. . . . . p. 120

Baleine renversant des pêcheurs,
École française, XIXᵉ siècle.

Ce que vous
savez déjà...
**sur les récits
d'aventures**

1 Rassemblez vos connaissances

1. Avez-vous déjà lu des récits d'aventures ?
Lesquels ?

2. Où ont lieu les récits d'aventures, le plus
souvent ?

3. Quelles sont, le plus souvent, les qualités
des aventuriers ?

4. Quels peuvent être leurs défauts ?

5. Quels obstacles peuvent-ils rencontrer ?

6. Qui peut leur venir en aide ?

*Les extraordinaires aventures
d'Adèle Blanc–Sec,* réalisé
par Luc Besson, 2010.

*Voyage au centre de la
terre,* réalisé par Eric
Brevig, 2008, d'après
le roman de Jules Verne
(1864).

Les 3 Mousquetaires,
réalisé par Stephen
Herek, 1993, d'après
le roman d'Alexandre
Dumas (1844).

2 Retrouvez l'univers du récit d'aventures

1. Qui est le héros de ce texte, selon vous ? Pourquoi ?

2. Que peut-on éprouver pour lui ?

3. Que va-t-il se passer après cet extrait ? Avancez une ou plusieurs hypothèses.

CROC-BLANC
Jack London
Nathan

Dans le Grand Nord, les hommes organisent des combats de chien. Croc-Blanc, un jeune chien-loup, n'en a jamais perdu un seul, jusqu'au jour où il se retrouve face au bouledogue Cherokee.

Chaque fois qu'il le pouvait, Croc-Blanc essayait de le renverser d'un coup d'épaule, mais la différence de taille était trop grande et le corps trapu[1] du bouledogue était trop près du sol, ses pattes
5 trop puissantes pour qu'un simple heurt[2] suffise à le déséquilibrer. Croc-Blanc le comprit trop tard. À l'issue d'une des extraordinaires volte-face[3] qui lui avaient valu à plusieurs reprises les applaudissements du public, il se trouva
10 brusquement en position de placer un coup de bélier décisif. Cherokee, pris à contre-pied, la tête encore tournée dans la direction opposée, découvrait dangereusement son flanc[4] droit. Croc-Blanc se rua sur lui, mais son épaule était
15 nettement plus haute que celle de son adversaire. Le choc fut si brutal qu'il fut emporté par son élan et passa par-dessus le bouledogue. Pour la première fois depuis qu'il combattait en arène, il perdit totalement le contrôle de ses mouve-
20 ments. Son désarroi ne dura qu'un centième de seconde, et un brutal coup de reins donné à la manière d'un félin lui permit de retomber sur le côté au lieu de rouler sur le dos, mais ce bref instant d'égarement était précisément celui
25 qu'attendait Cherokee. Lorsque le jeune loup se retrouva sur ses pattes, les mâchoires du boule-dogue s'étaient déjà refermées sur sa gorge.

Jack London, *Croc-Blanc*, 1906,
traduction de R. Boudet.

1. Trapu : petit et fort.
2. Heurt : coup.
3. Volte-face : demi-tours rapides.
4. Flanc : côté.

3 Découvrez le chapitre

1. Lisez le sommaire de ce chapitre (p. 70). Choisissez un récit dont le titre retient votre attention.

2. Où et quand cette histoire pourra-t-elle se dérouler ?

3. Qui sera le héros ou l'héroïne, selon vous ?

4. Quelles seront ses aventures ?

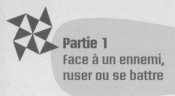

Partie 1
Face à un ennemi,
ruser ou se battre

GROUPEMENT
DE TEXTES

① Éviter le danger

Des Indiens dans la nuit

En 1757, dans le Nord de l'Amérique, Cora et Alice partent rejoindre leur père dans une région où les Hurons, des Indiens hostiles aux Anglais constituent une menace permanente. Les deux jeunes filles sont accompagnées de deux soldats britanniques, Heyward et Duncan. Les voyageurs rencontrent le chasseur blanc Œil de Faucon et ses amis mohicans, Chingachgook et Uncas, qui vont les escorter.

Enfin, le silence se fit, et on entendit parler sur un ton grave un Indien qui devait être le chef. Un bruit de feuilles froissées et de branches prouva bientôt que les Hurons s'étaient divisés en deux patrouilles pour battre les taillis[1]. Heureusement pour nos amis,
5 l'éclat de la lune était trop faible pour qu'on puisse découvrir la trace de leur passage. De jour, il n'en aurait pas été de même.

Nuage blanc, chef des indiens Iowas. Peinture de George Catlin (1794-1872), National Gallery of Art, Washington.

Indiens d'Amérique chassant durant la nuit. Gravure coloriée du XIXᵉ siècle.

1. **Taillis** : buissons.
2. **Meute** : groupe d'animaux, mais ici, il s'agit des Indiens.
3. **Impétuosité** : impulsion.
4. **Tomahawk** : hache des Indiens.
5. **Fortin** : abri construit par l'armée britannique.
6. **Leur jargon** : (ici) langue des Indiens.
7. **Daims** : animaux cousins des cerfs.
8. **Effarouchés** : craintifs.
9. **Tertre** : bosse au sol.
10. **Sépulture** : tombe.

Si vous avez fini de lire

Dessinez cette scène sous forme de schéma. Indiquez notamment la clairière, le fortin et la forêt, ainsi que les Indiens et les héros.

Au bout de quelques minutes, cependant, on entendit des sauvages s'approcher si près de la lisière des jeunes châtaigniers, qu'ils allaient sûrement déboucher dans la clairière.

10 – Ils arrivent, dit Heyward, engageant le canon de son arme entre les troncs. Je fais feu sur le premier qui se présente.

– Gardez-vous-en bien, dit le chasseur. L'explosion d'une seule amorce attirerait sur nous toute la meute². Si Dieu veut que nous combattions, nous le ferons. En attendant, calquez votre conduite 15 sur les sauvages ; ils n'ont pas l'habitude de fuir le danger, mais savent se montrer prudents.

Jetant un regard derrière lui, Duncan aperçut les deux sœurs, tremblant de peur. Les deux Mohicans, immobiles et fermes comme des rocs, s'étaient portés de chaque côté de la porte, prêts 20 à faire feu. Réprimant son impétuosité³, l'officier s'en remit donc à l'expérience des autres guerriers, et se rapprocha de l'ouverture, pour avoir une idée de la situation. Armé d'un tomahawk⁴ et d'un fusil, un grand Huron fit quelques pas dans la clairière. Il aperçut le vieux fortin⁵ et, à la clarté de la lune, on put voir la surprise se 25 peindre sur son visage. « Hugh ! » s'écria-t-il, et l'exclamation provoqua l'afflux des autres compagnons. Les Hurons se tinrent immobiles un instant, les yeux fixés sur le fortin. Ils gesticulèrent sur place en criant dans leur jargon⁶. Puis, prudents et lents comme des daims⁷ effarouchés⁸, ils tentèrent une approche. Le pied d'un Indien 30 buta contre le tertre⁹ gazonné. Se baissant, il devina qu'il s'agissait d'une sépulture¹⁰, comme on pouvait le deviner aux gestes qu'il faisait. Heyward vit le chasseur armer son fusil, et vérifier qu'il pouvait facilement dégainer son couteau. Le major en fit autant, prêt à livrer un combat inévitable.

35 Les deux sauvages étaient si près qu'ils auraient pu entendre le moindre mouvement des chevaux. Pourtant, leur esprit semblait captivé par la découverte du tombeau. Ils continuaient à parler entre eux, à voix basse, dans une atmosphère quasi religieuse, et paraissaient habités d'une sorte d'appréhension. Enfin, ils s'éloi40 gnèrent avec précaution, guettant avec inquiétude l'apparition d'un quelconque esprit des morts enterrés là ; puis ils disparurent sous les fourrés.

Déposant son arme, Œil de Faucon poussa un profond soupir. Il éprouvait le besoin de renouveler l'air de ses poumons.

45 – Ils respectent leurs morts, dit-il. Et c'est ce qui leur sauve la vie, pour cette fois, et aussi la nôtre.

James Fenimore Cooper, *Le Dernier des Mohicans*, 1826, traduction Georges Breton.

Les Indiens arrivent…

1 À quel moment de la journée cette scène se passe-t-elle ? Pourquoi ce détail a-t-il de l'importance ?

2 Relevez tous les groupes nominaux désignant un ou plusieurs Indiens. Quelle image l'auteur nous donne-t-il d'eux ? Est-ce ainsi que l'on montre habituellement les Indiens ?

Dans le vieux fortin

3 Combien de personnages y a-t-il dans le vieux fortin ? Comment réagit chacun d'eux ?

4 Quelle attitude vous semble la plus sage ?

5 Relevez les mots appartenant au champ lexical du bruit. Pourquoi sont-ils si nombreux, selon vous ?

6 À quel moment la tension est-elle la plus forte ?

Un combat inévitable ?

7 Que trouve l'Indien dans la clairière ?

8 Comment comprenez-vous la dernière phrase du texte ?

Bilan

9 Comment James Fenimore Cooper parvient-il à créer du suspense dans ce texte ?

à retenir

Si nous aimons lire des romans d'aventures, même très longs, c'est en raison du **suspense** qu'ils installent. Les personnages vivent des aventures exaltantes, nous nous mettons à leur place, nous tremblons avec eux, nous tournons les pages avec anxiété pour savoir s'ils survivront à leurs épreuves… et nous triomphons avec eux.

LANGUE IV.2

Réécrivez les phrases ci-dessous en mettant tous les verbes au présent de l'indicatif. Vous surlignerez tous les changements.

Il aperçut le vieux fortin et, à la clarté de la lune, on put voir la surprise se peindre sur son visage. « Hugh ! » s'écria-t-il, et l'exclamation provoqua l'afflux des autres compagnons.

➔ **Présent** p. 254 et 256

ÉCRITURE Écrire une aventure de western III.1

Le petit groupe décide de s'aventurer sur les terres des Indiens. Vous raconterez leur aventure.

● *Avant d'écrire*

a) Quelle raison peut les pousser à aller sur les terres des Indiens ?
b) Que risquent-ils ?
c) Faites la liste des objets qu'ils ont pu emporter. Comparez votre liste avec celle de votre voisin et choisissez au moins deux objets.

● *Conseils d'écriture*

– Votre texte pourra commencer par « Ils avançaient dans la forêt quand soudain… ».
– Vous raconterez à quel nouveau danger le groupe est confronté puis vous expliquerez comment les objets qu'ils ont emportés ont pu les aider.
– Vous préciserez comment a agi chacun des personnages.
– Voici des verbes d'action que vous pouvez utiliser : courir, sursauter, bondir, arracher…

● *Quand vous avez fini d'écrire, relisez-vous.*

– Le petit groupe est-il sauvé par un objet de votre liste ?
– Vos phrases sont-elles courtes et bien délimitées ?

 *Si vous avez fini d'écrire*
Quels objets le petit groupe pourrait-il rapporter des terres indiennes ? Décrivez (ou dessinez) au moins cinq objets indiens.

Partie 1
Face à un ennemi,
ruser ou se battre

GROUPEMENT
DE TEXTES

② Affronter le danger

Le combat contre la pieuvre

> **Un monstre marin, une « chose énorme » et inconnue, navigue près des côtes et attaque les navires. Une expédition part à sa recherche, avec à son bord le scientifique français Pierre Aronnax, son domestique Conseil, et Ned Land, un harponneur canadien. Tous trois découvrent que la « chose » est un fabuleux sous-marin, le *Nautilus*. Son capitaine, Nemo, les fait prisonniers dans son vaisseau. Ils peuvent alors voir toutes les « merveilles » et les « horreurs » de la mer.**

1. **Irrésistible :** à laquelle on ne peut résister.
2. Le capitaine Nemo avait interdit à l'équipage de communiquer avec Aronnax.
3. **Second :** personne qui assiste le capitaine d'un navire dans toutes ses tâches.
4. **Charnues :** de chair.
5. **Musc :** liquide très odorant émis par les glandes de certains animaux.

Le *Nautilus* était alors revenu à la surface des flots. Un des marins, placé sur les derniers échelons, dévissait les boulons du panneau. Mais les écrous étaient à peine dégagés, que le panneau se releva avec une violence extrême, évidemment tiré par la ventouse
5 d'un bras de poulpe.

Aussitôt un de ces longs bras se glissa comme un serpent par l'ouverture, et vingt autres s'agitèrent au-dessus. D'un coup de hache, le capitaine Nemo coupa ce formidable tentacule, qui glissa sur les échelons en se tordant.

10 Au moment où nous nous pressions les uns sur les autres pour atteindre la plate-forme, deux autres bras, cinglant l'air, s'abattirent sur le marin placé devant le capitaine Nemo et l'enlevèrent avec une violence irrésistible[1].

Le capitaine Nemo poussa un cri et s'élança au-dehors. Nous
15 nous étions précipités à sa suite.

Quelle scène ! Le malheureux, saisi par le tentacule et collé à ses ventouses, était balancé dans l'air au caprice de cette énorme trompe. Il râlait, il étouffait, il criait : « À moi ! à moi ! » Ces mots, *prononcés en français*, me causèrent une profonde stupeur ! J'avais
20 donc un compatriote à bord, plusieurs, peut-être[2] ! Cet appel déchirant, je l'entendrai toute ma vie !

L'infortuné était perdu. Qui pouvait l'arracher à cette puissante étreinte ? Cependant le capitaine Nemo s'était précipité sur le poulpe, et, d'un coup de hache, il lui avait encore abattu un bras.
25 Son second[3] luttait avec rage contre d'autres monstres qui rampaient sur les flancs du *Nautilus*. L'équipage se battait à coups de hache. Le Canadien, Conseil et moi, nous enfoncions nos armes dans ces masses charnues[4]. Une violente odeur de musc[5] pénétrait l'atmosphère. C'était horrible.

30 Un instant, je crus que le malheureux, enlacé par le poulpe, serait arraché à sa puissante succion. Sept bras sur huit avaient été coupés. Un seul, brandissant la victime comme une plume, se tor-

L'équipage du « Nautilus » en lutte avec les poulpes (1870).
Gravure sur bois, vol. 2, 1re édition de *Vingt mille lieues sous les mers*.

6. **Sécrété** : produit.
7. **Hydre** : monstre tué par Hercule. Chaque fois qu'on lui coupait une tête, raconte le mythe, il en repoussait deux.
8. **Glauques** : verts.
9. **Mandibules** : bec.
10. **Fanal** : lanterne.

 **Écoute**

Qu'avez-vous ressenti en écoutant ce texte ? Justifiez votre réponse.

dait dans l'air. Mais au moment où le capitaine Nemo et son second se précipitaient sur lui, l'animal lança une colonne d'un liquide noi-
35 râtre, sécrété[6] par une bourse située dans son abdomen. Nous en fûmes aveuglés. Quand ce nuage se fut dissipé, le calmar avait disparu, et avec lui mon infortuné compatriote !

Quelle rage nous poussa alors contre ces monstres ! On ne se possédait plus. Dix ou douze poulpes avaient envahi la plate-forme
40 et les flancs du *Nautilus*. Nous roulions pêle-mêle au milieu de ces tronçons de serpents qui tressautaient sur la plate-forme dans des flots de sang et d'encre noire. Il semblait que ces visqueux tentacules renaissaient comme les têtes de l'hydre[7]. Le harpon de Ned Land, à chaque coup, se plongeait dans les yeux glauques[8] des calmars et
45 les crevait. Mais mon audacieux compagnon fut soudain renversé par les tentacules d'un monstre qu'il n'avait pu éviter.

Ah ! Comment mon cœur ne s'est-il pas brisé d'émotion et d'horreur ! Le formidable bec du calmar s'était ouvert sur Ned Land. Ce malheureux allait être coupé en deux. Je me précipitai à son
50 secours. Mais le capitaine Nemo m'avait devancé. Sa hache disparut entre les deux énormes mandibules[9], et miraculeusement sauvé, le Canadien, se relevant, plongea son harpon tout entier jusqu'au triple cœur du poulpe.

« Je me devais cette revanche ! » dit le capitaine Nemo au Cana-
55 dien.

Ned s'inclina sans lui répondre.

Ce combat avait duré un quart d'heure. Les monstres vaincus, mutilés, frappés à mort, nous laissèrent enfin place et disparurent sous les flots.

60 Le capitaine Nemo, rouge de sang, immobile près du fanal[10], regardait la mer qui avait englouti l'un de ses compagnons, et de grosses larmes coulaient de ses yeux.

Jules Verne, *Vingt mille lieues sous les mers*, 1869.

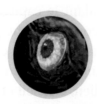

Si vous avez fini de lire
En vous aidant de l'image et du texte, dessinez un calmar et indiquez le nom des différentes parties de son corps.

Comprendre le texte

Encre, bec et tentacules

1. Pour quelles raisons le narrateur appelle-t-il les poulpes des « monstres » (l. 25) ? Partagez-vous son point de vue ?

2. Relevez cinq adjectifs désignant les calmars. Que peut-on éprouver en les voyant ?

3. « Un de ces longs bras se glissa comme un serpent » (l. 6) : relevez deux autres comparaisons dans le texte. Quel est l'effet produit ?

Entre la rage et les pleurs

4. Qui vous semble lutter le plus efficacement contre les poulpes ? Pourquoi ?

5. Pourquoi Nemo dit-il : « Je me devais cette revanche ! » (l. 54) ?

Bilan

6. Qu'est-ce que le danger révèle de Nemo dans ce texte ?

à retenir

Les héros des romans d'aventures n'ont pas de pouvoir magique et aucune fée ne peut les aider. Ils sont pourtant des êtres d'exception : ils sont intelligents et rusés, et peuvent construire des engins extraordinaires. Ils peuvent également faire preuve d'un grand courage physique et se battre avec des ennemis redoutables.

Affiche du film *Vingt mille lieues sous les mers* (1954) de Richard Fleischer.

Activités

LANGUE IV.2

À quels temps les verbes « avaient envahi » (l. 39) et « roulions » (l. 40) sont-ils employés ? Dans quel ordre ces deux actions se passent-elles ? Conjuguez les verbes à ces deux temps.

→ **Employer les temps dans un récit au passé** p. 268

ÉCRITURE Inventer une aventure à la manière de Jules Verne III.6

À la manière de Jules Verne, imaginez une autre aventure à bord du *Nautilus*.

• *Avant d'écrire*

a) Quelles autres « merveilles » et « horreurs » y a-t-il sous l'océan, selon vous ? Votre liste pourra notamment comporter des animaux, des végétaux et des minéraux.
b) Comparez votre liste avec celle de votre voisin(e).

• *Conseils d'écriture*

– Votre texte pourra commencer par : « Soudain, ils voient à travers les vitres du *Nautilus* une chose incroyable. »
– Vous décrirez d'abord cette chose incroyable, puis vous raconterez la réaction des passagers du *Nautilus*.
– Voici une liste d'adjectifs qui peut vous aider à décrire la « chose » : incroyable, stupéfiant, terrifiant, effroyable, merveilleux, splendide, angoissant, redoutable...
– Voici une liste d'actions qu'on peut faire sous l'eau : glisser, nager, harponner, fendre, flotter, dériver...

• *Quand vous avez fini, relisez-vous.*

– Avez-vous varié les verbes d'action ?
– Avez-vous bien accordé les noms, les adjectifs et les verbes ?

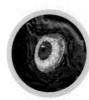

Si vous avez fini d'écrire
Dessinez les « merveilles » ou les « horreurs » que vous avez imaginées et indiquez leur nom.

Jules Verne

Les romans de Jules Verne, ses « voyages extraordinaires », ont connu de très nombreuses adaptations et sont devenus des pièces de théâtre, des opéras, des films, des attractions, et même des jeux vidéo.

1. Que voit-on en premier sur cette affiche ? Pourquoi ?

2. Quelles aventures y a-t-il dans ce spectacle ? Où se déroulent-elles, selon vous ? Quels personnages mettent-elles en scène ?

3. Comment l'affiche les met-elle en valeur ? Laquelle aimeriez-vous voir sur scène ? Pourquoi ?

4. À quoi une telle affiche peut-elle servir ? Vous semble-t-elle efficace ?

Affiche pour la pièce *Le Tour du monde en 80 jours* d'Adolphe d'Ennery et de Jules Verne, 1874.

Lire une œuvre intégrale

MICHEL STROGOFF DE JULES VERNE

Ce roman est conçu pour capter l'intérêt du lecteur du début à la fin, puisqu'il a d'abord été publié en feuilleton, c'est-à-dire par épisodes, de janvier à décembre 1876. Jules Verne fait traverser par son héros l'immense Russie, depuis Moscou jusqu'à Irkoutsk, ville principale de l'hostile région appelée Sibérie. Ce parcours de 5523 kilomètres réserve bien des surprises à Michel Strogoff, et l'oblige à puiser dans ses seules ressources (force, ruse et courage) pour échapper à un ennemi acharné.

À travers la lecture de ces épisodes de *Michel Strogoff*, vous allez découvrir :
– comment Jules Verne a réuni les ingrédients d'un récit d'aventures palpitant : un cadre dépaysant ; un personnage héroïque et attachant, confronté à un ennemi déterminé ; une mission longue et périlleuse ; enfin, des rebondissements extraordinaires ;
– comment le lecteur, tenu en haleine par les aventures du personnage, peut se projeter dans les situations difficiles où Michel Strogoff est plongé, et s'interroger sur la manière dont lui-même aurait réagi, sur les choix qu'il aurait faits et sur ses capacités à les mettre en œuvre.

Pour vous mettre en appétit…

[Michel Strogoff, rattrapé par de nombreux cavaliers ennemis à travers les grandes étendues de la Sibérie, réussit à se cacher dans le bois où ils font halte et entend la conversation de leurs chefs ; il apprend ainsi qu'ils ont l'ordre de le capturer, mort ou vif… Or les cavaliers se préparent déjà à reprendre la route.]

De la disposition des lieux, il résultait ceci : c'est qu'il ne pourrait s'échapper par l'arrière-plan du taillis, fermé par un arc de mélèzes dont la grande route traçait la corde. Le cours d'eau qui bordait cet arc était non seulement profond, mais assez large et très boueux. De grands ajoncs en rendaient le passage absolument impraticable. Sous cette eau trouble, on sentait une fondrière vaseuse, sur laquelle le pied ne pouvait prendre un point d'appui. En outre, au delà du cours d'eau, le sol, coupé de buissons, ne se fût prêté que très difficilement aux manœuvres d'une fuite rapide. L'alerte une fois donnée, Michel Strogoff, poursuivi à outrance et bientôt cerné, devait immanquablement tomber aux mains des cavaliers tartares.

Il n'y avait donc qu'une seule voie praticable, une seule, la grande route. Chercher à l'atteindre en contournant la lisière du bois, et, sans éveiller l'attention, franchir un quart de verste avant d'avoir été aperçu, demander à son cheval ce qui lui restait d'énergie et de vigueur, dût-il tomber mort en arrivant aux rives de l'Obi, puis, soit par un bac, soit à la nage, si tout autre moyen de transport manquait, traverser cet important fleuve, voilà ce que devait tenter Michel Strogoff.

Son énergie, son courage s'étaient décuplés en face du danger. Il y allait de sa vie, de sa mission, de l'honneur de son pays, peut-être du salut de sa mère. Il ne pouvait hésiter et se mit à l'œuvre.

Jules Verne, *Michel Strogoff*, 1876.

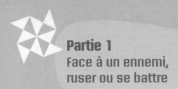

Partie 1
Face à un ennemi,
ruser ou se battre

Écrire un récit d'aventures au Far West

Vocabulaire du roman d'aventures

1 Des mots pour dire l'aventure

Voici des mots de la famille du nom « aventure » :
s'aventurer, aventurière, aventurier, aller à l'aventure, aventureux.

En utilisant si besoin un dictionnaire, donnez le sens de ces mots. Employez-les dans des phrases de votre invention.

Orthographe

Recopiez et apprenez l'orthographe des mots de la famille d'« aventure » et les mots suivants : exploit, suspense, haletant, péripéties, prudent.

2 Des noms et des adjectifs pour décrire l'apparence d'un cow-boy

Décrivez l'apparence générale d'un cow-boy.

a. Alliez un nom de la liste 1 à des adjectifs de la liste 2 que vous accorderez avec le nom.

Liste 1 : silhouette, carrure, taille, apparence, visage, regard, yeux.

Liste 2 : élancé, trapu, élevé, court, avenant, aimable, hostile, ouvert, renfermé, perçant, perdu.

b. Complétez le texte avec les mots suivants :
détendus, vigueur, anxiété, brûlé, grande, épais, regret, insouciant.

C'était un homme d'une ... taille, ... par le soleil, déjà sur le retour de l'âge, dont l'air ... et ... ne peignait aucune émotion, aucun sentiment de ... pour le passé, ou d'... pour l'avenir. Ses membres semblaient flasques et comme ... mais ils étaient, en réalité, d'une force et d'une ... extraordinaires.

D'après Fenimore Cooper, *La Prairie*, 1827.

3 Des noms et des adjectifs pour habiller un cow-boy

a. Habillez un cow-boy à l'aide du vocabulaire ci-dessous. Vous emploierez les verbes à l'imparfait ou au passé simple.

– Les vêtements et accessoires du cow-boy :
foulard, bandana, ceinture, lacets, corde, lasso, bottes, cheval, selle, éperons, banjo, harmonica, revolver, ceinturon, couteau, bonnet, fourrure, cuir, pistolet.

– Des adjectifs et participes pour décrire les objets :
sale, grossier, soigné, usé, ciré, froissé, orné, décoré, abîmé.

– Des verbes pour vêtir son héros :
porter, enfiler, mettre, ôter, se couvrir, enlever, suspendre, ranger, cirer.

b. Comparez votre cow-boy avec celui de votre voisin(e).

4 Des verbes pour faire agir un cow-boy

Complétez les phrases pour donner à voir le cow-boy à cheval.
Vous pouvez puiser dans la liste suivante :
trotter, galoper, enfourcher, se retourner, prendre, les rênes, la selle, le lasso, les éperons, éperonner, crier, courir, appeler, encourager, s'élancer.

Conjugaison

Avant de rédiger les phrases, écrivez chaque verbe au passé simple, à la 3e personne du singulier et du pluriel.

1. Jessy en... son cheval , et s'él... en g....
2. Charlie saisit les r..., é... sa monture et partit au triple g... sans se r... .
3. Buffalo attrapa son l..., cria pour e.... son cheval et g.... à la poursuite du voleur.

Des outils pour rédiger

5 Des adjectifs pour décrire le caractère d'un cow-boy

Choisissez des mots dans la liste ci-dessous et rédigez deux phrases correspondant à l'une ou l'autre des situations suivantes.

a. Le cow-boy entre dans le saloon où l'attend un adversaire.

b. Le cow-boy voit un loup qui s'approche de son campement.

Liste : impassible, ému, méchant, agressif, conciliant, troublé, déterminé, craintif, audacieux, brave, dur, énergique, ferme, fort, héroïque, intrépide, téméraire, vaillant, valeureux.

6 Faire vivre les personnages dans un cadre

Formez des équipes de deux et écrivez trois phrases pour décrire un paysage du Far West.
Vous pouvez utiliser le vocabulaire suivant.

– Les noms de la nature :
forêt, torrent, gorges, montagnes, lac, plaine, étendue, désert, vallon, clairière.

– Des verbes pour les décrire :
bouillonner, s'étendre, s'élever, briller, couler, scintiller, bruire, sortir, s'enfoncer.

– Des adjectifs :
sauvage, désertique, fertile, monotone, nu, solitaire, maigre, desséché, brouté, dur, ingrat, fertile, vert, humide, vaste.

Grammaire — pour écrire un récit d'aventures

7 Employer les temps dans un récit au passé

Dans le texte suivant, mettez les verbes à l'infinitif aux temps qui conviennent (passé simple ou imparfait).

Dans le saloon, toutes les tables (être occupé). Les fermiers (jouer) aux cartes ; au bar (être accoudé) trois cow-boys à la mine hostile. Soudain, la porte d'entrée (claquer), un homme à l'allure menaçante (entrer) lentement, (se diriger) vers le bar. Toutes les conversations (cesser) ; on n'(entendre) plus que le tic-tac de la vieille pendule.

→ **Employer les temps dans un récit au passé** p. 268

8 Employer des adverbes de temps

a. Complétez le texte suivant avec des adverbes de temps pris dans la liste.

Liste : enfin, tout à coup, ensuite, de nouveau.

John regardait la plaine en rêvant. ... il se leva. Il se dirigea ... vers sa tente pour aller dormir. ... il entendit un petit bruit étrange. Il tendit l'oreille ; plus rien. Il allait s'endormir quand ... le curieux bruit reprit.

b. Imaginez des phrases pour décrire les étapes successives des actions proposées. Vous utiliserez les adverbes suivants : d'abord, puis, encore, enfin.

Situations : – un cow-boy selle son cheval ;
– un cow-boy établit son campement pour la nuit.

→ **Les compléments de phrase** p. 250

Vers l'écriture collective d'un début de roman

Écrivez le début d'un roman d'aventures au Far West. III.7

Étape 1 Vous travaillerez par groupes de quatre :
– Deux élèves imaginent et décrivent en un paragraphe la situation de départ.
– Une autre équipe de deux élèves imagine qui est le héros.

Étape 2 Les deux équipes confrontent et harmonisent leurs idées.

Étape 3 L'équipe de quatre imagine le premier épisode de l'aventure. Ensuite, vous travaillerez par groupes de deux : un groupe rédigera le début de l'épisode et son dénouement, le second racontera les péripéties de cet épisode.

Votre professeur vous distribuera la fiche 2 pour guider votre travail.

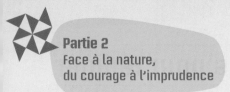

Partie 2
Face à la nature,
du courage à l'imprudence

GROUPEMENT
DE TEXTES

1 Courage ou imprudence ?

Dans le froid du Klondike

En hiver, un homme parcourt le Klondike, région glacée située entre l'Alaska et le Canada. Seul son chien l'accompagne. Ses compagnons ont emprunté un autre itinéraire et il espère les rejoindre au camp, dans la soirée. Mais l'intensité du froid le surprend…

1. **Pester :** se plaindre.
2. **Impérieuse :** impérative.
3. **S'embrasa :** s'enflamma.

[…] Puis l'événement arriva. À un endroit qui ne recelait aucun signe suspect, où la neige, régulière et lisse, paraissait indiquer en dessous un terrain solide, l'homme s'enfonça. Ce n'était pas profond. Il se mouilla seulement jusqu'à mi-mollet avant de regagner le sol
5 ferme.

Il était furieux et se mit à pester[1] contre sa malchance. Il avait espéré rejoindre les gars au camp à six heures, et cet accident allait le retarder d'une heure, car il devrait construire un nouveau feu pour y sécher ses chaussures. C'était une nécessité impérieuse[2], par
10 une température aussi basse – il ne le savait que trop. Il se dirigea donc vers la berge du cours d'eau, qu'il gravit. En haut, mêlé aux broussailles parmi les troncs de plusieurs petits épicéas, se trouvait un amas de bois déposé par les crues – surtout des branches et des brindilles, mais aussi d'assez grandes quantités de bois mort et de
15 fines herbes sèches de l'année précédente. Il disposa sur la neige plusieurs gros morceaux, pour servir de foyer et empêcher la petite flamme de se noyer dans la neige qu'elle ferait fondre. Il fit prendre le feu en grattant une allumette sur un fragment d'écorce de bouleau qu'il saisit dans sa poche. Il s'embrasa[3] encore mieux que du papier.

 **écoute**

Pourquoi la conteuse n'a-t-elle lu que ce passage, selon vous ?

Planche de la bande dessinée de Christophe Chabouté,
Construire un feu **(2007).**

20 Il le plaça sur le bois et alimenta la jeune flamme avec des brins d'herbe sèche et avec les plus petites brindilles.

Il agissait sans hâte et avec prudence, pleinement conscient du danger qu'il courait. Graduellement, à mesure qu'elle grandissait, il jetait à la flamme des bouts de bois de plus en plus gros. Accroupi 25 dans la neige, il tirait les brindilles enchevêtrées dans les broussailles et en nourrissait directement la flamme. Il savait qu'il lui était interdit d'échouer. Lorsque le thermomètre marque moins soixante-quinze[4], [il ne faut pas commettre d'erreur] dès la première tentative pour construire un feu – surtout si on a les pieds mouillés. Avec les 30 pieds secs, si on échoue, il suffit, de courir sur la piste pendant un demi-mille[5] pour se réchauffer. Mais, à cette température, lorsque les pieds sont mouillés et en train de geler, il ne sert à rien de courir pour réactiver la circulation. On a beau foncer comme un dératé[6], les pieds mouillés n'en gèleront que plus fort.

35 Tout cela, l'homme le savait. Le vétéran de Sulphur Creek[7] l'en avait averti à l'automne, et il appréciait maintenant ses conseils. Déjà il ne sentait plus ses pieds. Pour construire son feu, il avait dû quitter ses mitaines[8], et ses doigts s'étaient très vite engourdis[9]. Tant qu'il avait marché à l'allure de quatre milles à l'heure, la circu- 40 lation du sang, du cœur aux extrémités, s'était accomplie normalement. Mais, dès l'instant où il s'était arrêté, la pompe cardiaque avait ralenti son action. Le froid de l'espace s'abattait sur cet endroit non protégé de la planète, et lui-même l'y recevait de plein fouet. Le sang de son corps refluait devant ce froid. Ce sang était vivant, 45 comme le chien, et comme lui il voulait s'abriter et se protéger de ce froid épouvantable. Tant qu'il avait fait du quatre milles à l'heure, il avait, bon gré mal gré, pompé ce sang vers la surface ; mais à présent il refluait au plus profond de son être. Les extrémités furent les premières à sentir son absence. Ses pieds mouillés gelèrent très

4. **Moins soixante-quinze :** moins soixante-quinze degrés Fahrenheit correspondent à moins soixante degrés Celsius.
5. **Mille :** un mille américain correspond environ à un kilomètre et demi.
6. **Foncer comme un dératé :** courir très rapidement.
7. **Sulphur Creek :** rivière de Californie.
8. **Mitaines :** gants qui ne protègent que la première phalange des doigts.
9. **Engourdis :** gelés.

Planche de la bande dessinée de Christophe Chabouté, *Construire un feu* (2007).

Si vous avez fini de lire

Dressez la liste de tous les éléments que le personnage utilise pour construire un feu.

10. **Vétéran :** ancien soldat, homme expérimenté.

50 vite, ses doigts nus s'engourdirent très vite – et pourtant ils n'avaient pas encore commencé à geler. Son nez, ses joues gelaient déjà et sa peau, sur tout son corps, se glaçait en perdant son sang.

Mais il était sain et sauf. Ses orteils, son nez, ses joues seraient à peine atteints par le gel, car le feu commençait à flamber superbe-
55 ment. Il l'alimentait avec des brindilles grosses comme son doigt. Le moment approchait où il allait pouvoir lui ajouter des branches grosses comme son poignet : alors il pourrait enlever ses chaus-sures humides et, pendant qu'elles sécheraient, il réchaufferait ses pieds nus à la chaleur du feu, après les avoir frictionnés, bien en-
60 tendu, avec de la neige. Le feu avait réussi, il était sauvé. Il songea au conseil du vétéran[10] de Sulphur Creek et sourit. Cet homme lui avait très sérieusement expliqué que personne, au Klondike, ne doit voyager seul au-delà de moins cinquante : d'après lui, c'était une loi absolue. Eh bien, lui, il se trouvait là ; l'accident était survenu ; il
65 était seul, et il s'était tiré d'affaire. Ces anciens, certains du moins, n'étaient que des femmelettes. L'essentiel était de ne pas perdre la tête, et tout allait bien. Tout homme digne de ce nom pouvait voyager seul. Tout de même, c'était surprenant que ses joues et son nez gèlent si vite. Et il n'aurait jamais pensé que ses doigts puissent
70 s'engourdir en si peu de temps. Ils étaient sans vie, car c'était à peine s'il pouvait les remuer pour saisir une brindille : ils semblaient ne plus faire partie de son corps, de lui-même. Lorsqu'il touchait un bout de bois, ses yeux devaient contrôler s'ils le tenaient ou non. Le courant était coupé entre lui et l'extrémité de ses doigts.

75 Mais peu importait, au fond. Le feu était là, crépitant et cra-quant, et chacune de ses flammes dansantes promettait la vie.

Jack London, *Construire un feu*, 1907,
traduction P. Gruyer et L. Postif.

◎ Comprendre le texte

La glace et le sang

1 Que désigne le terme «événement» (l. 1) ? Utilisez vos mots pour répondre. Pourquoi Jack London emploie-t-il cette expression ?

2 Relisez les lignes 35 à 52. Relevez les mots appartenant au champ lexical du corps. Pourquoi sont-ils si nombreux ?

Construire un feu

3 Pourquoi faire un feu est-il une «nécessité impérieuse» (l. 9) ?

4 Pourquoi Jack London emploie-t-il l'expression «construire un feu» plutôt que «faire un feu» ?

5 Quelles qualités l'homme révèle-t-il dans ce texte ?

Les conseils du vétéran

6 Quels conseils le vétéran a-t-il donnés au personnage ? Celui-ci les suit-il tous ?

7 «Ces anciens [...] n'étaient que des femmelettes» (l. 65) : partagez-vous le point de vue du personnage ? Quel trait de caractère montre-t-il ici ?

Bilan

8 Selon vous, comment cette histoire va-t-elle finir ? Pourquoi ?

Activités

LANGUE `IV.3`

Réécrivez les phrases ci-dessous en remplaçant «Ses doigts» par «Son doigt» et en procédant à tous les changements nécessaires. Vous surlignerez tous les changements.

Et il n'aurait jamais pensé que ses doigts puissent s'engourdir en si peu de temps. Ils étaient sans vie, car c'était à peine s'il pouvait les remuer pour saisir une brindille : ils semblaient ne plus faire partie de son corps.

➡ **L'accord du verbe avec son sujet** p. 276

ÉCRITURE **Raconter la suite d'un récit** `III.11`

Juste après cet extrait, alors que l'homme se réchauffait près du feu, «le second événement est arrivé». Racontez ce «second événement».

● *Avant d'écrire*

Quels autres dangers existe-t-il dans le Klondike, selon vous ?

● *Conseils d'écriture*

– Ce «second événement» peut être lié à l'environnement naturel ou à une intervention animale ou humaine.

– Écrivez à l'imparfait et au passé composé.

● *Quand vous aurez fini, relisez–vous*

– Le personnage a-t-il le même caractère que dans l'extrait proposé ?

– Votre aventure a-t-elle un rapport avec la région du Klondike ?

– Vos phrases sont-elles courtes ? Prononcez-les à voix basse pour le vérifier.

à retenir

Les récits d'aventures ne contiennent pas seulement des aventures extraordinaires, ils peuvent également proposer une **morale**.

Si vous avez fini d'écrire

Si vous voyagiez dans un milieu hostile, comme le Klondike, quels objets emporteriez-vous ? Pourquoi ?

Partie 2
Face à la nature,
du courage à l'imprudence

GROUPEMENT
DE TEXTES

② Le sens du sacrifice

Prisonniers de la montagne

Jean Servettaz est guide de haute montagne. Warfield, un riche Américain, loue ses services ainsi que ceux d'un porteur, Georges. Il veut voir les Drus, deux pics situés dans le massif du Mont-Blanc. Alors qu'ils commencent l'ascension, un orage menace les alpinistes. Warfield, parce qu'il a payé, refuse de faire demi-tour.

1. **Abîme :** précipice.
2. **Frénésie :** violence, énergie.
3. **Titanesque :** gigantesque.
4. **Vaciller :** trembler.
5. **Tu poseras les rappels :** tu fixeras la corde pour assurer la descente.
6. **Artillerie :** matériel de guerre (canons, munitions, véhicules...).

Jean Servettaz reconnaissait tous ces signes avant-coureurs d'un coup de foudre. Les autres obéirent, comprenant que le danger était proche, et les trois hommes se jetèrent dans l'abîme[1] par où ils étaient montés, dévalant les gros blocs avec frénésie[2] ; lorsqu'ils

5 furent un peu en retrait du sommet, Jean poussa ses deux compagnons sous l'abri d'un surplomb. Il était temps : dans un fracas titanesque[3], la foudre s'abattit sur le sommet qu'ils venaient de quitter. La montagne parut vaciller[4] sur sa base, et il sembla aux alpinistes que le Dru venait d'éclater comme sous un formidable

10 coup de bélier. Le bruit du tonnerre se répercuta longuement, renvoyant sa canonnade d'une paroi à l'autre des gorges, au hasard de l'écho. Le silence se fit ensuite, plus étrange encore que le tumulte. Dans le jour laiteux, la figure du guide apparut à Warfield empreinte d'une extraordinaire gravité, ses traits étaient tirés, et il fixait sur

15 son client un regard chargé de reproches. Warfield voulut faire des excuses, Jean ne lui en laissa pas le temps.

– On y a échappé ce coup-ci, dit-il, fuyons ! Ça devient malsain ! Georges, passe en tête ! Tu poseras les rappels[5]. Vous, monsieur Warfield, tâchez de descendre aussi bien que vous êtes monté. On pourra

20 peut-être regagner la vallée, peut-être ! car ceci n'est qu'un début.

Un deuxième coup de foudre déchaîna à nouveau une invisible artillerie[6].

– C'est tombé sur la Sans-Nom, déclara Georges tout en sortant du sac la corde de rappel.

25 – Si seulement ça pouvait neiger, dit le guide. J'aime encore mieux ça que la foudre.

Le brouillard cloisonnait l'étroite plate-forme entre ciel et terre sur laquelle se trouvaient les trois hommes. Ils se sentaient prisonniers de la montagne, et l'Américain, qui ne disait plus rien,

30 attendait, ne voulant pas s'attirer par une parole malheureuse des reproches qu'il n'avait que trop mérités ; Georges prépara le rappel ; les restants d'un vieil anneau de corde blanchi et effiloché pourrissaient autour d'un bloc de granit ; il le remplaça par une boucle de corde neuve, dans laquelle il fit passer à double les cinquante mètres

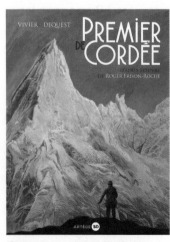

Couverture et planche de la bande dessinée de Jean-François Vivier et Pierre-Emmanuel Dequest, *Premier de cordée* (2015).

7. **Ténu** : mince.
8. **Farouchement** : avec acharnement.
9. **Piton** : vis qui sert à s'accrocher.
10. **S'amenuisaient** : rapetissaient.
11. **Hâle** : bronzage.
12. Signes annonçant l'orage.

Écoute

Sur quels passages du texte la conteuse a-t-elle insisté ? Pourquoi, selon vous ?

Si vous avez fini de lire
Relevez les mots appartenant au champ lexical de la météorologie. Pourquoi sont-ils si nombreux ?

35 de sa corde. Debout au bord du vide et cherchant à percer le mystère de la paroi, le porteur projeta bien horizontalement le rappel pour que les deux brins ne s'emmêlent pas ; la corde se déroula en sifflant dans l'air comme un lasso, puis retomba le long de la paroi à l'endroit précis choisi par le jeune homme. Par ce fil ténu[7], les trois
40 alpinistes descendirent.

Ils allaient farouchement[8] dans la demi-obscurité laiteuse, répétant inlassablement la même manœuvre : plier la corde, fixer le rappel, le lancer, le dégager…, cherchant leur itinéraire, reconnaissant la route à suivre au moindre détail : une plate-forme, un piton[9] rouillé
45 dans une fissure, un bout de corde effiloché, déjà tout givré.

Le calme était revenu et les quelques rares paroles qu'ils échangeaient, amplifiées par le brouillard, semblaient sortir d'un haut-parleur. Encore deux ou trois longueurs de corde, et ils aborderaient les grandes difficultés ; déjà les plates-formes s'amenuisaient[10], il
50 fallait souvent se glisser de l'une à l'autre par des traversées à flanc de paroi très hasardeuses.

Comme ils atteignaient un petit mur vertical de huit à dix mètres l'air vibra, très doucement, comme au passage d'un fluide ; les vibrations s'amplifièrent et ce fut à nouveau le bourdonnement d'un
55 essaim, le chant des abeilles ! En entendant pour la seconde fois le bruissement mortel, les deux guides pâlirent sous le hâle[11] ; ce bruissement, ce bourdonnement, c'était à nouveau l'indice formel d'une extraordinaire teneur en électricité statique[12]. Le brouillard, la montagne, eux-mêmes étaient à ce point imprégnés de fluide
60 qu'une décharge de la foudre était inévitable.

– Vite ! Vite ! hurla Servettaz. Georges, file le rappel ! Laisse-toi glisser ! Et vous, monsieur Warfield, n'attendez pas, empoignez la corde à pleines mains, sautez dans le vide, dépêchez-vous… Ça y est, j'ai les cheveux qui tirent[12]… Activez, mais activez donc, bon
65 sang !

Warfield tomba plutôt qu'il ne glissa sur la plate-forme inférieure où le reçut le porteur. Au-dessus de leur tête, la corde se perdait dans le brouillard et ils attendaient la venue du guide, lorsqu'une formidable lueur les aveugla. Une force inconnue les souleva de
70 terre et les laissa retomber lourdement sur la dalle de granit où ils s'affalèrent, pantins meurtris et inanimés. Personne n'entendit le fracas épouvantable qui accompagna la décharge électrique, ni les grondements sourds de l'écho dans les gorges.

Roger Frison-Roche, *Premier de cordée*, 1941.

Comprendre le texte

Entre ciel et terre

1 Expliquez avec précision le « danger » qui menace les alpinistes. Proposez au moins trois éléments de réponse.

2 « Le silence se fit ensuite, plus étrange encore que le tumulte » (l. 12) : comment comprenez-vous cette phrase ?

3 « Et ce fut à nouveau le bourdonnement d'un essaim, le chant des abeilles » (l. 54-55) : pourquoi ce bruit annonce-t-il un danger mortel ?

Maître et serviteurs

4 Comment qualifieriez-vous l'attitude de Warfield dans cet extrait ?

5 De quelles qualités Jean Servettaz et Georges font-ils preuve ? Proposez au moins trois adjectifs.

Au-dessus de l'abîme

6 Pourquoi Roger Frison-Roche précise-t-il que les alpinistes utilisent un « fil ténu » (l. 39) ?

7 Les alpinistes sont-il en sécurité à la fin de l'extrait ?

8 Que peut éprouver le lecteur à la fin de cette page ? Pourquoi ?

Bilan

9 Pourquoi les trois hommes réagissent-ils différemment face au danger ?

Activités

LANGUE   IV.4

Quelle est la classe grammaticale des mots « farouchement » (l. 41) et « inlassablement » (l. 42) ? Formez des mots de cette même classe grammaticale à partir des adjectifs suivants :
dangereux • extraordinaire • rare.

➔ **Les classes de mots** p. 234

ORAL   Raconter une expérience dangereuse   III.1

Racontez comment, vous aussi, vous avez réussi à vaincre un obstacle ou à surmonter un danger.

• *Préparer son oral*
a) De quel obstacle ou danger s'agissait-il ?
b) Comment vous êtes-vous comporté(e) ?
c) Qu'avez-vous ressenti sur le moment et après coup ?
d) Que vous a appris cette aventure ?
e) Quelles qualités avez-vous montrées lors de cette aventure ?

• *Conseils*
Ne rédigez pas entièrement mais écrivez sous forme de notes.
Lors de votre oral, ne lisez pas et ne récitez pas, mais parlez naturellement en vous aidant de vos notes.

Activité numérique

Un monde de dangers
Faites des recherches sur un lieu naturel dangereux pour écrire votre récit d'aventures.

Votre professeur vous distribuera la fiche 4 pour guider votre travail.

à retenir

La nature dans les récits d'aventures
Les héros des récits d'aventures ne se confrontent pas seulement à des pirates, des Indiens ou des monstres. La nature même peut devenir une ennemie mortelle.

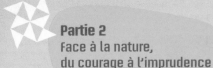

Partie 2
Face à la nature,
du courage à l'imprudence

Mettre en voix un récit d'aventures

I.1

Activité 1

Écouter un récit d'aventures

Michael Morpurgo, *Le Royaume de Kensuké*,
« Folio junior », 2000.

Écoutez votre professeur ou la conteuse lire l'extrait
du *Royaume de Kensuké* de Michael Morpurgo
et répondez aux questions suivantes.

Découvrir

1. Aimeriez-vous être à la place du personnage ?
Pourquoi ?

Écouter et comprendre

2. Parmi ces éléments, lesquels sont réellement
présents dans l'océan, près du narrateur ?
– des requins
– Stella
– des algues noires et blanches
– un ballon
– des crampons de football
– une tête

3. Ces déclarations sont-elles correctes ? Corrigez-
les lorsqu'elles sont fausses.
a. Quelqu'un danse sur l'eau.
b. La scène se passe de nuit.
c. Le personnage nage pour retrouver ses parents.
d. Les parents du personnage l'ont jeté à l'eau.
e. Le ballon de foot aide le personnage à survivre.

4. Comment comprenez-vous les mots « flairaient »,
« fermeté » et « agrippé » ?

Approfondir

5. Quelles qualités le personnage montre-t-il dans
cet extrait ?

6. Quelle pourrait être la morale de ce texte ?

7. Que pourra-t-il se passer ensuite ?

Oral

Activité 2

Dire un texte d'aventures

Texte 1

Jean Servettaz, est alpiniste et guide de haute montagne.

Alors en équilibre sur un clou de soulier et le corps collé à la paroi, il se concentra pour tenir et, lentement, quittant sa prise de main, il laissa glisser son bras le long de son corps. Ses doigts tâtonnaient pour trouver l'ouverture du mousqueton qui libérerait le marteau de sa ceinture. Il sentit tout à coup que sa jambe était prise d'un tremblement nerveux causé par la fatigue. Il fit un brusque mouvement pour retrouver la prise de main, mais déjà il basculait. Ses doigts griffèrent le granit sans s'accrocher et il tomba à la renverse sans pousser un cri.

Roger Frison-Roche, *Premier de cordée*, 1941.

Texte 2

Jim Hawkins est agressé par Israël Hands, un pirate. Il se réfugie dans les cordes et les haubans du navire, mais le pirate le suit.

Après une hésitation visible, lui aussi se hissa pesamment dans les haubans et, le poignard entre les dents, se mit à monter avec lenteur et maladresse. Cela lui coûta un temps infini et maint grognement, de tirer après lui sa jambe blessée ; et j'avais achevé en paix mes préparatifs, qu'il n'avait pas encore dépassé le tiers du trajet. À ce moment, un pistolet dans chaque main, je l'interpellai : – Un pas de plus, maître Hands, et je vous fais sauter la cervelle !... Les morts ne mordent pas, vous savez bien, ajoutai-je avec un ricanement.

Robert Louis Stevenson, *L'Île au trésor*, 1883, traduction de Jacques Papy.

Choisir un texte

1. Choisissez le texte qui vous semble le plus palpitant.

Comprendre le sens du texte

2. Lisez le texte. Cherchez dans un dictionnaire les mots dont vous ignorez le sens.

Préparer sa lecture

3. Quel ton utiliserez-vous pour lire (triste, anxieux, enjoué, exalté, émerveillé, horrifié) ? Pourquoi ?

4. Quels passages du texte allez-vous mettre en valeur lors de votre lecture ?
– Vous pouvez les lire plus rapidement ou plus lentement. (Par exemple, lisez en détachant les syllabes : « *et... lentement... quittant sa prise de main... il laissa glisser son bras le long de son corps*).
– Vous pouvez hausser ou baisser la voix.
(Par exemple, lisez plus fortement les syllabes soulignées : « *À ce moment, un pistolet dans chaque main, je l'interpellai* »).

Conseils

– N'hésitez pas à respirer avant de lire.
– Tenez-vous droit(e).
– Lisez lentement, sauf pour entretenir le suspens.
– Vous pouvez vous enregistrer et vous écouter pour vous améliorer.

Pour aller plus loin...

5. Choisissez une page qui a retenu votre attention dans un roman d'aventures.

6. Pour que vos camarades comprennent le texte, résumez rapidement l'action avant cette page.

7. Entraînez-vous à lire cette page comme précédemment.

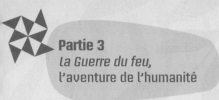

Partie 3
La Guerre du feu,
l'aventure de l'humanité

PARCOURS
DE LECTURE

Découvrir *La Guerre du feu* de J.-H. Rosny aîné

Voyage dans la préhistoire

Rosny J.-H. aîné (1856-1940) a écrit plusieurs romans sur la préhistoire. À son époque, l'archéologie préhistorique est en plein essor ; on a découvert les sites d'Altamira (1902) et des Eyzies (village de Dordogne où a été trouvé, en 1906, le squelette d'un homme de Cro-Magnon). Pour écrire son roman *La Guerre du feu*, Rosny aîné se procure une documentation solide. Il présente son livre en ces termes :
« C'est un voyage dans la très lointaine préhistoire, aux temps où l'homme ne traçait encore aucune figure sur la pierre ni sur la corne, il y a peut-être 100 000 ans. »
Voici les premières lignes du roman...

Les Oulhamr fuyaient dans la nuit épouvantable. Fous de souffrance et de fatigue, tout leur semblait vain devant la calamité suprême : le Feu était mort. Ils l'élevaient dans trois cages, depuis l'origine de la horde ; quatre femmes et deux guerriers le nourrissaient nuit et jour.

J.-H. Rosny aîné, *La Guerre du feu.
Roman des âges farouches*, 1958.

 Comprendre le texte

1. Lisez ce passage et le titre du roman. Quelles expressions vous font deviner que le roman se passe pendant la préhistoire ?

2. Réfléchissez au titre du livre. Que pensez-vous qu'il va arriver dans la suite du roman ?

3. Employez cinq des expressions suivantes dans des phrases qui en feront comprendre le sens.

● *Autour du mot « feu »*

Jeter de l'huile sur le feu
Jouer avec le feu
Tirer les marrons du feu
Mettre à feu et à sang
Mettre le feu aux poudres

N'y voir que du feu
Faire long feu
Mettre sa main au feu
Avoir le feu sacré
Monter au feu (au combat)

① Le départ pour l'aventure

Un héros des âges farouches

Les Oulhamr sont une tribu d'hommes de la préhistoire. Faouhm est leur chef.

1. Épieu : long bâton, dont le bout est parfois taillé, muni d'une pointe de pierre ou de métal.

Faouhm leva les bras vers le ciel, avec un long hurlement :

– Que feront les Oulhamr sans le Feu ? cria-t-il. Comment vivront-ils sur la savane et la forêt, qui les défendra contre les ténèbres et le vent d'hiver ? Ils devront manger la chair crue et la
5   plante amère ; ils ne réchaufferont plus leurs membres ; la pointe de l'épieu[1] demeurera molle. Le Lion, la Bête-aux-Dents-déchirantes, l'Ours, le Tigre, la Grande Hyène, les dévoreront vivants dans la nuit. Qui ressaisira le Feu ? Celui-là sera le frère de Faouhm ; il aura trois parts de chasse, quatre parts de butin, il recevra en partage
10   Gammla, fille de ma sœur, et si je meurs, il prendra le bâton de commandement.

Alors Naoh, fils du Léopard, se leva et dit :

– Qu'on me donne deux guerriers aux jambes rapides et j'irai prendre le Feu chez les Fils du Mammouth ou chez les Dévoreurs
15   d'Hommes, qui chassent aux bords du Double Fleuve.

Philippe Druillet, *La guerre du feu*.
Acrylique sur toile, peinture ayant servi de base à l'affiche du film de Jean-Jacques Annaud.

Faouhm ne lui jeta pas un regard favorable. Naoh était, par la stature, le plus grand des Oulhamr. Ses épaules croissaient encore. Il n'y avait point de guerrier aussi agile, ni dont la course fût plus durable. Il terrassait Moûh, fils de l'Urus, dont la force approchait
20 celle de Faouhm. Et Faouhm le redoutait. Il lui commandait des tâches rebutantes, l'éloignait de la tribu, l'exposait à la mort.

Naoh n'aimait pas le chef ; mais il s'exaltait[2] à la vue de Gammla, allongée, flexible et mystérieuse, la chevelure comme un feuillage. S'il l'avait eue pour femme, il l'aurait traitée sans rudesse, n'aimant
25 pas à voir croître sur les visages la crainte qui les rend étrangers.

En d'autres temps, Faouhm aurait mal accueilli les paroles de Naoh. Mais il ployait sous le désastre[3]. Peut-être l'alliance avec le fils du Léopard serait bonne ; sinon il saurait bien le mettre à mort. Et se tournant vers le jeune homme :
30 — Faouhm n'a qu'une langue. Si tu ramènes le Feu, tu auras Gammla, sans donner aucune rançon en échange. Tu seras le fils de Faouhm.

Il parlait la main haute, avec lenteur, rudesse et mépris. Puis, il fit un signe à Gammla.
35 Elle s'avançait, tremblante, levant ses yeux variables, pleins du feu humide des fleuves.

La main rude de Faouhm s'abattit sur l'épaule de la fille ; il cria, dans son orgueil sauvage :

— Laquelle est mieux construite parmi les filles des hommes ?
40 Elle peut porter une biche sur son épaule, marcher sans défaillir du soleil du matin au soleil du soir, supporter la faim et la soif, apprêter la peau des bêtes, traverser un lac à la nage ; elle donnera des enfants indestructibles. Si Naoh ramène le Feu, il viendra la saisir sans donner des haches, des cornes, des coquilles ni des fourrures !...

J.-H. Rosny aîné, *La Guerre du feu*, 1958.

Si vous avez fini de lire
Faites la liste des personnages qui apparaissent dans cet extrait. Dites quel est leur rôle dans la tribu et précisez les liens qui les unissent. Vous en rendrez compte à vos camarades avant l'étude du texte.

Comprendre le texte

La quête du héros

1 Quel événement catastrophique est arrivé dans la tribu ? Relevez les expressions qui expriment les conséquences de cet événement (l. 2 à 8).

2 Lisez la rubrique « À retenir » et dites en quoi cet événement joue le rôle d'élément déclencheur dans le récit ?

3 Quels dangers futurs le lecteur peut-il déjà deviner pour le héros (l. 6 à 8, 13 à 15) ?

4 Comment le héros sera-t-il récompensé ? Justifiez votre réponse en relevant des expressions du texte.

La figure du héros

5 Quelles sont les qualités du héros ? Relevez des expressions du texte à l'appui de votre réponse (l. 16 à 20).

6 Comment le chef Faouhm considère-t-il le héros (l. 16 à 21) ? Quel est le caractère du chef ?

7 Comment le héros se comporte-t-il avec Gammla (l. 22 à 25) ? En quoi s'oppose-t-il ainsi à Faouhm ?

Bilan

8 Que peut imaginer le lecteur à l'issue de ce premier épisode ? Quelle attente est créée ?

à retenir

Au début d'un récit, l'action est déclenchée par un événement qui vient modifier la situation de départ. On appelle cet événement l'**élément déclencheur** dans le récit. Il va entraîner la suite du récit.

Activités

LANGUE IV.4

Relisez les lignes 20-21 (de « Et Faouhm » à « ...mort. »). Relevez les pronoms personnels et dites quel nom ils reprennent.

➜ **Les pronoms personnels** p. 240

ÉCRITURE écrire la mise en place d'un récit III.7

Deux jeunes garçons, Gaw et Nam, vont accompagner Naoh dans son aventure. Décrivez leurs préparatifs et leur départ.

• *Avant d'écrire*
Vocabulaire : Faites la liste des objets que les jeunes gens vont emporter.

• *Conseils d'écriture*
a) Vous pourrez commencer votre texte par : « Le lendemain matin... ».
b) Dans un premier paragraphe, vous rédigerez deux phrases pour décrire la situation dans la tribu privée du feu.
Dans un deuxième paragraphe, vous montrerez en quelques phrases les jeunes gens préparant leur départ.
Dans un troisième paragraphe, vous les présenterez en train de partir en une phrase et préciserez les sentiments qu'ils éprouvent.
c) Liste de mots pour exprimer les sentiments :
Noms : joie, crainte, impatience, tendresse, inquiétude, fierté.
Verbes : redouter, appréhender, espérer, penser.

• *Quand vous avez fini, relisez-vous.*
Vérifiez que vous avez bien disposé votre texte en trois paragraphes, que les phrases sont correctes et bien ponctuées.
Vérifiez que vous avez bien décrit le départ, que vous avez précisé les sentiments éprouvés.

Si vous avez fini d'écrire
Dessinez les objets que les jeunes héros vont emporter et indiquez leurs noms.

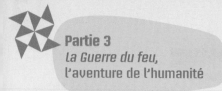

Partie 3
La Guerre du feu,
l'aventure de l'humanité

PARCOURS
DE LECTURE

❷ La naissance de l'aventure humaine

Les rêveries de Naoh

Naoh part à l'aventure avec deux compagnons, Gaw et Nam.
Après avoir assisté à un combat entre des animaux sauvages,
les trois hommes se réfugient pour la nuit dans une caverne.

1. **Grattoir :** outil de pierre
taillée fabriqué et utilisé durant
la préhistoire pour travailler les
peaux.
2. **Aurochs :** ancêtres des
bovins.
3. **Urus :** autre nom pour les
aurochs.

Selon sa coutume, Naoh avait pris la première veille. Il n'avait pas sommeil. Énervé par la bataille du tigre et du lion géant, il sentit, lorsque Gaw et Nam furent étendus, s'agiter les notions que la tradition et l'expérience avaient accumulées dans son crâne. Elles se
5 liaient confusément, elles formaient la légende du Monde. Et déjà le monde était vaste dans l'intelligence des Oulhamr. Ils connaissaient la marche du soleil et de la lune, le cycle des ténèbres suivant la lumière, de la lumière suivant les ténèbres, de la saison froide alternant avec la saison chaude ; la route des rivières et des fleuves ;
10 la naissance, la vieillesse et la mort des hommes ; la forme, les habitudes et la force des bêtes innombrables ; la croissance des arbres et des herbes, l'art de façonner l'épieu, la hache, la massue, le grattoir[1], le harpon, et de s'en servir ; la course du vent et des nuages ; le caprice de la pluie et la féro-
15 cité de la foudre. Enfin, ils connaissaient le Feu, – la plus terrible et la plus douce des choses vivantes, – assez fort pour détruire toute une savane et toute une forêt avec leurs mammouths, leurs rhinocéros, leurs lions, leurs tigres, leurs ours, leurs aurochs[2] et
20 leurs urus[3].

La vie du Feu avait toujours fasciné Naoh. Comme aux bêtes, il lui faut une proie : il se nourrit de branches, d'herbes sèches, de graisse ; il s'accroît ; chaque feu naît d'autres feux ; chaque feu peut mourir. Mais
25 la stature d'un feu est illimitée, et, d'autre part, il se laisse découper sans fin ; chaque morceau peut vivre. Il décroît lorsqu'on le prive de nourriture : il se fait petit comme une abeille, comme une mouche, et, cependant, il pourra renaître le long d'un brin d'herbe, redevenir vaste comme un marécage. C'est une bête et ce n'est pas une bête.
30 Il n'a pas de pattes ni de corps rampant, et il devance les antilopes ; pas d'ailes, et il vole dans les nuages ; pas de gueule, et il souffle, il rugit ; pas de mains ni de griffes, et il s'empare de toute l'étendue… Naoh l'aimait, le détestait et le redoutait. Enfant, il avait parfois subi sa morsure ; il savait qu'il n'a de préférence pour personne, – prêt à
35 dévorer ceux qui l'entretiennent, – plus sournois que l'hyène, plus féroce que la panthère. Mais sa présence est délicieuse ; elle dissipe la cruauté des nuits froides, repose des fatigues et rend redoutable la faiblesse des hommes.

Si vous avez fini de lire

Quelles sont les trois parties de ce texte ? Quel est le thème de chacune d'elles ?

Une caverne pendant la nuit, à l'époque du grand ours et du mammouth. Ère du paléolithique. Gravure de 1870.

4. **Basaltiques :** formées de basalte, de lave refroidie.
5. **Brasier :** feu.
6. **Chétif :** faible, sans vigueur.

Dans la pénombre des pierres basaltiques[4], Naoh, avec un doux
40 désir, voyait le brasier[5] du campement et les lueurs qui effleuraient le visage de Gammla. La lune montante lui rappelait la flamme lointaine. De quel lieu de la terre la lune jaillit-elle, et pourquoi, comme le soleil, ne s'éteint-elle jamais ? Elle s'amoindrit : il y a des soirs où elle n'est plus qu'un feu chétif[6] comme celui qui court le long d'une
45 brindille. Puis elle se ranime. Sans doute, des Hommes-Cachés s'occupent de son entretien, et la nourrissent selon les époques... Ce soir, elle est dans sa force : d'abord aussi haute que les arbres, elle diminue, mais luit davantage, tandis qu'elle monte dans le ciel. Les Hommes-Cachés ont dû lui donner du bois sec en abondance.

J.-H. Rosny aîné, *La Guerre du feu*, 1958.

Comprendre le texte

La naissance de la connaissance du monde

1 Que signifient les mots « tradition » et « expérience » (l. 4) ? Aidez-vous au besoin d'un dictionnaire. En quoi peut-on dire que ce sont deux façons d'apprendre ?

2 Quels outils Naoh et ses compagnons savent-ils fabriquer ? Cela correspond-il à une réalité historique ?

L'éloge du feu

3 Relevez les comparaisons, les constructions répétées et les verbes qui décrivent le feu comme un être vivant.

4 Lisez la rubrique « À retenir » p. 101 et dites pourquoi l'écrivain a imaginé cette rêverie de Naoh ? Que veut-il faire comprendre ?

L'imagination et la science

5 Quel phénomène naturel le héros a-t-il pu observer ?

6 Quelle explication en donne-t-il ? Naoh est-il sûr ou non de son explication ? Relevez deux expressions à l'appui de votre réponse.

Bilan

7 Montrez que ce texte est à la fois une rêverie et une réflexion.

 ## Activités

LANGUE IV.2

Dans le passage « De quel lieu... » à « ... selon les époques » (l. 42 à 46), relevez les verbes conjugués. Quel est leur temps ? Écrivez-les à l'imparfait, à la 3e personne.

➔ **L'imparfait** p. 260

ORAL Raconter une expérience II.8

a) Discutez à deux pour établir :
– une liste des connaissances et des savoir-faire qui vous sont venus de la tradition (ils vous ont été appris : par exemple, la lecture) ;
– une liste des connaissances qui vous sont venues de l'expérience (vous les avez découvertes vous-même : par exemple, une expérience dans la fabrication de quelque chose).
Comparez vos listes avec celles de votre voisin(e).

b) Choisissez, parmi les éléments dont vous venez de parler, une expérience qui a été importante pour vous. Après avoir préparé votre intervention, racontez cette expérience aux autres de façon vivante, en expliquant ce que vous en avez appris.

Conseils : avant de prendre la parole, notez brièvement le contenu de votre intervention. Construisez-en le plan. Par exemple, vous pouvez expliquer, en trois étapes successives :
1) les circonstances ;
2) le déroulement de cette expérience ;
3) ce qu'elle vous a apporté.

Activité interdisciplinaire

La vie durant la préhistoire. Les hommes, les techniques et les modes de vie

Français – Histoire – SVT – Arts plastiques

1. En quoi ce texte correspond-il à ce que vous savez de la vie durant la préhistoire ?

2. À quelle époque de la préhistoire pouvez-vous situer le roman ?

3. Quels autres animaux préhistoriques ont existé avant l'homme et ne figurent pas dans le roman ?

4. Quels étaient les outils utilisés par l'homo sapiens ?

5. Voici des noms de sciences : astronomie, géographie, botanique, zoologie, climatologie, anthropologie. Rattachez à chaque mot une citation du texte qui montre que Naoh a déjà des connaissances en ces domaines.

6. Réalisez un dossier représentant les hommes de la préhistoire, les techniques qu'ils utilisaient et leurs modes de vie. Vous illustrerez chaque paragraphe par des images ou des photographies d'objets retrouvés dans des fouilles. Quand ce sera possible, vous mettrez, sous chaque image, une légende qui sera une citation tirée du roman.

à retenir

Dans un récit, le déroulement des actions peut s'interrompre. Le récit marque ainsi une pause ; cela permet à l'écrivain de décrire un lieu, un personnage, ou comme ici, de faire comprendre ce que le héros pense et ressent.

Pointes de flèches et grattoirs en pierre provenant de la région Friuli Venezia Giulia. Udine, Castello Civici Musei e Gallerie di Storia e Arte.

Un héros des origines

Prométhée était un géant. Il déroba le feu aux dieux et l'offrit aux hommes. Il leur apprit aussi tous les arts et les techniques. Zeus décida de se venger de Prométhée en l'enchaînant sur le plus haut sommet du mont Caucase, où, chaque jour, pendant des milliers d'années, un aigle vint lui ronger le foie. Prométhée eut un jour droit à la clémence de Zeus qui le délivra.

Prométhée enchaîné sur le Caucase, Gustave Moreau, XIXᵉ siècle.

1 Observez le visage de Prométhée. Semble-t-il désespéré par son sort ou tourné vers l'avenir ?

2 Selon vous, que représente la petite flamme peinte au-dessus de sa tête ?

3 Pourquoi, selon vous, Zeus était-il mécontent que Prométhée ait donné le feu aux hommes ?

4 Quelle puissance la maîtrise du feu et des techniques a-t-elle donné aux humains ?

Partie 3
La Guerre du feu,
l'aventure de l'humanité

PARCOURS
DE LECTURE

③ Trouver des alliés

Un pacte avec les mammouths

> **Sur leur chemin, Naoh et ses compagnons aperçoivent un jour un mammouth, le plus grand animal de la préhistoire.**

1. **Coudées :** mesure de longueur équivalant à la distance du coude au bout de la main : 45 cm environ.
2. **Membraneuses :** formées de plusieurs couches de peau.

Il vit un mammouth énorme qui les regardait passer. Solitaire, en contrebas de la rive, parmi les jeunes peupliers, il paissait les pousses tendres. Naoh n'en avait jamais rencontré d'aussi considérable. Sa stature s'élevait à douze coudées[1]. Une crinière épaisse
5 comme celle des lions croissait sur sa nuque ; sa trompe velue semblait un être distinct, qui tenait de l'arbre et du serpent.

La vue des trois hommes parut l'intéresser, car on ne pouvait supposer qu'elle l'inquiétait. Et Naoh criait :

— Les mammouths sont forts ! Le Grand Mammouth est plus
10 fort que tous les autres : il écraserait le tigre et le lion comme des vers, il renverserait dix aurochs d'un choc de sa poitrine... Naoh, Nam et Gaw sont les amis du Grand Mammouth !

Le mammouth dressait ses oreilles membraneuses[2] ; il écouta les sons articulés par la bête verticale, secoua lentement sa trompe
15 et barrit.

— Le mammouth a compris ! s'écria Naoh avec joie. Il sait que les Oulhamr reconnaissent sa puissance.

Mammouth et chasseur, art numérique.

3. **Colosses** : *énormes.*
4. **Urus** : *ancêtre des bovins.*
5. **Mulot** : *souris.*

Si vous avez fini de lire
À quel animal d'aujourd'hui le mammouth fait-il penser par son aspect et son comportement ? Dessinez-le en vous aidant des images du manuel.

Il cria encore :

– Si les fils du Léopard, du Saïga et du Peuplier retrouvent le
20 Feu, ils cuiront la châtaigne et le gland pour en faire don au Grand Mammouth !

Comme il parlait, sa vue rencontra une mare, où poussaient des nénuphars orientaux. Naoh n'ignorait pas que le mammouth aimait les tiges souterraines. Il fit signe à ses compagnons ; ils se mirent à
25 arracher les longues plantes roussies. Quand ils en eurent un grand tas, ils les lavèrent avec soin et les portèrent vers la bête colossale. Arrivé à cinquante coudées, Naoh reprit la parole :

– Voici ! Nous avons arraché ces plantes pour que tu puisses en faire ta pâture. Ainsi tu sauras que les Oulhamr sont les amis du
30 mammouth.

Et il se retira.

Curieux, le géant s'approcha des racines. Il les connaissait bien ; elles étaient à son goût. Tandis qu'il mangeait, sans hâte, avec de longues pauses, il observait les trois hommes. Quelquefois, il re-
35 dressait sa trompe pour flairer, puis il la balançait d'un air pacifique.

Alors Naoh se rapprocha par des mouvements insensibles : il se trouva devant ces pieds colosses[3], sous cette trompe qui déracinait les arbres, sous ces défenses aussi longues que le corps d'un urus[4] ! Il était comme un mulot[5] devant une panthère. D'un seul geste, la bête
40 pouvait le réduire en miettes. Mais, tout vibrant de la foi qui crée, il tressaillit d'espérance et d'inspiration… La trompe le frôla, elle passa sur son corps, en le flairant ; Naoh, sans souffle, toucha à son tour la trompe velue. Ensuite, il arracha des herbes et de jeunes pousses qu'il offrit en signe d'alliance : il savait qu'il faisait quelque chose de
45 profond et d'extraordinaire, son cœur s'enflait d'enthousiasme.

J.-H. Rosny aîné, *La Guerre du feu*, 1958.

Grotte Chauvet.
Alcôve du rhinocéros.

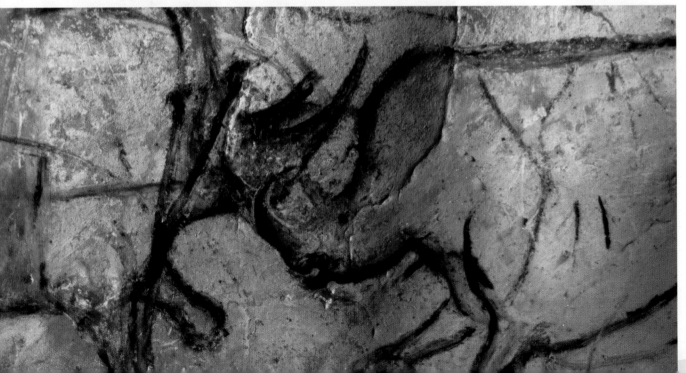

Comprendre le texte

Un animal terrible

1 Qu'est-ce qui rend le mammouth redoutable pour les hommes ? Relevez plusieurs expressions (l. 1 à 3) et une comparaison (l. 39) qui éclairent votre réponse.

2 Relevez, dans la description de l'animal, quatre éléments qui le rendent impressionnant (l. 1 à 6, l. 36 à 40).

Apprivoiser une bête sauvage

3 Quelles sont les actions successives par lesquelles Naoh réussit à apprivoiser l'animal ?

4 Quelles sont les réactions de l'animal ?

5 Montrez que Naoh fait preuve d'intelligence et d'habileté pour apprivoiser l'animal.

Les émotions du dompteur

6 Quelle est la cause des sentiments décrits dans la phrase : « Mais, tout vibrant [...] d'inspiration... (l. 40-41) ? ».

7 Recopiez la phrase qui décrit l'alliance entre l'homme et l'animal. Comment comprenez-vous l'expression « sans souffle » (l. 42) ?

Bilan

8 Lisez la rubrique « À retenir ». Dites ce que ressent le lecteur. Partage-t-il l'émotion du héros ? Pourquoi ? Que pouvez-vous imaginer pour la suite de l'histoire ?

à retenir

L'action d'un récit connaît plusieurs **rebondissements** ou **péripéties**. Certains ont une importance décisive parce qu'ils orientent la suite du récit vers le **dénouement** ou parce qu'ils font éprouver au lecteur des émotions fortes.

 ## Activités

LANGUE IV.1

Recopiez la deuxième phrase (« Solitaire... pousses tendres »). Relevez les trois groupes nominaux compléments et donnez leur fonction exacte.

→ **Les fonctions dans le GN** p. 238

ÉCRITURE Décrire un animal en action III.1

Décrivez un animal sauvage que vous avez vu dans un zoo, un documentaire ou croisé dans la réalité. Montrez-le en action. Dites quels sentiments vous avez ressentis à le voir.

• *Avant d'écrire*
– Notez en quelques mots les détails qui vous paraissent les plus importants et que vous ne devrez pas oublier dans la description.
– Notez les sentiments que vous avez éprouvés (admiration, amusement ou, au contraire, peur...). Précisez ce qui suscite de tels sentiments. Par exemple, vous pouvez admirer la beauté de l'animal, son habileté, tel ou tel comportement ; éprouver de la crainte à cause de son aspect ou de son attitude...

• *Quand vous avez fini, relisez-vous.*
– Après avoir rédigé votre texte au brouillon, relisez-le pour la correction de la langue.
– Recopiez votre texte en réservant un espace dans lequel vous dessinerez ou peindrez cet animal.

Si vous avez fini d'écrire
Dessinez l'animal à l'endroit que vous avez réservé dans la page.

Activité interdisciplinaire

Mammouths et compagnie

Français – Arts plastiques – SVT

Pour réaliser une exposition, faites des recherches sur les animaux préhistoriques.

 Votre professeur vous distribuera la fiche 5 pour guider votre travail.

Partie 3
La Guerre du feu,
l'aventure de l'humanité

PARCOURS
DE LECTURE

4 Affronter l'ennemi

La lutte contre les Dévoreurs d'Hommes

Naoh a dérobé le feu à ceux qu'il appelle les Dévoreurs d'Hommes, la tribu féroce des Kzamms. Il laisse à Nam la garde du feu et part chercher Gaw, resté en arrière. Les Dévoreurs d'Hommes, lancés à leur poursuite, sont sur le point de les rattraper. Gaw, gravement blessé, voit qu'il retarde Naoh dans leur fuite. Il veut que Naoh l'abandonne…

1. **Acculeraient :** pousseraient jusqu'à un endroit d'où l'on ne peut s'échapper.
2. **Souffraient :** supportaient.
3. **Hordes colossales :** groupes gigantesques.

Mammouths de l'âge de glace,
par Angus McBride (1969).
Gouache sur papier.

– Il faut que Gaw meure ! ne cessait de répéter le jeune guerrier. Naoh dira qu'il a bien combattu.

Sombre, le chef ne répondait point. Il écoutait le trot des ennemis. De nouveau, ils furent à deux cents coudées, puis à cent, tandis
5 que les fugitifs gravissaient une pente. Alors le fils du Léopard, rassemblant ses énergies profondes, maintint la distance jusqu'au haut du mamelon. Et là, jetant un long regard sur l'occident, la poitrine palpitante à la fois de lassitude et d'espérance, il cria :

– Le Grand Fleuve… les mammouths !

10 L'eau vaste était là, miroitante parmi les peupliers, les aulnes, les frênes et les vernes ; le troupeau était là aussi, à quatre mille coudées, paissant les racines et les jeunes arbres. Naoh se rua, entraînant Gaw dans un élan qui leur fit gagner plus de cent coudées. C'était le dernier soubresaut. Ils reperdirent cette faible avance,
15 coudée par coudée. Les Kzamms poussaient leur cri de guerre…

Quand deux mille coudées séparèrent Naoh et Gaw de la cime du mamelon, les Kzamms étaient presque à portée. Ils gardaient leur pas égal et bref, d'autant plus sûrs d'atteindre les Oulhamr qu'ils les acculeraient[1] au troupeau de mammouths. Ils savaient que ceux-
20 ci, malgré leur indifférence pacifique, ne souffraient[2] aucune présence ; donc, ils refouleraient les fugitifs.

Toutefois, les poursuivants ne négligeaient pas de se rapprocher ; on entendait maintenant leur souffle, et il fallait parcourir
25 mille coudées encore !… Alors, Naoh poussa une longue plainte et l'on vit un homme émerger d'un bois de platanes ; puis, une des énormes bêtes leva sa trompe avec un barrit strident. Elle s'élança, suivie de trois autres,
30 droit vers le fils du Léopard. Les Kzamms, effarés et contents, s'arrêtèrent : il n'y avait plus qu'à attendre le recul des Oulhamr, à les cerner et à les anéantir.

Naoh cependant continua de courir pen-
35 dant une centaine de coudées, puis, tournant

vers les Kzamms son visage creux de fatigue et ses yeux étincelants :

– Les Oulhamr ont fait alliance avec les mammouths. Naoh se rit des Dévoreurs d'Hommes.

Tandis qu'il parlait, les mammouths arrivèrent ; à la stupeur infi-
40 nie des Kzamms, le plus grand mit sa trompe sur l'épaule de l'Oulhamr. Et Naoh poursuivit :

– Naoh a pris le Feu. Il a abattu quatre guerriers dans le campement ; il en a abattu quatre autres pendant la poursuite…

Les Kzamms répondirent par des hurlements de fureur, mais
45 comme les mammouths avançaient encore, ils reculèrent en hâte,
car, pas plus que les Oulhamr, ils n'avaient encore conçu que
l'homme pût combattre ces hordes colossales[3].

J. H. Rosny aîné, *La Guerre du feu*, 1958.

Si vous avez fini de lire
Expliquez le sens des mots suivants en vous aidant du contexte :
le trot (l. 3) ;
refouler (l. 21) ;
effarés (l. 31) ;
stupeur (l. 39).

Scène de chasse au mammouth. Âge de pierre. Gravure de 1892.

Une poursuite angoissante

1. Combien de fois le mot « coudées » est-il répété ? Que veut faire comprendre l'écrivain ?

2. Les Kzamms parlent-il ou non ? Quel(s) bruit(s) font-ils ? Quel est l'effet produit ?

3. Pourquoi les Kzamms sont-ils sûrs de leur victoire ? Recopiez deux passages à l'appui de votre réponse.

4. Que veut Gaw ? Que veut Naoh ?

Le secours et la victoire

5. Comment les héros sont-ils sauvés ?

6. Que signifie le geste du mammouth (l. 40) ? À quel autre moment du récit ce geste renvoie-t-il ?

7. Lisez la rubrique « À retenir » puis expliquez les deux expressions qui décrivent Naoh (l. 36).

8. Quels sentiments les paroles du héros expriment-elles (l. 37 à 43) ?

Bilan

9. Opposez les héros et leurs poursuivants : en reprenant vos réponses aux questions 2, 4 et 6, expliquez en quoi les uns sont proches de nous, les autres proches des bêtes.

 **à retenir**

Dans un récit d'aventures, le héros affronte des épreuves, souffre, et sort vainqueur des dangers grâce aux qualités qui lui sont propres.

 **Activités**

LANGUE `IV.1`

Dans le dernier paragraphe (« Les Kzamms... colossales »), relevez les différents déterminants et donnez leur catégorie précise.

→ **Les noms et les déterminants** p. 236

ÉCRITURE Transposer un épisode de poursuite à une autre époque `III.6`

Racontez une poursuite palpitante dans un autre cadre et à une autre époque.

● *Avant d'écrire*
Choisissez les éléments du récit :
– Qui poursuit qui ? (Un homme poursuit un voleur, une bête poursuit un homme...)
– Pourquoi cette poursuite a-t-elle lieu ?
– Dans quel lieu se situe cet épisode ?
– Comment se termine-t-il ?

● *Conseils d'écriture*
a) Complétez la liste de verbes d'action que vous pourrez utiliser : courir, accélérer, ralentir, se rapprocher, s'éloigner, menacer...
b) Imaginez les sentiments opposés que peuvent éprouver ceux qui poursuivent et ceux qui fuient :
– le(s) poursuivant(s) : colère, ardeur...
– le(s) poursuivi(s) : peur, panique...
c) Notez les étapes de la poursuite et son dénouement.

● *Quand vous avez fini, relisez-vous.*
Relisez votre texte en vous demandant si vous avez bien créé un épisode palpitant. Pour le rendre plus dramatique, reprenez certaines phrases, ajoutez des tournures exclamatives, des phrases courtes.

 *Si vous avez fini d'écrire*
Reprenez les lignes 22 à 33 du texte et transposez ce paragraphe au présent.

Partie 3
La Guerre du feu,
l'aventure de l'humanité

PARCOURS
DE LECTURE

5 **Le triomphe du héros**

La récompense de Naoh

Après avoir échappé aux Kzamms, Naoh et ses compagnons repartent. Ils rencontrent le peuple des Wah et le sauvent de la tribu des Nains Rouges, qui veut l'anéantir. Pour les remercier, un guerrier Wah leur apprend à faire naître le feu en frappant des pierres. Les héros rentrent vainqueurs chez les Oulhamr.

Alors Naoh, parlant au grand Faouhm, demanda :

– Le fils du Léopard n'a-t-il pas rempli sa promesse ? Et le chef des Oulhamr remplira-t-il la sienne ?

Il désignait Gammla debout dans la clarté écarlate. Elle secoua
5 sa grande chevelure. Palpitante d'orgueil, elle n'avait plus de crainte. Elle était dans cette admiration dont toute la horde[1] enveloppait Naoh.

– Gammla sera ta femme comme il a été promis, répondit presque humblement Faouhm.

10 – Et Naoh commandera la horde ! déclara hardiment le vieux Goûn[2].

Il disait ainsi, non pour mépriser le grand Faouhm, mais pour détruire des rivalités qu'il jugeait dangereuses. Dans ce moment où le Feu venait de renaître, personne n'oserait le contredire.

15 Une approbation exaltée fit houler les mains et les visages. Mais Naoh ne voyait que Gammla, sa grande chevelure et ses yeux frais. Pourtant, il comprenait qu'un chef au bras débile[3] ne pouvait commander seul aux Oulhamr. Et il s'écria :

– Naoh et Faouhm dirigeront la Horde !

20 Dans leur surprise, tous se turent, tandis que, pour la première fois, Faouhm au cœur féroce se sentait envahir d'une confuse tendresse pour un homme non issu de ses sœurs.

Cependant, le vieux Goûn, de beaucoup le plus curieux des Oulhamr, souhaitait connaître les aventures des trois guerriers.
25 Elles tressaillaient dans le cerveau de Naoh aussi neuves que s'il les avait vécues la veille. En ce temps, les mots étaient rares, leurs liens faibles, leur force d'évocation courte, brusque et intense. Le grand Nomade[4] parla de l'Ours Gris, du Lion Géant et de la Tigresse, des Dévoreurs d'Hommes, des Mammouths, des Nains Rouges, des

1. Horde : tribu.
2. Goûn : vieil homme de la tribu qui représente la sagesse et l'expérience.
3. Au bras débile : ici, faible. Faouhm est affaibli par l'âge et a été blessé.
4. Le grand Nomade : Naoh appartient à une tribu nomade de chasseurs, qui déplace son campement pour assurer sa survie.

Scène du film *La guerre du feu* de Jean-Jacques Annaud (1981).

Hommes préhistoriques rassemblés autour du feu. Gravure.

Si vous avez fini de lire

Faites la liste des personnages rencontrés ici. Rappelez qui ils sont.

30 Hommes-Sans-Épaules, des Hommes-Au-Poil-Bleu et de l'Ours des cavernes. Pourtant, il omit, par défiance et par ruse, de dévoiler le secret des pierres à feu que lui avaient enseigné les Wah.

Le rugissement des flammes approuvait le récit ; Nam et Gaw, par des gestes rudes, soulignaient chaque épisode. Comme c'était le 35 discours du vainqueur, il pénétrait au plus profond, il faisait haleter les poitrines.

Et Goûn clama :

– Il n'y a pas eu de guerrier comparable à Naoh parmi nos pères… et il n'y en aura point parmi nos enfants, ni les enfants de 40 nos enfants !

J. H. Rosny aîné, *La Guerre du feu*, 1958.

110

Comprendre le texte

Le triomphe du héros

1. Quels personnages du début du roman retrouvez-vous ici ?

2. Naoh reçoit-il les récompenses promises ? Relevez deux phrases à l'appui de votre réponse.

3. En quoi Naoh se montre-t-il habile (l. 15 à 22) ?

4. Lisez la rubrique « À retenir » p. 105. En quoi peut-on dire que le roman connait ici son dénouement ?

De l'aventure à son récit

5. Que souhaite le vieux Goûn ? Que souhaite Naoh (l. 23 à 26) ? Quelle est la conséquence de ces deux désirs ?

6. Où Naoh raconte-t-il son aventure ?

7. Relevez la phrase qui décrit l'attitude de Nam et de Gaw. Quel rôle l'écrivain leur donne-t-il ?

8. En quoi la réflexion de Goûn grandit-elle les héros ?

Bilan

9. Observez l'image. Que savez-vous de la façon dont sont nés et ont été transmis les légendes et les contes ? Faites des rapprochements entre les éléments de l'image et le texte.

Activités

LANGUE — IV.2

Transposez le passage « Il disait… contredire » (l. 12 à 14) au présent. Vous commencerez par « Il dit (présent) ainsi… »

➜ **Employer les temps dans un récit au passé** p. 268

ORAL — Préparer un bilan de lecture — I.8

Formez des équipes de deux.
a) Imaginez dix questions-bilan sur la lecture du roman.
Vous poserez :
– trois questions pour vérifier que l'action du récit est bien comprise ;
– trois questions sur le personnage principal ;
– une question sur un personnage secondaire ;
– trois questions sur trois centres d'intérêt du livre (exemple : en quoi *La Guerre du feu* est un roman d'aventures ?).
b) Préparez sous forme de notes, les éléments de réponse à ces questions.

ORAL — Réaliser en commun le bilan de lecture — I.3

Après avoir accompli le travail précédent, organisez les réponses aux questions sous la forme d'un jeu. Une première équipe pose une question. L'équipe qui y a répondu la première de façon satisfaisante pose à son tour une question, et ainsi de suite. On répond ainsi à toutes les questions.

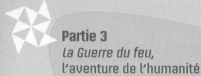

Partie 3
La Guerre du feu,
l'aventure de l'humanité

Explorateurs et mousquetaires

Activité 1

Écrire une bande-son

a. Que peuvent dire les mousquetaires encerclés, selon vous ?

b. Que peuvent dire les hommes du cardinal (en rouge) ?

c. Quels verbes de paroles connaissez-vous ? Proposez-en au moins cinq (« crier »...).

d. Choisissez trois jurons qui retiennent votre attention parmi : Palsambleu ! Corbleu ! Tudieu ! Ventrebleu ! Infâmes ! Traîtres ! Sacrebleu ! Morbleu ! Diantre !

e. Quels mots appartenant au champ lexical du bruit connaissez-vous ? Proposez-en au moins cinq (« détonation »...).

f. En vous aidant de toutes vos réponses, racontez cette scène en insistant sur les bruits, les cris et les paroles des personnages.

Activité 2

Écrire à partir d'un nom

Voici quelques lieux naturels hostiles :

Le désert de Gobi • Le gouffre Berger • La Terre de Feu, en Patagonie • Le désert des Mojaves • Le désert du Sahara • Le mont Kilimandjaro • Le désert de sel d'Uyuni • Le Saltstraumen, maelstrom en Norvège • Le tunnel Guoliang en Chine • Le marécage du Pantanal • L'Antelope Canyon • Le cratère de Darvaza • La vallée de la Mort

Choisissez un de ces lieux. Pourquoi est-il dangereux ? Faites appel à votre imagination.

Activité 3

Écrire à partir d'une liste

Voici l'équipement d'un explorateur du XIXᵉ siècle :

vingt mètres de corde ; une lanterne et un briquet ; des vivres pour dix jours ; un sabre ; un pistolet et des balles ; des sacs de couchage isolant du froid et de la chaleur ; des vêtements chauds ; une « cuisinière » portative ; une pelle et une pioche ; du savon et de l'alcool désinfectant ; des clous et un marteau ; des planches ; des fusées de détresse ; une canne à pêche ; une potion pour désinfecter l'eau ; une ficelle ; une hache ; des rasoirs ; du sel ; un parasol.

Un concours scientifique offre une récompense à qui découvrira et capturera une espèce animale inconnue.

a. Dans quel pays partirez-vous ? Pourquoi ?

b. Sélectionnez cinq des objets de la liste que vous emporterez.

c. Racontez votre aventure.

Du plaisir des mots au plaisir d'écrire

Activité 4

Écrire à partir d'une gravure

Voici quelques machines inspirées des récits de Jules Verne...

a. Laquelle préférez-vous ? Imaginez son nom.

b. Quels sont les pouvoirs de cette machine extraordinaire ?

c. Décrivez-la en une dizaine de phrases. Vous pouvez vous inspirer des listes de mots ci-dessous.

Des verbes de mouvement : voguer, naviguer, parcourir, traverser, filer, arpenter, explorer, franchir, patrouiller, sillonner, visiter, circuler...

Des verbes de combat : foudroyer, lancer, détonner, exploser, envoyer, attaquer, aborder, agresser, assaillir, assiéger, bombarder, charger, détruire, encercler, endommager, frapper, miner, ronger, tirer.

Des verbes de vue : regarder, contempler, admirer, scruter, observer, espionner, épier, explorer, examiner, fouiller du regard, sonder.

EN L'AN 2000

Activité 5

Écrire à partir d'un titre

Jules Verne a écrit un roman intitulé *Voyage au centre de la Terre*.

a. Que peut-on trouver de merveilleux, selon vous, au centre de la Terre ?

b. Que peut-on y trouver d'horrible ?

c. Choisissez un ou plusieurs de ces éléments et racontez une aventure souterraine.

Vous pouvez vous aider d'adjectifs appartenant au champ lexical de la merveille :
admirable, beau, éblouissant, enchanteur, enivrant, étonnant, étourdissant, extraordinaire, fabuleux, fantastique, impressionnant, incroyable, inouï, magique, magnifique, prodigieux, splendide, superbe, surnaturel, surprenant.

Vous pouvez vous aider d'adjectifs appartenant au champ lexical de l'horreur :
abominable, affreux, atroce, dégoûtant, effrayant, effroyable, épouvantable, hideux, monstrueux, nauséabond, repoussant, répugnant, sinistre, terrible, terrifiant.

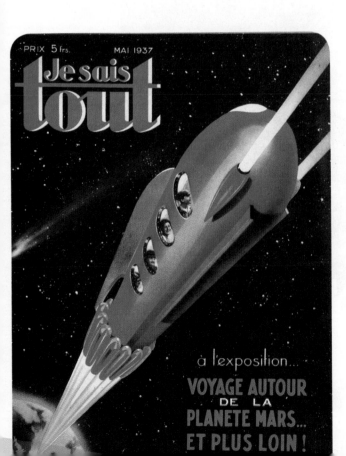

PRIX 5 frs.   MAI 1937

Je sais tout

à l'exposition...

VOYAGE AUTOUR DE LA PLANETE MARS... ET PLUS LOIN !

Partie 4
L'île au trésor,
un voyage initiatique

LECTURE
CURSIVE

Sur la piste du trésor

L'Île au trésor, Robert Louis Stevenson

Le docteur brisa la cire avec la plus grande précaution, et nous eûmes sous les yeux la carte d'une île, avec la latitude, la longitude, les sondages, le nom des collines, des baies, des passes, et tous les détails pour permettre à un bateau de trouver un mouil-
5 lage sûr. Elle mesurait environ neuf milles de long sur cinq de large, affectait la forme d'un gros dragon debout, et présentait deux superbes criques fort bien abritées. Au centre s'élevait une colline appelée « la Longue-Vue ». On avait ajouté plusieurs annotations récentes, plus particulièrement trois croix à l'encre rouge ;
10 deux au nord, une au sud-ouest ; à côté de cette dernière, toujours à l'encre rouge, étaient tracés les mots suivants, d'une petite écriture nette, très différente des lettres tremblées du capitaine : « Le gros du trésor ici ».

Robert Louis Stevenson, *L'Île au trésor*, 1883,
traduction de Jacques Papy.

Activité

Avec Jim Hawkins,
faites cap vers l'île au trésor

Itinéraire « moussaillon » :
Composer un recueil de citations

1. Sélectionnez dix phrases du roman qui vous ont marqué(e) (au moins une dans chaque partie du roman). Recopiez-les.

2. Expliquez rapidement, pour chacune, pourquoi elle a retenu votre attention.

3. Vous pouvez écrire sur du beau papier ou prendre une feuille blanche et la vieillir (en la plongeant dans de l'eau mélangée à du thé ou du café, en la froissant ou en déchirant ses bords).

Itinéraire « matelot » :
Réaliser la fiche d'identité des personnages

1. Choisissez les cinq personnages du roman qui vous semblent les plus importants (ou les plus marquants).

2. Réalisez leur fiche d'identité en précisant notamment : leur nom (et surnom éventuel), leur âge, leur apparence physique, leur origine, leurs qualités ainsi que leurs défauts, leurs signes distinctifs, leur objectif dans le roman.

3. Trouvez, dans un livre ou sur Internet, une image pouvant représenter chacun de ces personnages.

4. Vous pouvez réaliser ces fiches d'identité sur du beau papier ou prendre une feuille blanche et la vieillir.

Itinéraire « capitaine » :
Dessiner l'itinéraire du héros

1. Au fil de votre lecture, dessinez, sur la carte distribuée par votre professeur, l'itinéraire de Jim Hawkins.

2. Tracez une croix à l'encre rouge sur tous les lieux qu'il a visités.

3. Expliquez, en une phrase, ce qu'il a fait dans chacun de ces lieux.

4. Par des pointillés, reliez les croix afin d'indiquer son itinéraire.

Votre professeur vous distribuera la fiche 4 pour guider votre travail.

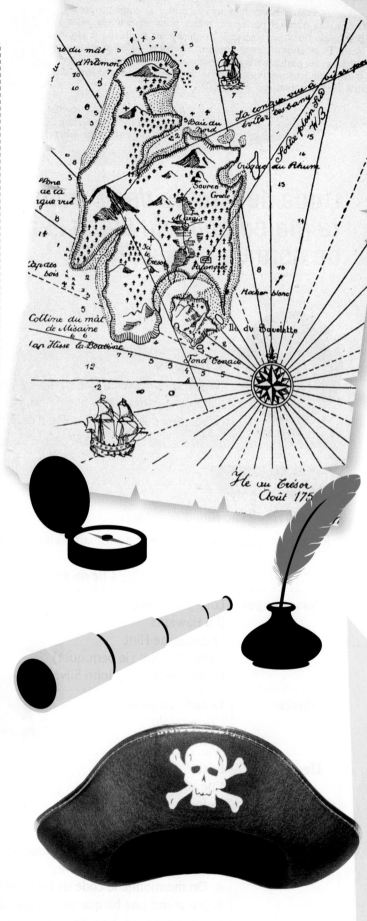

Étude de *Pirates des Caraïbes, La Malédiction du Black Pearl,* de Gore Verbinski (2003).

Activité 1

Retour sur le film

1. Quels éléments du roman de Stevenson retrouvez-vous dans ce film ?

2. Selon vous, qui est le héros du film ?

L'histoire

Will Turner mène une vie paisible à Port Royal. Il forge des épées pour le gouverneur et s'approche parfois de la fille de celui-ci, la belle Elizabeth. Mais lorsque le mystérieux pirate Jack Sparrow débarque, en quête d'or et de vengeance, leur existence à tous en est bouleversée.

Activité 2

Du roman au film d'aventures

Retrouvez, pour chaque élément du roman, l'élément qui correspond dans le film.

	L'Île au trésor	*Pirates des Caraïbes*
Personnages	Long John Silver Jim Hawkins Le capitaine Flint Capitaine Flint (le perroquet) La femme de Long John Silver	
Objets	La carte au trésor L'*Hispaniola* Le trésor de Flint	
Lieux	Bristol L'île au trésor Le fortin	
Péripéties	1. Les pirates prennent d'assaut l'auberge. 2. Jim se cache dans une barrique de pommes. 3. Une mutinerie se prépare. 4. On mentionne le code de l'honneur des pirates. 5. Jim prend une barque pour reprendre le navire. 6. Jim monte aux haubans pour se protéger. 7. Long John Silver s'échappe du bateau.	

2

Activité 3

Préférez-vous Long John Silver ou Jack Sparrow ? Pour quelles raisons ?

Proposez au moins deux arguments et un exemple pour chaque argument.

Activité 4

À peine arrivé à Port-Royal, Jack se fait remarquer. Il sauve de la noyade Elisabeth mais, parce qu'il est un pirate, on l'arrête aussitôt. Il prend alors Elisabeth en otage, s'enfuit, et tombe sur Will.

1. Qui domine le duel, selon vous ?
2. Comment les personnages sont-ils cadrés ? Quelle impression donnent-ils ?
3. Observez le décor ainsi que les couleurs. Quelle atmosphère le décorateur a-t-il créée ?

Activité 5

Elisabeth a été capturée par le capitaine Barbossa et l'équipage du Black Pearl. Mais Will accepte de se constituer prisonnier afin de la sauver. Les pirates décident donc de l'abandonner sur une île au beau milieu de l'océan.

1. Quelle est l'attitude d'Elisabeth, sur cette image ? Que peut-on ressentir pour elle ?
2. Quel est l'angle de prise de vue de cette image ? Quel est l'effet produit sur le spectateur ?
3. Observez la luminosité et les couleurs. Que mettent-elles en valeur ?

Des livres et un film

Pour les amateurs d'aventures trépidantes

Michael Morpurgo, **Seul sur la mer immense,** Folio junior.

En 1947, le jeune Arthur, séparé de sa sœur Kitty, est embarqué comme des milliers d'orphelins sur un bateau pour l'Australie. Sa vie est désormais là-bas, jalonnée d'épreuves et de rencontres extraordinaires. Des années plus tard, Allie, la fille d'Arthur, s'apprête à accomplir une traversée en solitaire pour retrouver sa tante Kitty. Deux récits, deux destinées, deux époques pour un roman bouleversant, qui entraîne le lecteur dans un voyage de l'enfance vers la maturité.

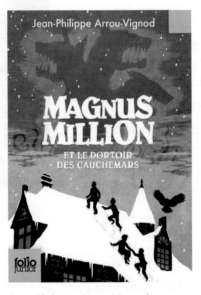

Jean-Philippe Arrou-Vignod, **Magnus Million et le dortoir des cauchemars,** Folio junior.

Un étrange pensionnat. Des élèves qui disparaissent. Des monstres surgis du brouillard. 1341 heures de colle... Voilà Magnus Million, 14 ans, face à un sombre complot. La porte du monde des rêves s'est ouverte : de terrifiantes créatures menacent d'envahir son pays. Et ce qu'il va découvrir avec l'aide de la minuscule et renversante Mimsy Pocket, son garde du corps, dépasse de loin leur imagination...

 Pour les aventuriers anglophiles

Stéphanie Benson, **Hannah et le trésor du dangerous elf,** Syros.

Sur le ferry qui l'emmène avec son jeune frère Hugo en Irlande, Hannah dérobe une peluche en forme de Leprechaun, le célèbre petit elfe irlandais. Elle va très vite comprendre que le lutin à l'apparence inoffensive possède des pouvoirs magiques... et qu'il a un caractère épouvantable !

Pour les amateurs de films déjantés et fantastiques

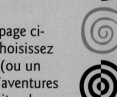
Réaliser un musée imaginaire

Vous exposerez les livres que vous avez lus, des objets en rapport avec ces livres et des cartels explicatifs.

● **Étape 1 :** Choisir et lire un roman d'aventures

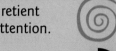

Regardez la page ci-contre et choisissez un roman (ou un album) d'aventures dont le titre, la couverture ou le résumé retient votre attention.

● **Étape 2 :** Trouver un objet

Apportez un objet en rapport avec le livre que vous venez de lire.

Cet objet peut avoir une grande importance dans le livre. Il peut aussi simplement appartenir à l'un des personnages. Il peut enfin refléter l'ambiance du livre.

● **Étape 3 :** Rédiger le cartel

Vous rédigerez un cartel (un petit panneau explicatif), comme dans les musées.

Vous écrirez le nom de l'objet, sa matière (tissu, papier, etc.) et sa provenance.

En une dizaine de phrases, vous expliquerez pourquoi vous avez choisi cet objet. Vous préciserez : son rôle dans l'histoire, son ou ses propriétaires, ce qu'il représente dans le livre, ce qu'il signifie pour vous, si c'est un objet qui vous plaît (ou pas). Vous pouvez également raconter comment vous avez trouvé cet objet.

◎ Pour les amateurs de préhistoire

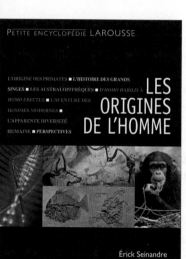

René Pellos, J-H Rosny aîné, **La Guerre du feu**, Glénat.

Le roman de J.H. Rosny a été adapté sous forme de bande dessinée en 1950 et 1951 par le grand René Pellos dans les pages de l'hebdomadaire *Zorro*. La puissance de son trait fait revivre nos lointains ancêtres, soutenue par les couleurs chaudes et encore artisanales de l'époque.

Erik Seinandre, **Les Origines de l'Homme**, Petite Encyclopédie Larousse.

Un point très complet sur les connaissances des origines de l'Homme, qui inclut toutes les découvertes fossiles effectuées ces dernières années (Toumaï, Orrorin,…) et présente les dernières théories sur l'évolution de l'Homme.

Big Fish, Film de Tim Burton

L'histoire à la fois drôle et poignante d'Edward Bloom, un père débordant d'imagination, et de son fils William. Ce dernier retourne au domicile familial pour être au chevet de son père, malade. Il souhaite mieux le connaître et découvrir ses secrets avant qu'il ne soit trop tard. L'aventure débutera lorsque William tentera de discerner le vrai du faux dans les propos de son père…

1 Bilan du chapitre

Répondez aux questions suivantes en donnant à chaque fois un exemple.

1. À quelles époques se situent les romans d'aventures que vous avez lus ? Donnez trois éléments qui ancrent ces récits dans leur époque.
2. Quels événements déclenchent l'aventure ?
3. Quelles sortes de dangers doivent affronter les héros des romans d'aventures ?
4. Grâce à quelles qualités les héros échappent-ils aux dangers ?
5. De quelles qualités font-ils preuve dans leurs relations avec les autres personnages ?
6. Dans quels lieux se déroulent les aventures que vous avez lues ?
7. Quel rôle ont les animaux dans les romans d'aventures ?
8. Quel rôle joue la nature ?

2 Exprimer son opinion sur un roman d'aventures

Demandez-vous quel est votre texte préféré avant de compléter les phrases suivantes.

1. J'ai surtout aimé... parce qu'on y voit...
2. L'aventure se déroule ... (lieu et époque)
3. Le héros est ... . Il a de nombreuses qualités comme...
4. Son plus grand exploit est de...
5. On est pris par l'action dans le passage où...
6. Je me souviens de l'expression : « ... ».

Robinson sur son canoë.
Illustration par Ernest Griset, vers 1890.

3 **Projet final :**
Présenter un roman d'aventures à ses camarades

Dans ce chapitre vous avez appris à :

✳ **vous familiariser avec les procédés de la narration ;**

✳ **découvrir les fonctions du personnage et les valeurs qu'il incarne ;**

✳ **comprendre la fonction du récit par rapport au dialogue.**

Étape 1 → Choisissez votre destination.

Choisissez un roman d'aventures dans cette liste (les étoiles indiquent la difficulté) :

– Si vous aimez l'Asie… *Le Livre de la Jungle* de Rudyard Kipling (**) ; *Les quatre brigands du Huabei* de Gu Long (***)

– Si vous préférez l'Afrique… *Le Lion* de Joseph Kessel (**) ; *Cinq semaines en ballon* de Jules Verne (**)

– Pour un départ vers l'Amérique… *L'Appel de la forêt* de Jack London (*) ; *Les Aventures de Tom Sawyer* de Mark Twain (***)

Étape 2 → Lisez le roman.

Étape 3 → Présentez le roman.

Présentez ce roman à vos camarades.
Donnez son titre ainsi que le nom de son auteur.
Précisez dans quelle(s) région(s) du monde il se déroule.

Résumez en une dizaine de phrases l'intrigue du livre. Votre résumé doit permettre à vos camarades de comprendre l'extrait que vous leur lirez.

Étape 4 → Lisez un extrait.

Choisissez et lisez à vos camarades un court extrait de ce roman (moins d'une page).
Entraînez-vous à le lire fort, lentement, sans erreur et de façon expressive.
Vous leur expliquerez pourquoi vous avez choisi cet extrait (son rôle dans l'histoire, ce que vous avez ressenti en le lisant, etc.)

Conseils :
Ne lisez et ne récitez pas vos notes mais parlez naturellement.

Évaluez-vous

	Oui	Pas tout à fait	Non
Présentation La présentation du livre est complète (titre, auteur, lieux du récit). Le résumé est clair.			
Lecture La lecture est lente et forte. La lecture est fluide et sans erreur. La lecture est expressive.			
Explication On comprend bien pourquoi l'extrait a été choisi.			

Des récits et des poèmes pour célébrer le monde

La création des animaux,
par Maître Bertram de Minden,
XIVᵉ **siècle.**

Dans ce chapitre, vous allez :

❖ Faire le point sur ce que vous savez déjà . . . . p. 124

◎ Lire des récits de création
⟶ La création du monde dans la Bible . . . . p. 126
⟶ L'engendrement des dieux chez les Grecs . . . p. 130
⟶ Le modelage du cosmos chez les Vikings. . . . p. 132
⟶ L'origine de la vie en société chez les Iroquois. . p. 135

◎ Écrire en groupe un récit de création . . . . p. 138

◎ Lire des récits sur l'apparition de l'humanité
⟶ Adam et Ève chassés du paradis . . . . p. 140
⟶ Le Déluge dans la Bible . . . . p. 144
⟶ Le Déluge dans le Coran . . . . p. 147

◎ Découvrir *La Tour de Babel* de Pieter Bruegel p. 143

◎ Analyser des représentations picturales du Déluge p. 148

◎ Lire des poésies célébrant le monde
⟶ G. du Bartas, *Hymne à la terre*. . . . . p. 152
⟶ Le chant des Bushmen, *Prière à la nouvelle lune*. p. 154
⟶ V. Hugo, *Soleils couchants* . . . . p. 156
⟶ Anthologie de haïkus . . . . p. 159
⟶ G. Apollinaire, *Calligrammes, Le ciel, la nuit, l'été*. p. 162
⟶ R. Queneau, *Destin d'une eau* . . . . p. 164
⟶ E. Guillevic, *La forêt* . . . . p. 166

◎ Écrire des poèmes et des haïkus sur la nature p. 168

◎ Écouter et mettre en voix des poèmes . . . . p. 172

◎ Parcourir l'épopée de Gilgamesh . . . . p. 174

◎ Découvrir des livres et un film . . . . p. 176

❖ Faire le point sur ce que vous avez appris. . . . p. 178

Marc Chagall,
La flûte enchantée, 1967.

1 Rassemblez vos connaissances

1. Lisez ces titres de récits explicatifs :
- *Pourquoi l'eau de la mer est salée*
- *L'Origine du riz*
- *Pourquoi le lièvre saute quand il se déplace*
- *D'où est venue la première neige*
- *Pourquoi l'éléphant a une trompe*

2. Les avez-vous déjà lus ?

3. Choisissez l'un des titres et dites ou imaginez les explications données par le récit.

Le repiquage du riz en Chine, planche gravée du recueil Yu Tchi Keng Tchi T'ou, BNF, Paris.

Père Castor

Peinture Warli, Inde.

2 Retrouvez l'univers des récits explicatifs

1. Qui sont les trois personnages du récit ? Se comportent-ils comme des humains ou comme des éléments de la nature ?

2. Quels sont les deux phénomènes naturels exposés ? Résumez les explications données.

3. Donnez un autre titre au texte en vous inspirant de ceux proposés ci-contre.

4. Pourquoi peut-on affirmer que ce texte est un récit explicatif ?

5. Quand se situe ce récit ? Relevez l'expression qui l'indique.

Dante et Béatrice contemplent le ciel et la terre (XIVᵉ siècle).

La dispute du Ciel et de la Terre

Au commencement du monde, le Ciel et la Terre étaient aussi unis que frère et sœur et ils avaient pour amie et conseillère, la Lune.

Un jour, cependant, comme il arrive parfois
5 entre frère et sœur, une dispute éclata entre eux et finit par dégénérer en un combat furieux.

La Terre, qui était très coléreuse, s'agita et se démena tant et si bien qu'elle réussit à faire jaillir de sa croûte, jusqu'alors parfaitement lisse, de gros
10 rochers et de hautes montagnes afin d'atteindre le Ciel. Mais le Ciel la bombarda d'étoiles pour empêcher les montagnes de le transpercer.

Les habitants du Ciel et de la Terre furent si épouvantés qu'ils supplièrent la Lune d'inter-
15 venir. Ils mêlèrent des larmes à leurs prières, et leurs larmes étaient tellement abondantes qu'elles se transformèrent en pluie, et la pluie en océans et en fleuves.

La Lune parvint enfin à calmer le Ciel et la Terre,
20 mais ils ne se réconcilièrent jamais tout à fait.

C'est ainsi que les montagnes refusèrent de s'abaisser afin de continuer à défier le Ciel.

Le Ciel, de son côté, continue à laisser tomber la pluie dans l'espoir de faire fondre les montagnes.

Renée-Vally-Samat, *Contes et légendes de Madagascar,* 1954.

3 Découvrez le chapitre

1. Lisez le sommaire de ce chapitre (p. 122). Choisissez, parmi les titres des textes, celui qui vous plaît le plus. Quel type de personnages peut-il mettre en scène ?

2. Qu'est-ce qui, dans le titre que vous avez choisi, laisse penser que l'on va lire un récit explicatif ?

Vishnu se reposant entre la destruction du monde et la création d'un nouvel univers, étendu sur le serpent Anauda qui représente l'éternité, (1600- 1699), Galerie nationale, Prague.

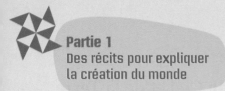

Partie 1
Des récits pour expliquer
la création du monde

GROUPEMENT
DE TEXTES

1 La parole créatrice

La création du monde dans la Bible

La Bible réunit des livres considérés comme sacrés par les juifs, les chrétiens et les musulmans. Ces trois religions ne sont pas d'accord sur tous les textes et ont des conceptions différentes de leur signification. Mais elles reconnaissent toutes les trois le récit de la création fait dans la première partie de la Bible : la Genèse (du grec *genesis*, « naissance, origine »).
La Bible a été écrite en hébreu sur une période de mille ans environ, à partir du xe siècle avant Jésus-Christ. Le Coran, texte sacré des musulmans, reprend en arabe des épisodes de la Bible, dont celui de la Genèse.

1. **Abîme** : vide, gouffre profond.
2. **Firmament** : ciel.
3. **Semence** : graine.

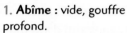

Au commencement, Dieu créa le ciel et la terre.

La terre était informe et vide, les ténèbres étaient au-dessus de l'abîme[1] et le souffle de Dieu planait au-dessus des eaux.

Dieu dit : « Que la lumière soit. » Et la lumière fut. Dieu vit que la
5 lumière était bonne, et Dieu sépara la lumière des ténèbres.

Dieu appela la lumière « jour », il appela les ténèbres « nuit ». Il y eut un soir, il y eut un matin : premier jour.

Et Dieu dit : « Qu'il y ait un firmament[2] au milieu des eaux, et qu'il sépare les eaux. »
10 Dieu fit le firmament, il sépara les eaux qui sont au-dessous du firmament et les eaux qui sont au-dessus. Et ce fut ainsi.

Dieu appela le firmament « ciel ». Il y eut un soir, il y eut un matin : deuxième jour.

Et Dieu dit : « Les eaux qui sont au-dessous du ciel, qu'elles se ras-
15 semblent en un seul lieu, et que paraisse la terre ferme. » Et ce fut ainsi.

Dieu appela la terre ferme « terre », et il appela la masse des eaux « mer ». Et Dieu vit que cela était bon.

Dieu dit : « Que la terre produise l'herbe, la plante qui porte sa semence[3], et que, sur la terre, l'arbre à fruit donne, selon son espèce,
20 le fruit qui porte sa semence. » Et ce fut ainsi.

La terre produisit l'herbe, la plante qui porte sa semence, selon son espèce, et l'arbre qui donne, selon son espèce, le fruit qui porte sa semence. Et Dieu vit que cela était bon.

Il y eut un soir, il y eut un matin : troisième jour.
25 Et Dieu dit : « Qu'il y ait des luminaires au firmament du ciel, pour séparer le jour de la nuit ; qu'ils servent de signes pour marquer les fêtes, les jours et les années ;

et qu'ils soient, au firmament du ciel, des luminaires pour éclairer la terre. » Et ce fut ainsi.
30 Dieu fit les deux grands luminaires : le plus grand pour commander au jour, le plus petit pour commander à la nuit ; il fit aussi les étoiles.

4. **Foisonnent :** *soient peuplées.*

5. **Profusion :** *grande quantité.*

6. **Soyez féconds :** *ayez beaucoup de petits.*

Dieu les plaça au firmament du ciel pour éclairer la terre, pour commander au jour et à la nuit, pour séparer la lumière des ténèbres. Et Dieu vit que cela était bon.

35 Il y eut un soir, il y eut un matin : quatrième jour.

Et Dieu dit : « Que les eaux foisonnent[4] d'une profusion[5] d'êtres vivants, et que les oiseaux volent au-dessus de la terre, sous le firmament du ciel. »

Dieu créa, selon leur espèce, les grands monstres marins, tous 40 les êtres vivants qui vont et viennent et foisonnent dans les eaux, et aussi, selon leur espèce, tous les oiseaux qui volent. Et Dieu vit que cela était bon.

Dieu les bénit par ces paroles : « Soyez féconds[6] et multipliez-vous, remplissez les mers, que les oiseaux se multiplient sur la terre. »

45 Il y eut un soir, il y eut un matin : cinquième jour.

Et Dieu dit : « Que la terre produise des êtres vivants selon leur espèce, bestiaux, bestioles et bêtes sauvages selon leur espèce. » Et ce fut ainsi.

écoute

Quelles expressions reviennent constamment ? Comment la conteuse met-elle en valeur les répétitions ?

Les Six jours de la Création,
Missel-livre d'heures franciscain,
Pavie ou Milan vers 1385–
1390. Parchemin, BNF, Paris.
Manuscrits, Lat. 757.

7. **Déploiement** : étendue.
8. **Sanctifia** : rendit sacré.

Naissance d'Ève à partir de la côte d'Adam (1490), gravure sur bois.

Dieu fit les bêtes sauvages selon leur espèce, les bestiaux selon
50 leur espèce, et toutes les bestioles de la terre selon leur espèce. Et
Dieu vit que cela était bon.

Dieu dit : « Faisons l'homme à notre image, selon notre ressem-
blance. Qu'il soit le maître des poissons de la mer, des oiseaux du
ciel, des bestiaux, de toutes les bêtes sauvages, et de toutes les bes-
55 tioles qui vont et viennent sur la terre. » Dieu créa l'homme à son
image, à l'image de Dieu il le créa, il créa l'homme et la femme.

Dieu les bénit et leur dit : « Soyez féconds et multipliez-vous,
remplissez la terre et soumettez-la. Soyez les maîtres des poissons
de la mer, des oiseaux du ciel, et de tous les animaux qui vont et
60 viennent sur la terre. »

Dieu dit encore : « Je vous donne toute plante qui porte sa semence sur toute la surface de la terre, et tout arbre dont le fruit
porte sa semence : telle sera votre nourriture.

À tous les animaux de la terre, à tous les oiseaux du ciel, à tout
65 ce qui va et vient sur la terre et qui a souffle de vie, je donne comme
nourriture toute herbe verte. » Et ce fut ainsi.

Et Dieu vit tout ce qu'il avait fait ; et voici : cela était très bon. Il
y eut un soir, il y eut un matin : sixième jour.

Ainsi furent achevés le ciel et la terre, et tout leur déploiement[7].
70 Le septième jour, Dieu avait achevé l'œuvre qu'il avait faite. Il se
reposa, le septième jour, de toute l'œuvre qu'il avait faite.

Et Dieu bénit le septième
jour : il le sanctifia[8] puisque,
ce jour-là, il se reposa de
75 toute l'œuvre de création
qu'il avait faite.

Genèse, 1 et 2,
d'après la traduction
de Louis Segond et
de la Bible de Jérusalem.

Si vous avez fini de lire
Relevez trois expressions qui reviennent constamment dans le texte. En quoi sont-elles importantes ?

Comprendre le texte

L'organisation et le peuplement du monde

1 Divisez le texte en sept parties correspondant aux sept jours de la création.
Constituez sept groupes de deux.
Chaque groupe remplit une case du tableau en résumant, en une seule expression, ce que le texte explique pour un des jours de la création.

Premier jour	
Deuxième jour	
Troisième jour	
Quatrième jour	
Cinquième jour	
Sixième jour	
Septième jour	

2 Relevez, dans le passage sur les cinquième et sixième jours, les mots et expressions qui renvoient à la fécondité (relisez la note 6 sur le mot « fécond ») et à la vie. Pourquoi est-ce important au début du monde ?

3 Dans le récit du sixième jour, lisez oralement le passage où Dieu organise le pouvoir des êtres les uns sur les autres.

4 Montrez que ce texte explique la division du temps telle que nous la vivons aujourd'hui.

Une création par la séparation et par la parole

5 Quels éléments sont séparés dans les deuxième et troisième jours ?
En quoi est-ce utile ?

6 Pourquoi peut-on dire que le monde est créé par la parole ?

7 Dans le récit du sixième jour, relevez le passage où Dieu s'adresse à une créature. Résumez ce qu'il lui dit.

8 Quel est le rôle des humains dans cette conception du monde ?

Bilan

9 Quel pouvoir est donné à la parole dans ce récit ? Quel jugement le créateur porte-t-il sur sa création ?

Activités

LANGUE — IV.1

« Que la lumière soit, et la lumière fut. »
Exprimez trois souhaits en reprenant la formule :
« Que + sujet + verbe, et + sujet + verbe ».

➔ **Les types de phrases** p. 232

ORAL — Lire un texte à deux voix — II.2

Formez des groupes de deux. Préparez une lecture orale d'une partie du texte que vous choisirez. Vous vous répartirez le texte. Mettez en valeur les répétitions et travaillez à montrer par votre lecture la force de la parole.

ORAL — Réflexion orale — I.8

a) Après avoir lu la rubrique « À retenir », citez deux passages du texte qui montrent que la Genèse appartient à une tradition monothéiste.

b) Observez les deux représentations médiévales correspondant au début de la Genèse.
– Identifiez les différents jours sur chacune d'elles.
– Dites comment chaque représentation montre la succession des six étapes.
– Qu'est-ce qui est au centre de la deuxième image ? Qu'a voulu montrer le peintre ?
– Que montreriez-vous si vous deviez illustrer cet épisode de la Bible ?

à retenir

Une **religion monothéiste** (du grec *monos*, « un », et *theos*, « dieu ») ne reconnaît qu'un seul Dieu. Ce Dieu unique est absolument différent des créatures et existe avant toute création.
Le judaïsme, le christianisme et l'islam sont trois religions monothéistes.
Dans les **religions polythéistes** (du grec *poly*, « plusieurs », et *theos*, « dieu »), on honore plusieurs dieux et déesses. L'hindouisme est une religion polythéiste.

Partie 1
Des récits pour expliquer
la création du monde

GROUPEMENT
DE TEXTES

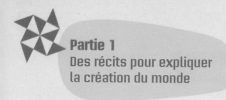

2 La mise en ordre du monde

L'engendrement des dieux dans la mythologie grecque

Au début était le Chaos. Nul ne sait à quoi il ressemblait exactement : une masse sans forme ou un espace vide. Puis il y eut Gaïa, la Terre, mère de tous les vivants, Éros, le désir amoureux, ainsi que le Jour et la Nuit. Gaïa la Terre enfanta[1] seule les nymphes, des déesses
5 qui peuplent la nature, et Ouranos, le Ciel.

Par le pouvoir d'Éros, Ouranos et Gaïa s'unirent et eurent de nombreux enfants. Parmi eux se trouvaient les Titans et les Cyclopes, qui n'ont qu'un œil au milieu du front. Ouranos n'aimait pas ces terribles enfants et les cachait loin de la lumière du jour
10 dans les flancs[2] de la Terre. Celle-ci gémissait de voir sa progéniture[3] emprisonnée et méditait une vengeance. Elle persuada son fils Cronos, le plus jeune des Titans, de l'aider à accomplir son projet. Elle lui donna comme arme une serpe[4] qu'elle avait fabriquée. Cronos attendit qu'Ouranos vienne se coucher sur Gaïa pour atta-
15 quer son père. Il lui coupa le sexe et le jeta au loin dans la mer. De l'écume des vagues naquit alors Aphrodite, la plus belle des déesses. Après cela Ouranos ne put féconder Gaïa et s'éloigna d'elle.

Cronos régna et prit pour épouse une de ses sœurs : Rhéa. Il savait que, comme son père, il serait détrôné par un de ses enfants,
20 c'est pourquoi dès que l'un d'eux naissait, il l'avalait. Il mangea ainsi Hestia, Déméter et Héra, trois filles, et deux garçons : Hadès et Poséidon. Rhéa, enceinte à nouveau, était terrifiée à l'idée de voir dévorer son enfant. Dès sa naissance, elle cacha le nourrisson dans une grotte et donna à Cronos une pierre enveloppée de langes qu'il
25 avala en croyant manger son dernier fils, Zeus. L'enfant divin fut élevé par des nymphes et devint un jeune dieu plein de force et de beauté. Lorsqu'il se sentit assez puissant pour affronter son père, Zeus se présenta devant Cronos et le força à recracher les enfants qu'il avait avalés. Les frères et sœurs de Zeus, qui lui devaient leur
30 salut, décidèrent qu'il serait leur chef.

Zeus dut ensuite entreprendre une longue guerre pour affirmer son pouvoir car les Titans, ses oncles, refusaient de le reconnaître pour roi. Avec l'aide de ses frères et sœurs, il vainquit les Titans et put enfin régner. Il distribua alors les pouvoirs sur le monde entre
35 les dieux et les déesses de sa génération. Ses deux frères et lui se partagèrent l'espace. Hadès régnerait désormais sur le monde souterrain des Morts : les Enfers ; Poséidon serait le maître des mers et de la surface de la terre, alors que Zeus aurait pour domaine le ciel. Héra, l'épouse de Zeus serait la déesse du mariage, Hestia, celle du
40 foyer et Déméter la déesse des moissons. Aphrodite, née de l'écume de la mer, aurait l'amour pour domaine.

E. Wolf, d'après les auteurs antiques.

1. **Enfanta** : mit au monde.
2. **Flancs** : ici, le ventre.
3. **Progéniture** : ses enfants.
4. **Serpe** : outil à lame courbe.

*Cronos sur un char
tiré par 2 dragons,
chromolithographie, 1914.*

 **Comprendre le texte**

1. Comment qualifieriez-vous ce mythe grec ? Choisissez un ou plusieurs des adjectifs suivants et justifiez votre choix en mentionnant des épisodes du récit : logique, monstrueux, immoral, étrange, choquant, fascinant ou tout autre adjectif de votre choix.

2. Quels sentiments Ouranos éprouve-t-il envers ses enfants ? Et Cronos ? Que font-ils de leurs progénitures respectives ?

3. Comment se passe la succession d'une génération de dieux à l'autre ? Pourquoi, selon vous ?

4. Quels sont les domaines répartis entre les déesses ? De quoi chacune s'occupe-t-elle ?

 **Activités**

LANGUE **IV.2**

Transposez la phrase : « Il savait que, comme son père, il serait détrôné par un de ses enfants, c'est pourquoi dès que l'un d'eux naissait, il l'avalait. » Vous commencerez par : « Il sait que… »

ORAL Réflexion orale **II.2**

Expliquez quels comportements de Cronos et de Zeus peuvent être condamnés. Sont-ils des exemples pour les humains ? Quelle image des dieux ce texte donne-t-il ?

Partie 1
Des récits pour expliquer
la création du monde

GROUPEMENT
DE TEXTES

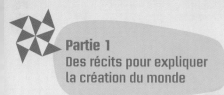

3 **Le modelage du cosmos**

La création de la terre et du ciel chez les Vikings

> Dans les croyances des anciens habitants de l'Europe du Nord,
> les géants de glace sont les premiers êtres. L'un d'eux a un fils,
> Bor, qui est le père du dieu Odin et de ses deux frères, Vili
> et Vé. Odin est la divinité principale de cette religion disparue.
> Maître des créatures, il est un dieu guerrier redouté à cause
> de ses colères. Mais il est également très savant : il connaît tout
> du monde et a inventé la poésie.

1. **Farouche :** féroce.
2. **Intarissables :** impossibles à
arrêter.
3. **Endiguer :** contenir.
4. **Dépouille :** cadavre.
5. **Terre glaise :** argile, terre
utilisée par les potiers.
6. **Macabre :** liée à la mort.
7. **Canevas :** plan.
8. **Nivelant :** aplatissant.
9. **Dôme céleste :** ciel.

    Odin et ses deux frères se querellèrent avec le vieux géant Ymir et,
au terme d'un combat farouche[1], le tuèrent. Lorsque celui-ci s'effon-
dra, percé de part en part, des flots de sang intarissables[2] s'écoulèrent
de son corps, noyant bientôt toute sa famille de géants, à l'exception
5 du plus jeune, Bergelmir, et de la femme de ce dernier. Bergelmir
réussit à endiguer[3] la fureur des flots de sang, et tirant son épouse
par les cheveux, parvint à se hisser sur une gigantesque pierre plate,
où l'un et l'autre reprirent bientôt haleine. C'est ainsi que survécurent
la race des géants de glace et celle des ogres des collines.

10   Odin, Vili et Vé traînèrent la dépouille[4] d'Ymir, qui continuait de
perdre son sang, au milieu de Ginnungagap. Il y avait tant de blessures sur le corps d'Ymir que le sang qui s'en échappait forma un
océan. Toutes les mers, les lacs, les fleuves, les cascades, les étangs
et les torrents sont nés du sang du vieil Ymir.

15   Les fils de Bor s'en prirent alors au corps du vieil Ymir. Ils [...]
pétrirent le monstrueux cadavre [...], comme s'il ne s'était agi que
de terre glaise[5]. Quand ils eurent terminé leur macabre[6] besogne,
ils avaient dressé le plan, véritable canevas[7] de la terre, roulant les
collines, nivelant[8] les plaines, formant le lit des rivières, creusant les
20 lacs et le fond des mers. Ils versèrent ensuite le sang d'Ymir dans
tous les creux, si bien que la terre ferme fut entièrement entou-
rée d'océans et parcourue de fleuves qui se jetaient dans la mer. Ils
hachèrent ses os en menus morceaux pour en faire les rochers à pic
des montagnes. [...] Ils utilisèrent les cheveux d'Ymir pour faire les
25 arbres et les buissons. Du sol fait de sa chair surgit spontanément,
tels des champignons, la race des nains. Les fils de Bor avaient ainsi
créé la terre, les plages et la mer, mais il n'y avait pas encore de ciel ;
aussi Odin, Vili et Vé réunis soulevèrent le crâne puissant d'Ymir
pour faire un dôme céleste[9]. Mais cela ne suffisait pas, il leur fallait
30 encore trouver le moyen de maintenir celui-ci en place.

*Odin, dieu germanique
de la guerre et de la poésie,
gravure, XIXᵉ siècle.*

10. **Opportun :** favorable.
11. **Lambeaux :** morceaux
(se dit pour les tissus).

Dépourvue de ciel, la terre eut été un lieu obscur et triste, pour ne pas dire sans intérêt ; mais, fort heureusement, une solution s'offrit d'elle-même. Rien n'était plus opportun[10], en effet, que l'apparition des nains. Odin, Vili
35 et Vé ordonnèrent à quatre d'entre eux de se tenir immuablement aux quatre coins du monde et de maintenir indéfiniment le ciel en place. Ils appelèrent ces quatre coins Nord, Sud, Est et Ouest. Un peu plus tard, Odin créa les vents en postant un géant (l'un des fils de Bergelmir), sous
40 l'aspect d'un aigle, aux extrémités de la terre, et lui intima l'ordre de battre des ailes jusqu'à la fin des temps. Les fils de Bor jetèrent dans le courant d'air ainsi créé les lambeaux[11] du cerveau d'Ymir pour en faire des nuages.

Les Plus Belles Légendes des Vikings, 1979.

Si vous avez fini de lire
Relisez les définitions de la rubrique « À retenir »,
p. 129. Relevez deux passages du texte qui montrent
que ce récit se rattache à une tradition polythéiste.

Une idée spectaculaire de la création

1 Citez cinq éléments du monde créé qui correspondent chacun à une partie du corps du géant. Qu'est donc le monde, pour les Vikings ?

2 Trouvez un passage dans lequel les dieux créateurs organisent l'espace. Pourriez-vous dessiner cet épisode ?

3 Si vous deviez représenter cette scène, quelles couleurs utiliseriez-vous ?

4 Citez trois catégories d'êtres surnaturels présents dans le texte.

Une création par la destruction et le travail de la matière

5 Relevez trois verbes dans les lignes 1 à 5 qui expriment des actions de destruction. Quel est l'objet de cette destruction ? Qui en est l'auteur ?

6 Dans les lignes 16-17, recopiez une expression qui montre la création comme le travail d'un potier.

7 Dans les lignes 22 à 24, repérez une expression qui décrit la création comme un travail de cuisinier.

Bilan

8 Lisez la définition du mot « mythe » dans la rubrique « À retenir ». En quoi peut-on dire que le récit viking est un mythe ?

à retenir

Un **mythe** est un récit dans lequel interviennent des dieux ou des personnages ayant une relation étroite avec les divinités. Ces récits donnent des explications sur le monde, son aspect et ses origines. Chaque civilisation humaine a créé ses mythes.

 ## Activités

LANGUE   IV.4

« Intarissables » et « heureusement » sont des mots dérivés. Quel est pour chacun d'eux le radical, le préfixe (éventuellement) et le suffixe ?

➜ **La formation des mots** p. 282

ÉCRITURE   Écrire un récit de création   III.2

Odin décide de créer les humains. Racontez cet épisode.

● *Avant d'écrire*

– Pourquoi Odin décide-t-il de créer les humains ? Les autres êtres surnaturels présents dans le texte interviennent-ils ?
– Quelle matière utilise-t-il ?
– Odin détruit-il pour créer ?
– Utilise-t-il la parole ?
– Est-il content de sa création ?

● *Conseils d'écriture*

– Vous pouvez commencer par : « Depuis longtemps, Odin… » Puis vous écrirez une phrase qui débute par : « Un jour… »
– Pour éviter la répétition du verbe « être » dans la description des humains, vous pouvez employer : avoir (des particularités), posséder (des capacités), pouvoir ou savoir (faire telle ou telle chose), ressembler à, mesurer, se montrer.
– **Les verbes** : imaginer, concevoir, fabriquer, créer, modeler, construire et animer peuvent être utiles.

● *Quand vous avez fini, relisez-vous.*

– Vérifiez que tous les éléments qui caractérisent les humains sont bien présents (particularités physiques, existence d'hommes et de femmes, parole).
– Vérifiez que le verbe « être » n'est pas constamment employé.

Si vous avez fini d'écrire
Imaginez et dessinez une illustration pour un des moments de la création du monde par Odin.

Partie 1
Des récits pour expliquer
la création du monde

GROUPEMENT
DE TEXTES

④ La création de la conscience
et des légendes

L'origine de la vie en société chez les Iroquois

> **Trois Braves**[1] **vivent dans une région déserte et triste de
> la Terre. Le plus âgé d'entre eux, Ka-na-ga, les engage à partir
> vivre ailleurs, là où il y a d'autres humains. Un aigle, père
> des orages, les emmène sur son dos vers le pays où résident
> ces autres hommes.**

1. **Braves :** courageux et sages.
2. **Bourrasques :** orages.
3. **Dépités :** déçus.

*Massue de guerre
iroquoise, gravure
colorisée d'après
une photographie,
XIXe siècle.*

L'aigle s'éleva dans les airs et, plus rapidement qu'une flèche, fila
vers l'ouest.

Un vent glacial sifflait aux oreilles des trois Braves. Tout ce que
l'oiseau survolait se changeait aussitôt en glace, car l'aigle était en
5 réalité le père de toutes les bourrasques[2].

Le voyage dura plus de siècles qu'il n'y a de doigts sur deux
mains. Lorsque la lune et le soleil ne furent plus que de petites
boules, pas plus grosses que les yeux de la taupe, une grande étendue verdoyante apparut sous la poitrine de l'oiseau. C'était un en-
10 droit magnifique. Il y avait des arbres, des rivières et du gibier en
abondance. Il y avait aussi des hommes ! Mais au lieu de s'abriter
du soleil sous les arbres, de se baigner dans les rivières et de chasser
pour manger, ils se disputaient, se battaient et s'entretuaient.

– Je vous l'avais bien dit ! remarqua l'aigle. Rien n'est plus risqué
15 que de côtoyer ces hommes.

Les Braves furent dépités[3] de voir un si bel endroit aussi peu
apprécié par des êtres qui n'en avaient pas conscience. L'oiseau battit des ailes afin de freiner son élan et se posa sur le sommet d'une
montagne. Instantanément, il neigea et le pic se couvrit de glace.
20 L'aigle dit en riant :

– Cette montagne aura maintenant ses neiges éternelles. Elle est
d'ailleurs bien plus belle avec des cheveux blancs.

Les Indiens furent de cet avis.

Ka-na-ga repéra une belette blottie au fond de son trou.
25 – Holà, sœur belette ! Pourquoi te caches-tu ainsi ? Aurais-tu
peur de nous ?

– C'est vrai, j'ai peur, admit la belette. Les hommes sont si mauvais que je dois vivre continuellement au fond d'un terrier.

Les trois Braves caressèrent le petit animal pour lui montrer
30 leurs bonnes intentions et l'apprivoiser. Lorsque la belette fut totalement rassurée, Ka-na-ga l'interrogea :

– Toi, belette, qui passes ton temps à observer les hommes de
ton trou, dis-nous pourquoi ils sont aussi méchants.

4. **Vivre en communauté :**
vivre ensemble.
5. **Cette puissante médecine :**
cet objet aux pouvoirs
magiques.

Iroquois, lithographie
colorisée, 1844.

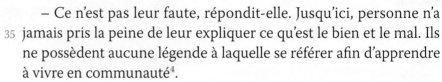

— Ce n'est pas leur faute, répondit-elle. Jusqu'ici, personne n'a
35 jamais pris la peine de leur expliquer ce qu'est le bien et le mal. Ils
ne possèdent aucune légende à laquelle se référer afin d'apprendre
à vivre en communauté[4].

— Eh bien, je vais inventer des légendes pour ces hommes ! dé-
créta Ka-na-ga.

40 Il saisit un rayon de soleil, en fit un cercle et le suspendit à son
cou à l'aide d'un lacet de cuir.

Enfin, il dit :

— Maintenant, tout ce qui aura la forme d'un cercle sera magique
et sacré. Il me suffira de toucher du doigt cette puissante médecine[5]
45 qui pend sur ma poitrine pour que je prenne n'importe quelle apparence et que je puisse me transporter en n'importe quel endroit. J'en
aurai besoin, car il me faudra parcourir bien du chemin et changer
de corps très souvent.

Puis il se tourna vers le petit :

50 — Toi, tu te peindras en rouge, tu seras un bon génie.

Et vers le moyen :

— Toi, tu te peindras en noir, tu seras un mauvais génie. Chacun
de vous deux exercera ses pouvoirs, car je crois qu'il faut laisser aux
hommes la liberté de choisir entre le mal et le bien. Cette faculté
55 s'appellera la « conscience » !

Et Ka-na-ga toucha de son cercle de lumière le bec de l'oiseau :

— Toi, l'aigle, tu survoleras constamment cette terre et ensei-
gneras aux hommes de sages règles de conduite. Tu seras l'image
vivante du Grand-Esprit !

60 Chacun partit dans une direction différente. Et c'est ainsi que
Ka-na-ga parcourut le monde en inventant les légendes dont les
êtres humains avaient besoin.

Ka-Be-Mub-Be, William Camus, « Le pays des hommes »,
in *Mille ans de contes. Indiens d'Amérique du Nord*, 2008.

*Si vous avez fini
de lire*
Ce récit explique un
phénomène naturel.
Dites lequel.

Comprendre le texte

Les humains, seuls êtres imparfaits

1. Quel est l'aspect de la nature dans le pays où arrivent les Braves ?

2. Quelles capacités l'aigle et la belette ont-ils ? Sont-ils plus sages ou moins sages que les humains ?

3. Recopiez la phrase dans laquelle la belette explique pourquoi les hommes sont méchants. Sont-ils responsables ?

4. Quelle source de savoir et quelles notions leur manquent ? Quelle image des hommes est ainsi donnée ?

La création de la conscience et des légendes

5. Quel rôle Ka-na-ga donne-t-il à ses deux compagnons de voyage ? Que crée-t-il ainsi chez les hommes ?

6. Quel sera le rôle de l'aigle ?

7. Dites quelle action magique accomplit Ka-na-ga. Quel pouvoir se donne-t-il ainsi ? Quel type de personnage devient-il à la fin du récit ?

8. Lisez le « À retenir » et dites pourquoi ce texte est un mythe.

Bilan

9. Quels sont les comportements vis-à-vis de la nature et des autres hommes qui caractérisent les êtres humains pour les Indiens iroquois ?

Écoute

Quelles sont, selon vous, les paroles les plus importantes prononcées par Ka-na-ga ?

à retenir

Les **mythes** définissent, dans une société, ce que celle-ci a de plus important : ses valeurs. Ces dernières peuvent concerner la connaissance du bien et du mal, le comportement envers les humains et la nature.

 **Activités**

LANGUE IV.2

Aux lignes 57 à 59 (« Toi l'aigle... Esprit »), relevez les verbes au futur et remplacez-les par des impératifs. Quelle est ici la valeur du futur ?

→ **L'impératif** p. 256
→ **Le futur** p. 258

ORAL Réflexion orale I.7

Débattez autour du sujet suivant : quelle est, selon vous, l'utilité des contes, mythes, légendes et fables ?

ÉCRITURE Écrire la suite d'un texte III.1

Ka-na-ga a parcouru le monde et raconté des légendes aux humains pour leur enseigner la manière dont ils doivent vivre. Il revient voir la belette pour lui demander si les hommes se comportent mieux. Que lui répond-elle ?
– Les hommes ont-ils compris ce qu'est le bien et le mal ?
– Sont-ils capables de belles et bonnes actions ?
– Ont-ils découvert l'intérêt des légendes ?
– Pratiquent-ils le bien ? Ont-ils cessé de s'entretuer ? Se comportent-ils bien envers la nature et les animaux ?

 Activité interdisciplinaire

Ce que sait la science sur l'origine du monde
Mathématiques – Français

Regardez 15 minutes du documentaire d'Arte : *Le Big Bang, mes ancêtres et moi.*

Votre professeur vous distribuera la fiche 6 pour guider votre travail.

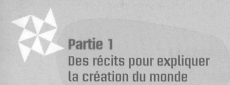

Partie 1
Des récits pour expliquer
la création du monde

Écrire un récit de création

Vocabulaire de la création

1 Des mots pour décrire l'état du monde d'avant la création

a. Reliez chaque nom de la liste de gauche à un adjectif de la liste de droite (plusieurs solutions sont parfois possibles).

Espace   Infini
Gouffre   Informe
Matière   Vide

b. Cherchez le sens du mot « néant » dans un dictionnaire numérique ou papier. Pouvez-vous utiliser ce mot pour nommer l'état d'avant la création du monde ?

Orthographe

• Recopiez et apprenez l'orthographe des mots : chaos, gouffre, néant.

• Le mot « informe » appartient à la famille du mot « forme » comme : former, déformer, difforme, formellement, uniforme. Cherchez dans le dictionnaire les mots dont vous ignorez le sens. Recopiez ces mots puis apprenez leur orthographe.

2 Des verbes pour décrire l'acte de création

Classez les verbes suivants en deux catégories : ceux qui expriment une action matérielle et ceux qui désignent une action de la pensée.
Attention : certains verbes peuvent être employés pour les deux types d'action.

fabriquer • créer • concevoir • dessiner • modeler •
former • produire • composer • forger • sculpter

3 L'emploi dans des phrases de verbes qui désignent l'acte de création

Complétez les phrases à l'aide des verbes suivants :

pétrir • concevoir (au passé simple : conçut/conçurent)
• dessiner • inventer • imaginer • forger (au passé
simple : forgea/forgèrent) • sculpter

1. Les dieux sculpteurs prirent un peu d'argile, et ils … le premier homme et la première femme.

2. Un dieu chauffa et frappa le fer jusqu'à le ramollir et … une figurine étrange. Il l'… en actionnant le soufflet devant l'ouverture du visage qu'il appela la bouche.

3. Les dieux, trouvant fatigant le travail de la terre, ils … une créature pour le faire à leur place : l'être humain.

4. Ce fut le dieu boulanger qui reçut l'ordre d'… une créature nouvelle. Il … de la pâte à pain et lui donna une forme pareille à la sienne.

5. Finalement, ce fut un dieu artiste qui dut … les nouvelles créatures. Il prit un bâton et … sur le sable les contours du nouvel être.

Orthographe

Mettez au féminin le mot « dieu » dans toutes les phrases et faites les modifications nécessaires dans le reste de la phrase.

4 Des verbes pour mettre de l'ordre dans le monde

Complétez le texte avec des verbes de la liste.

séparer • attribuer • donner • faire de • interdire •
appeler • expliquer

La grande déesse … « mer » l'eau salée et … aux fleuves qu'ils devaient couler vers la mer. Elle … le soleil de la lune car elle avait les yeux fatigués par un excès de lumière. Mais elle savait que le soleil et la lune s'aimaient et elle dut donc leur … de se rencontrer. Pour consoler la lune, elle lui … le pouvoir d'influencer les marées et lui … les étoiles pour amies et compagnes. Quant au soleil, elle … de lui un dieu dans de nombreuses religions.

5 Des verbes pour exprimer l'apparition d'un élément de la nature

Employez dans des phrases les verbes suivants :
émerger • surgir • apparaître • prendre forme • prendre
vie • s'animer • naître

6 Des mots pour décrire les quatre éléments

a. Répartissez les mots de la liste en quatre catégories suivant l'élément de la nature auquel on peut les rattacher (terre, eau, air, feu). Certains peuvent être rattachés à deux éléments.

3

Des outils pour rédiger

liquide • brûler • volcan • s'écouler • nuée • ardent • solide • souffle • flamme • rocher • argile • nuage • ciel • couler • flot • houle • montagne • rivière • vent • sableux • minéral • rugueux • embrasé • soleil • colline • boue

b. Faites quatre phrases : chacune d'elles sera consacrée à l'un des quatre éléments. Vous y emploierez le plus de mots possible de la liste. Vous pouvez ajouter des mots de votre choix.

7 **Employer les tournures de l'ordre et de la parole créatrice**

Transformez les phrases pour en faire des ordres.

Exemple :
• Vous, les plantes, vous repousserez au printemps.
= Vous, les plantes, repoussez au printemps.
• Le soleil éclaire la Terre. = Que le soleil éclaire la Terre.

1. Les vents soufflent sur les nuages.
2. L'eau des fleuves coule vers la mer.
3. Les fruits mûrissent en été.
4. Vous, les nuages, vous filerez dans le ciel.
5. Vous, les pluies, vous tomberez pour faire pousser l'herbe.

Grammaire
pour écrire un récit de création

8 **Des expressions de temps pour relier deux actions entre elles**

Complétez le texte en utilisant les mots suivants :
bientôt • lorsque • dès que • alors

… le créateur eut modelé la surface de la Terre, il la regarda et la trouva terne. … il demanda à la pluie de tomber, puis au soleil de briller. … la pluie et la chaleur eurent amolli la terre, les premières plantes se mirent à pousser. … les herbes et les fleurs donnèrent beauté et parfum au monde, et le créateur s'en réjouit.

➔ **Les classes de mots** p. 234

9 **Des expressions de temps pour marquer les étapes de la création**

Complétez le texte en utilisant les mots suivants :
puis • un jour • au commencement • enfin

… du monde, il n'y avait rien d'autre qu'un immense œuf, flottant dans le vide infini. … cet œuf se fendilla et le jaune tout rond sortit et s'éleva dans le ciel. Le soleil était né. … le blanc coula et la mer fut créée. … la coquille et ses débris formèrent la terre et les rochers.

➔ **Les compléments de phrase** p. 250

✎ Vers l'écriture en groupe d'un récit de création

Le Douanier Rousseau,
Paysage exotique, 1908.

Écrivez un récit de création en groupe. III.5

Étape 1
– Une équipe de deux élèves imagine et décrit en un paragraphe l'état du monde avant la création.
– Une autre équipe de deux élèves imagine quel(s) animal(aux) ou quel(s) objet(s) est/sont à l'origine de la création.

Étape 2
Les deux équipes confrontent et harmonisent leurs écrits puis les quatre élèves imaginent par quels moyens va se faire la création.

Étape 3
– Une équipe de deux élèves rédige un récit qui raconte la création de la nature : terre, ciel, astres, relief de la Terre, plantes.
– L'autre équipe rédige un récit qui raconte la création des animaux.
Vous échangerez les textes et harmoniserez les récits pour que l'ensemble soit logique.

 Votre professeur vous distribuera la fiche 3 pour guider votre travail.

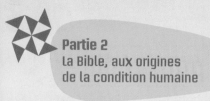

Partie 2
La Bible, aux origines
de la condition humaine

GROUPEMENT
DE TEXTES

1 Pourquoi la vie humaine est-elle difficile ?

Adam et Ève chassés du paradis

> Dieu place Adam et Ève dans le jardin d'Éden, où ils vivent heureux et règnent sur la nature et les animaux. Ils n'ont pas le droit de manger les fruits de l'arbre qui pousse au milieu du jardin.

Le serpent était le plus rusé de tous les animaux des champs que le Seigneur Dieu avait faits. Il dit à la femme : « Alors, Dieu vous a vraiment dit : "Vous ne mangerez d'aucun arbre du jardin" ? »

La femme répondit au serpent : « Nous mangeons les fruits des
5　arbres du jardin.

Mais, pour le fruit de l'arbre qui est au milieu du jardin, Dieu a dit : "Vous n'en mangerez pas, vous n'y toucherez pas, sinon vous mourrez." »

Le serpent dit à la femme : « Pas du tout ! Vous ne mourrez pas !
10　Mais Dieu sait que, le jour où vous en mangerez, vos yeux s'ouvriront, et vous serez comme des dieux, connaissant le bien et le mal. »

La femme s'aperçut que le fruit de l'arbre devait être savoureux, qu'il était agréable à regarder et qu'il était désirable, cet arbre, puisqu'il donnait l'intelligence. Elle prit de son fruit, et en mangea.
15　Elle en donna aussi à son mari, et il en mangea.

Alors leurs yeux à tous deux s'ouvrirent et ils se rendirent compte qu'ils étaient nus. Ils attachèrent les unes aux autres des feuilles de figuier, et ils s'en firent des pagnes[1].

Ils entendirent la voix du Seigneur Dieu qui se promenait dans
20　le jardin à la brise du jour. L'homme et sa femme allèrent se cacher aux regards du Seigneur Dieu parmi les arbres du jardin.

Le Seigneur Dieu appela l'homme et lui dit : « Où es-tu donc ? »

Il répondit : « J'ai entendu ta voix dans le jardin, j'ai pris peur parce que je suis nu, et je me suis caché. »

25　Le Seigneur reprit : « Qui donc t'a dit que tu étais nu ? Aurais-tu mangé de l'arbre dont je t'avais interdit de manger ? »

L'homme répondit : « La femme que tu m'as donnée, c'est elle qui m'a donné du fruit de l'arbre, et j'en ai mangé. »

Le Seigneur Dieu dit à la femme : « Qu'as-tu fait là ? » La femme
30　répondit : « Le serpent m'a trompée, et j'ai mangé. »

Alors le Seigneur Dieu dit au serpent : « Parce que tu as fait cela, tu seras maudit parmi tous les animaux et toutes les bêtes des champs. Tu ramperas sur le ventre et tu mangeras de la poussière tous les jours de ta vie.

35　Je mettrai une hostilité[2] entre toi et la femme, entre ta descendance et sa descendance : celle-ci te meurtrira[3] la tête, et toi, tu lui meurtriras le talon. »

1. **Pagnes :** jupes.
2. **Hostilité :** rejet, méfiance.
3. **Meurtrira :** abimera.

4. **Enfanteras** : donneras naissance à.

Le Seigneur Dieu dit ensuite à la femme : « Je multiplierai la peine de tes grossesses ; c'est dans la peine que tu enfanteras[4] des
40 fils. Ton désir te portera vers ton mari, et celui-ci dominera sur toi. »

Il dit enfin à l'homme : « Parce que tu as écouté la voix de ta femme, et que tu as mangé le fruit de l'arbre que je t'avais interdit de manger : maudit soit le sol à cause de toi ! C'est dans la peine que tu en tireras ta nourriture, tous les jours de ta vie.

45 De lui-même, il te donnera épines et chardons, mais tu auras ta nourriture en cultivant les champs.

C'est à la sueur de ton visage que tu gagneras ton pain, jusqu'à ce que tu retournes à la terre dont tu proviens ; car tu es poussière, et à la poussière tu retourneras. »

50 L'homme appela sa femme Ève (c'est-à-dire : la vivante), parce qu'elle fut la mère de tous les vivants.

Le Seigneur Dieu fit à l'homme et à sa femme des tuniques de peau et les en revêtit.

Puis le Seigneur Dieu déclara : « Voilà que l'homme est devenu
55 comme l'un de nous par la connaissance du bien et du mal ! Maintenant, ne permettons pas qu'il avance la main, qu'il cueille aussi le fruit de l'arbre de vie, qu'il en mange et vive éternellement ! »

Alors le Seigneur Dieu le renvoya du jardin d'Éden, pour qu'il travaille la terre d'où il avait été tiré.

La Bible, Genèse, d'après la traduction de Louis Segond et de la Bible de Jérusalem.

Lucas Cranach l'Ancien, *Le Jardin d'Éden*, 1536. Kunsthistorisches Museum, Vienne.

Comprendre le texte

La perte de l'innocence

1 Dites pourquoi Dieu interdit à Adam et Ève de manger le fruit de l'arbre qui est au milieu du jardin. Relisez les lignes 7-8 et 25-26.

2 Relevez la phrase dans laquelle le serpent tente Ève. Quel argument utilise-t-il ?

3 Pour quelles raisons Ève se laisse-t-elle tenter ? Que se passe-t-il alors ?

4 À quelle réaction d'Adam et Ève Dieu comprend-il qu'ils ont perdu leur innocence ?

Le châtiment

5 Quelles sont, pour la femme, les deux conséquences de sa désobéissance ? En quoi le récit vient-il expliquer deux éléments du rôle traditionnel de la femme ?

6 Quelles sont, pour l'homme seul, les conséquences de la désobéissance (l. 43-44) ? Quelles réalités de la vie le récit explique-t-il ?

7 Quelle est la conséquence de la désobéissance pour le couple ?

8 Qu'arrive-t-il au serpent ? Pourquoi peut-on dire que le récit fonctionne ici comme un récit explicatif ?

Bilan

9 En reprenant vos réponses aux questions 5 et 6, montrez en quoi ce récit explique l'origine de plusieurs aspects de la condition humaine.

 Écoute

La conteuse change-t-elle de voix en changeant de personnage ? Donnez deux exemples.

 **Activités**

LANGUE **IV.1**

Recopiez la phrase commençant par « Ils entendirent... » (l. 19-20). Relevez les GN compléments et donnez leur fonction.

→ **Les compléments d'objet** p. 248

→ **Les compléments de phrase** p. 250

ÉCRITURE   Décrire un lieu merveilleux   **III.1**

Écrivez un paragraphe pour décrire le jardin d'Éden.

● *Avant d'écrire*

Observez le tableau de Lucas Cranach l'Ancien.
a) Quels sont les différents moments du récit représentés ?
b) Quelle est l'attitude des animaux ? Sont-ils confiants, doux ou, au contraire, craintifs ?
c) À quelle saison la nature est-elle figurée ?
d) Quels éléments pouvez-vous reprendre dans votre description ? Quels éléments pourriez-vous ajouter ?

● *Conseils d'écriture*

– Enrichissez votre vocabulaire :
Voici des adjectifs qualificatifs et des verbes que vous pouvez associer à des éléments figurant sur l'image.
● Les arbres : élevés, verdoyants... se déployer, ombrager, abriter...
● Un cheval : blanc, beau... galoper, paître...
● Les oiseaux : multicolores, chanteurs... pépier, chanter, s'envoler...
● Les fruits : brillants, mûrs, appétissants, rouges... tomber, pousser...
● Les cerfs : doux, tranquilles... brouter, gambader...

● *Quand vous avez fini, relisez-vous.*

Vérifiez si votre texte permet de se faire une image complète et belle du lieu décrit.

Si vous avez fini d'écrire
Choisissez un détail du tableau qui vous plait et dessinez-le.

Peindre un mythe
Le peintre hollandais Pieter Bruegel l'Ancien a représenté cette tour impressionnante vers 1568.

1. Écoutez la conteuse lire l'histoire de la Tour de Babel, extraite du récit de la Genèse. Qu'explique ce récit sur les peuples et sur les langues ?

2. Lisez la légende du tableau. Précisez la taille de l'œuvre, le support et la technique employés.

3. Quels éléments sont destinés à montrer la hauteur de la tour ?
   – Quelle partie de la surface du tableau le ciel occupe-t-il ?
   – Quelle partie de la surface de l'œuvre la tour occupe-t-elle ?
   Dites comment le peintre a procédé pour faire de la tour un monument extraordinairement grand.

4. Observez la place et la couleur du nuage, la couleur du sommet de la tour. Les couleurs sont-elles vives ou assombries ? gaies ou sinistres ? Pourquoi Bruegel a-t-il utilisé ces couleurs, selon vous ?

Pieter Bruegel l'Ancien, *La Tour de Babel*, vers 1568.
Huile sur bois de chêne, 94 x 74 cm, musée Boijmans Van Beuningen, Rotterdam (Pays Bas).

Partie 2
La Bible, aux origines
de la condition humaine

GROUPEMENT
DE TEXTES

2 **Punir les hommes**

Le Déluge

> Sur terre, les hommes se montrent injustes et méchants. Dieu décide de les faire disparaître et déclenche pour cela le Déluge. Mais il décide de sauver un homme juste, Noé, ainsi que sa famille et un couple d'animaux de chaque espèce. Il ordonne à Noé de construire une arche (un bateau), pour échapper au déluge.

L'an six cent de la vie de Noé, le deuxième mois, le dix-septième jour du mois, ce jour-là, les réservoirs du grand abîme[1] se fendirent ; les vannes[2] des cieux s'ouvrirent. Et la pluie tomba sur la terre pendant quarante jours et quarante nuits.

5 En ce jour même, Noé entra dans l'arche avec ses fils Sem, Cham et Japhet, avec sa femme et les trois femmes de ses fils.

Y entrèrent aussi tous les animaux selon leur espèce, tous les bestiaux selon leur espèce, tous les reptiles qui rampent sur la terre selon leur espèce, et tous les oiseaux selon leur espèce, tout ce qui 10 vole, tout ce qui a des ailes.

Couple par couple, tous les êtres de chair animés d'un souffle de vie entrèrent dans l'arche avec Noé.

Et ce fut le déluge sur la terre pendant quarante jours. Les eaux grossirent et soulevèrent l'arche qui s'éleva au-dessus de la terre.

15 Les eaux montèrent et grossirent beaucoup sur la terre, et l'arche flottait à la surface des eaux.

Les eaux montèrent encore beaucoup, beaucoup sur la terre ; sous tous les cieux, toutes les hautes montagnes furent recouvertes.

Alors expira[3] tout être de chair, tout ce qui va et vient sur la 20 terre : oiseaux, bestiaux, bêtes sauvages, tout ce qui foisonne[4] sur la terre, et tous les hommes.

Ainsi furent effacés de la surface du sol tous les êtres qui s'y trouvaient, non seulement les hommes mais aussi les bestiaux, les bestioles et les oiseaux du ciel ; ils furent effacés de la terre : il ne 25 resta que Noé et ceux qui étaient avec lui dans l'arche.

Dieu se souvint de Noé, de toutes les bêtes sauvages et de tous les bestiaux qui étaient avec lui dans l'arche ; il fit passer un souffle sur la terre : les eaux se calmèrent.

Les eaux continuèrent à baisser jusqu'au dixième mois ; le pre-30 mier jour du dixième mois, les sommets des montagnes apparurent.

Au bout de quarante jours, Noé ouvrit la fenêtre de l'arche qu'il avait construite, et il lâcha le corbeau ; celui-ci fit des allers et re-tours, jusqu'à ce que les eaux se soient retirées, laissant la terre à sec.

Noé lâcha aussi la colombe pour voir si les eaux avaient baissé à 35 la surface du sol.

Détail de Noé libérant la colombe blanche. Mosaïque du narthex de la basilique Saint-Marc, Venise, XIIIe siècle.

1. **Abîme :** profondeur.
2. **Vannes :** portes.
3. **Expira :** mourut.
4. **Foisonne :** abonde.

5. **Rameau :** branche portant
des feuilles.
6. **Féconds :** qui donnent
naissance à.

*Si vous avez
fini de lire*
Reportez-vous
à la présentation
et dites pourquoi
Dieu décide de
faire disparaître
les hommes.

La colombe ne trouva pas d'endroit où se poser, et elle revint vers l'arche auprès de lui, parce que les eaux étaient sur toute la surface de la terre ; Noé tendit la main, prit la colombe, et la fit rentrer auprès de lui dans l'arche.

40 Il attendit encore sept jours, et lâcha de nouveau la colombe hors de l'arche.

Vers le soir, la colombe revint, et voici qu'il y avait dans son bec un rameau⁵ d'olivier tout frais ! Noé comprit ainsi que les eaux avaient baissé sur la terre.

45 Il attendit encore sept autres jours et lâcha la colombe, qui, cette fois-ci, ne revint plus vers lui.

Dieu parla à Noé et lui dit : « Sors de l'arche, toi et, avec toi, ta femme, tes fils et les femmes de tes fils.

Tous les animaux qui sont avec toi, tous ces êtres de chair, oi-
50 seaux, bestiaux, reptiles qui rampent sur la terre, fais-les sortir avec toi ; qu'ils foisonnent sur la terre, qu'ils soient féconds⁶ et se multi-plient sur la terre. »

Noé sortit donc avec ses fils, sa femme et les femmes de ses fils.

Tous les animaux, tous les reptiles, tous les oiseaux, tout ce qui
55 va et vient sur la terre, sortirent de l'arche, par familles.

La Bible, Genèse, d'après la traduction de Louis Segond
et de la Bible de Jérusalem.

Arche de Noé, peinture
péruvienne sur textile (1950).
Berlin, collection particulière.

Comprendre le texte

La description impressionnante d'un cataclysme

1 Relevez les verbes et les adverbes qui servent à décrire la montée des eaux. Lesquels sont répétés ? Quel est l'effet produit par cette répétition ?

2 Jusqu'où l'eau monte-t-elle ? Est-ce vraisemblable ou exagéré ? Quel est l'effet produit ?

3 Lisez les deux phrases qui décrivent la mort des êtres vivants (l. 19 à 25). Combien de fois le mot « tout » est-il répété ? Repérez deux autres endroits où le texte utilise le même procédé. Quel est l'effet produit ?

Noé et l'arche

4 Quel âge a Noé ? Pourquoi le récit donne-t-il cet âge ? Rappelez pourquoi Dieu a décidé de sauver Noé.

5 Combien d'êtres humains entrent dans l'arche ? Combien d'animaux ? Pourquoi chaque espèce est-elle en couple ? Montrez que cela permet de deviner l'objectif de Dieu.

6 Quel ordre Dieu donne-t-il à Noé après le Déluge ? Quelle demande est faite concernant les animaux ? En quoi ces paroles divines sont-elles le signe d'une nouvelle alliance entre Dieu et les hommes ?

7 La colombe est-elle un symbole positif ou négatif ? Comment Noé interprète-t-il le fait que la colombe ne revienne pas ?

8 Combien de jours Noé attend-il chaque fois le retour de la colombe ? Faites un rapprochement avec le texte page 126. Relevez les autres indications de temps dans le texte. Pensez-vous qu'elles sont exactes ? Si non, quelle est leur fonction ?

Bilan

9 En reprenant votre réponse à la question 6, dites quelle conception de Dieu apparaît dans ce texte.

 ## Activités

LANGUE   `IV.1`

À la ligne 7, quelle est la fonction du groupe nominal « tous les animaux » ? Où est le verbe ? Imaginez une phrase sur le même modèle.

ÉCRITURE   Décrire un orage   `III.1`

Écrivez un paragraphe pour décrire un orage auquel vous assistez.
Vous décrirez le moment qui précède l'orage, puis son passage et, enfin, le moment qui lui succède. Vous direz ce que vous éprouvez.

● **Avant d'écrire**

Pensez aux sensations que vous éprouvez : analysez ce que vous voyez, entendez, sentez. Vous reprendrez les éléments d'insistance du texte : répétitions de verbes, d'adverbes, d'expressions.
Pensez à préciser vos réactions : vous avez peur, vous êtes inquiet(ète) ou angoissé(e), vous admirez le spectacle...

● **Conseils d'écriture**

Voici des mots pour décrire l'orage.
– **Des noms :** nuage, pluie, grêle, éclair, lumière, inondation...
– **Des verbes :** souffler, flotter, tomber, crépiter, se courber, gronder, assourdir...
– **Des adjectifs :** rouge, livide, bleuâtre, blanc, mouillé...

● **Quand vous avez fini, relisez-vous.**

Avez-vous pensé à décrire avec précision les couleurs, les sons de l'orage, les sensations et les sentiments que vous éprouvez ?

Si vous avez fini d'écrire
Donnez le plus possible de noms d'espèces animales sauvages.

 ## Activité numérique   `II.6`

Abraham, une figure biblique

Allez sur le site de la BNF et cherchez l'exposition sur les figures bibliques.

 Votre professeur vous distribuera la fiche 5 pour guider votre travail.

Partie 2
La Bible, aux origines
de la condition humaine

GROUPEMENT
DE TEXTES

3 La puissance de Noé

Le déluge dans le Coran

Le Coran, livre sacré de l'islam, aurait été transmis par Dieu au prophète Mahomet. Le pronom « nous » du début du texte renvoie donc à Dieu lui-même. Le Coran reprend des personnages et des épisodes de la Bible. Il est divisé en sourates (chapitres).

1. Celui sur qui le jugement a été prononcé : un des fils de Noé est considéré comme infidèle et le jugement de Dieu l'a condamné.

2. Il n'y eut qu'un petit nombre qui aient cru : Noé doit emmener tous les humains fidèles à Dieu (qui ont cru) et ils sont peu nombreux.

3. Miséricordieux : qui pardonne facilement.

4. Incrédules : ceux qui ne croient pas en Dieu.

Nous dîmes à Noé : « Emporte dans ce vaisseau un couple de chaque espèce, ainsi que ta famille, excepté celui sur qui le jugement a été prononcé [1]. Prends aussi tous ceux qui ont cru : et il n'y eut qu'un petit nombre qui aient cru[2]. »

5 Noé leur dit : « Montez dans le vaisseau. Il voguera et s'arrêtera au nom de Dieu. Dieu est indulgent et miséricordieux.[3]

Et le vaisseau voguait avec eux au milieu des flots soulevés comme des montagnes. Noé cria à son fils qui était à l'écart : « Ô mon enfant ! Monte avec nous et ne reste pas avec les incrédules[4]. »

10 « Je me retirerai sur une montagne, dit-il, qui me mettra à l'abri des eaux. Noé lui dit : « Nul ne sera aujourd'hui à l'abri des arrêts de Dieu, excepté celui dont il aura eu pitié. » Les flots les séparèrent, et le fils de Noé fut submergé.

Et il dit : « Ô terre ! absorbe tes eaux. Ô ciel ! arrête ! » et les eaux 15 diminuèrent.

Le Coran, sourate 11, 42-46, traduction Kazimirski, 1999.

⟳ Comprendre le texte

1 Quels moments du Déluge le Coran raconte-t-il ?

2 Quel moment du récit est longuement développé dans la Bible et n'est pas du tout raconté dans le Coran ?

3 Montrez que Noé, dans le texte du Coran, possède un pouvoir important.

Histoire du Déluge et de Noé dans le Coran. **Imagerie populaire, Tunisie, XIXᵉ siècle.**

Histoire des Arts

Le Déluge

L'histoire

Depuis le Moyen Âge, de nombreux artistes ont représenté les épisodes du Déluge et l'histoire de l'arche de Noé, dans des livres religieux ou dans des tableaux. Les livres chrétiens et arabes du Moyen Âge sont souvent illustrés par des « miniatures », c'est-à-dire des peintures colorées qui représentent les épisodes racontés dans le texte. (Docs 1 et 2)

Activité 1

Pour toute la classe

1. En vous reportant aux textes de présentation, dites quelle image vient de la tradition juive ? de la tradition chrétienne ? de la tradition musulmane ?

2. Si vous voulez admirer l'original des œuvres, lesquelles pourrez-vous voir dans une bibliothèque ? laquelle dans un musée ?

3. De quelles époques datent ces œuvres ? De quelles régions du monde viennent-elles ?

Activité 2

Travaillez par groupes de trois. Chaque groupe préparera l'étude d'un des documents puis présentera son travail à la classe.

A. Vous répondrez tous aux questions suivantes pour l'œuvre que vous cherchez à commenter.

1. Quel est le moment du Déluge évoqué ? Les morts sont-ils ou non représentés ?

2. Y a-t-il un seul ou plusieurs plans dans l'image : une recherche de la profondeur ou, au contraire, une représentation sur un seul plan ?

3. Quelles sont les couleurs dominantes ? Comment sont-elles réparties ?

B. Vous interrogerez chaque document de façon particulière.

Document 1 : l'arche de Noé

Cette miniature chrétienne figure dans un livre de saint Augustin qui évoque le Déluge.

1. L'arche : comment est-elle représentée ? Quels personnages, quels animaux l'habitent ?

2. Le paysage : dites ce qui est figuré. Attirez l'attention sur les détails qui vous semblent les plus frappants.

Saint Augustin, *La Cité de Dieu*.
Manuscrit du XVe siècle, BNF.

Document 2 : le prophète Noé et son arche

Cette miniature persane appartient à la civilisation musulmane. On n'en connaît pas l'auteur ; elle date du XVIᵉ siècle.

1 Observez l'organisation générale de l'image. Dites ce que représente le fond.

2 L'arche : expliquez à quoi elle ressemble et ce qu'elle contient.

3 Noé : dites comment il est habillé et tirez-en une conclusion. Donnez une explication à la flamme qui entoure sa tête.

L'Arche de Noé.
Miniature tirée d'un manuscrit du Coran du XVIᵉ siècle.

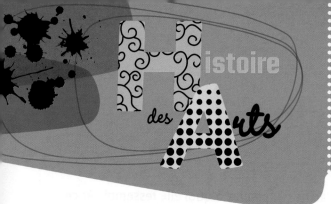

Activité 2 (suite)

Document 3 : l'arche et la colombe

Gustave Doré est un graveur, peintre et sculpteur du XIXe siècle. Il est très connu pour ses illustrations des contes de Perrault et pour celles de l'Ancien Testament.

L'image représentée ici est réalisée à partir d'une gravure sur bois. Elle accompagne d'autres gravures qui illustrent une édition de l'Ancien Testament parue en 1860.

1 Demandez-vous comment est organisée l'image : voit-on des morts ? des vivants ? D'où la scène est-elle vue ?

2 L'arche : interrogez-vous sur sa place dans l'image, sur sa forme et sa taille. Donne-t-elle une idée de faiblesse ou de puissance ? de désespoir ou d'espoir ?...

3 Observez la répartition de l'ombre et de la lumière. Où est le soleil ? Expliquez le sens du contraste entre la colombe et les rochers.

Gustave Doré, *L'Arche et la Colombe*. Bible de l'Ancien Testament, 1860.

Activité 2 (suite)

Document 4 : l'arche

Marc Chagall est un peintre du XXᵉ siècle né en Russie. Il est arrivé en France à 13 ans et y a passé sa vie. Son œuvre est inspirée par la tradition juive. Il a lui aussi représenté des scènes de la Bible.

1 Demandez-vous ce qui est représenté.

2 Sommes-nous hors de l'arche ou dans l'arche ? Que fait Noé ?

3 Où est l'eau ? Commentez les couleurs et les formes.

4 Les personnages humains représentés ont-ils une attitude de peur ou de confiance ? d'amour, de partage ou de solitude ?

C. Pour le retour devant la classe

Vous commencerez par rappeler la nature du document, la technique employée, la date de production, la provenance.

Vous commenterez l'image en reprenant vos réponses aux questions.

Marc Chagall, l'*Arche de Noé*. Huile sur toile, 236 x 264 cm. Musée de Saint-Paul-de-Vence.

Activité 3

Comparaison et conclusion

Faites des rapprochements entre les images : lesquelles recherchent un effet de profondeur ? Lesquelles donnent à voir les noyés ? Lesquelles jouent sur des représentations de la lumière ?...

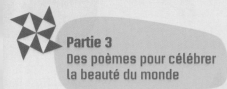

Partie 3
Des poèmes pour célébrer
la beauté du monde

GROUPEMENT
DE TEXTES

1 Saluer le monde

Hymne à la Terre

**Guillaume de Salluste du Bartas (1544-1590) a écrit en vers
un livre appelé *La Semaine, ou Création du monde.***

1. **Damassé, passementé :** orné
de broderies.
2. **Bigarré :** décoré de motifs
variés aux couleurs vives.
3. **Chaste :** sage.
4. **Roi des animaux :** l'être
humain.

    Je te salue, ô Terre, ô Terre porte-grains,
Porte-or, porte-santé, porte-habits, porte-humains,
Porte-fruits, porte-tours, mère, belle, immobile,
Patiente, diverse, odorante, fertile,
5 Vêtue d'un manteau tout damassé[1] de fleurs,
Passementé[1] de flots, bigarré[2] de couleurs.
Je te salue, ô cœur, racine, base ronde,
Pied du grand animal qu'on appelle le Monde,
Chaste[3] épouse du Ciel, solide fondement
10 Des étages divers d'un si grand bâtiment.
Je te salue, ô sœur, mère, nourrice, hôtesse
Du Roi des animaux[4]. Tout, ô grande princesse,
Vit en faveur de toi. […]

Guillaume de Salluste du Bartas,
« La première Semaine », III 851-862,
in *La Semaine, ou Création du monde*, 1578.

Paul Gauguin, *Matamoe*, 1892.
Huile sur toile.

Comprendre le texte

La terre, un beau personnage

1 Citez cinq expressions (dont une du premier vers) dans lesquelles la Terre est présentée comme une personne. S'agit-il d'un personnage masculin ou féminin ? Pourquoi, selon vous ?

2 Quels éléments du texte permettent de comprendre l'appellation de « princesse » (vers 12) pour désigner la Terre ?

Un poème en vers et en images

3 Relevez trois séries de mots qui riment. Les rimes se suivent-elles ou non ?

4 Comptez le nombre de syllabes du vers 6. Tous les vers du poème ont le même nombre de syllabes. Comment la conteuse prononce-t-elle « vêtue » pour que le vers 5 ait le même nombre de syllabes que le vers 6 ?

5 À quoi sont comparées la nature et les plantes dans les vers 5 et 6 ?

Bilan

6 Lisez la rubrique « À retenir » puis dites pourquoi ce poème est un hymne.

à retenir

Un **hymne** est un poème qui célèbre une personne, un évènement, une chose ou un sentiment.

Écoute

Si c'était un chant, quel chanteur pourrait chanter cet hymne ?

 Activités

LANGUE IV.4

Trouvez un synonyme pour chacun des mots du vers 4. À quelle classe grammaticale appartiennent-ils ?

→ **Les classes de mots** p. 234

ÉCRITURE Écrire un poème pour célébrer la neige **III.10**

Écrivez un poème pour célébrer la neige.

• *Avant d'écrire*

a) Cherchez ce que l'on peut dire du contact de la neige, de sa couleur, de sa consistance.

b) Notez ce que l'on voit de la neige : quand elle tombe, quand elle recouvre un toit, un arbre, quand elle fond.

c) Cherchez quels sont les pouvoirs de la neige : transformer, embellir le paysage ; enfermer les humains chez eux ; rendre difficile la vie des animaux.

d) Cherchez ce que l'on peut faire avec de la neige.

e) Cherchez à quel personnage on peut comparer la neige : personnage féminin ou masculin ? réel ou imaginaire ? Quelle apparence aurait ce personnage ?

• *Conseils d'écriture*

Vous pouvez commencer par : « Je te salue » ou un autre verbe de sens voisin.
Vous pouvez également imiter le procédé du début du texte (« porte-grains », « porte-or », etc.) avec un verbe comme « cacher » ou « couvrir » par exemple.

• *Quand vous avez fini, relisez–vous.*

Votre texte fait-il naître des images ?
Vérifiez que vous avez montré plusieurs aspects de la neige.

Si vous avez fini d'écrire
Écrivez un paragraphe qui exprimera les inconvénients de la neige.

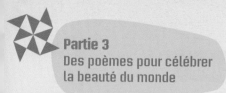

Partie 3
Des poèmes pour célébrer
la beauté du monde

GROUPEMENT
DE TEXTES

2 Invoquer l'astre des nuits

Prière à la nouvelle lune[1]

**Les Bushmen, habitants d'Afrique du Sud, vivent de la chasse
et de la cueillette. Ils sont de moins en moins nombreux
car leur manière de vivre les rend plus fragiles que les autres.
Les Xam étaient des Bushmen mais ils ont totalement disparu.
Il reste de leur culture de très beaux chants et poèmes.**

Lune qui te lèves, qui reviens nouvelle,
prends mon visage, ma vie, avec toi,
rends-moi le jeune visage, le tien,
le visage vivant, qui se lève renouvelé :

5 *Ô lune, donne-moi le visage*
avec lequel tu renais de la mort.

Lune à jamais perdue pour moi,
et jamais perdue car tu reviens ;
sois pour moi ce que tu fus jadis
10 et que je sois à ton image :

Donne-moi le visage, ô lune,
qu'après ta mort tu renouvelles.

Lune, quand tu es nouvelle tu nous dis
que tout ce qui meurt doit renaître ;
15 ton visage qui renaît me dit
que mon visage, s'il meurt, vivra :

Ô lune, donne-moi le visage
que toi, par ta mort, renouvelles.

> *Le Chant des Bushmen /Xam*, XIXᵉ siècle,
> traduit de l'anglais par Madeleine Longuenesse, 2000.

1. Nouvelle lune : aspect de
l'astre quand il recommence à
être visible dans le ciel.

Écoute

Qu'est-ce que ce texte a
d'une prière ? d'un poème ?
d'une chanson ?

à retenir

Dans **une prière**, on s'adresse à une divinité pour
la célébrer et pour lui demander quelque chose.

Le Douanier Rousseau, *La charmeuse de serpents*, 1907. Huile sur toile.

Comprendre le texte

La lune, une divinité

1. Dans la première strophe, citez une expression qui parle de la lune comme d'une personne.

2. Dans les vers 5 et 6, quel pouvoir est attribué à la lune ? Pourquoi, selon vous ?

3. Dans les vers 13 à 16, quel enseignement la lune donne-t-elle aux hommes ?

Le poème, une prière

4. Dans les vers 11 et 12, quelle demande l'homme fait-il à la lune ?

5. Quelle demande lui fait-il dans les vers 17-18 ?

6. Relevez quatre mots très souvent répétés. Quel peut être le rôle d'une répétition dans une prière ?

Bilan

7. Lisez la rubrique « À retenir ». Pourquoi peut-on dire que ce poème est une prière ?

Activités

LANGUE  IV.2

Conjuguez à toutes les personnes du présent les verbes de la première strophe.

➔ **Le présent** p. 254 et 256

ORAL · Faire une lecture à plusieurs voix II.1

Répartissez-vous par groupes de trois.
Chaque membre du groupe prépare la lecture d'une des strophes.
Puis le groupe lit en chœur les ensembles de deux vers en italique.

• *Pour préparer la lecture*

– Repérez bien les passages où le sens peut être difficile à comprendre. Vous les lirez lentement.
– Repérez les signes de ponctuation et prévoyez les pauses nécessaires.
– Faites ressortir les éléments de sens important, des parties de vers ou des mots à mettre en valeur.

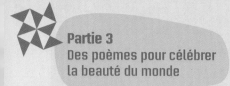

Partie 3
Des poèmes pour célébrer
la beauté du monde

GROUPEMENT
DE TEXTES

3 Visions d'un poète

Oh ! regardez le ciel !

Victor Hugo a publié en 1831, à l'âge de 28 ans, le recueil
Feuilles d'automne, qui mêle l'expression des sentiments
à la célébration de la nature.

Ferdinand Loyen du Puigaudeau,
Coucher de soleil, fin XIXᵉ siècle.
Huile sur toile.

*Si vous avez
fini de lire*
Avez-vous déjà
joué à voir des
formes dans les
nuages, comme le
fait Victor Hugo ?

1. **Flamboie** : brille.
2. **Glaive** : épée.
3. **Nues** : nuages.
4. **Ardents** : rougeoyants.
5. **Vermeils** : rouges.

Oh ! regardez le ciel ! cent nuages mouvants,
Amoncelés là-haut sous le souffle des vents,
      Groupent leurs formes inconnues ;
Sous leurs flots par moments flamboie[1] un pâle éclair,
5 Comme si tout à coup quelque géant de l'air
      Tirait son glaive[2] dans les nues[3]. [...]

Puis voilà qu'on croit voir, dans le ciel balayé,
Pendre un grand crocodile au dos large et rayé,
      Aux trois rangs de dents acérées ;
10 Sous son ventre plombé glisse un rayon du soir ;
Cent nuages ardents[4] luisent sous son flanc noir
      Comme des écailles dorées.

Puis se dresse un palais. Puis l'air tremble, et tout fuit.
L'édifice effrayant des nuages détruit
15   S'écroule en ruines pressées ;
Il jonche au loin le ciel, et ses cônes vermeils[5]
Pendent, la pointe en bas, sur nos têtes, pareils
      À des montagnes renversées. [...]

    Victor Hugo, « Soleils couchants », in *Feuilles d'automne*, 1831.

Écoute

Quelles images vous
restent après avoir écouté
la lecture ?

Comprendre le texte

Un ciel en mouvement

1 Relevez trois expressions qui montrent que le poème décrit un monde en mouvement.

2 Pensez-vous que le poème décrive le ciel du matin ou le ciel du soir ? Des nuages de beau temps ou des nuages d'orage ?

3 Combien de fois le mot « puis » est-il répété ? À quels changements dans le ciel cela correspond-il ?

La vision du poète

4 Quelles formes prennent les nuages poussés par le vent ?

5 Quelle comparaison renvoie à l'univers merveilleux du conte ?

6 Relevez les indications de couleur. À quoi vous font-elles penser ?

7 Quel sentiment du poète exprime le vers 1 ? Par quel type de phrase ?

Bilan

8 Lisez la rubrique « À retenir ».
En quoi ce poème donne-t-il à voir le monde ?
En quoi montre-t-il l'imagination du poète ?

à retenir

Le poète est un **visionnaire**. Il regarde le monde en y découvrant des formes et des images qu'il donne à voir dans ses poèmes. Il peut aussi utiliser la comparaison pour les faire comprendre.

Activités

LANGUE · IV.3

Relevez dans la Ire strophe les déterminants et précisez à quelle catégorie chacun d'eux appartient.

→ **Les noms et les déterminants** p. 236

ÉCRITURE · Décrire la nature en mouvement · III.11

Écrivez un paragraphe pour décrire un spectacle de la nature où celle-ci est en action ou en mouvement. Vous pouvez évoquer, par exemple, un orage, une pluie intense, une chute de neige abondante, le ciel et les nuages vus d'avion.

● *Avant d'écrire*
Choisissez le sujet de votre description.
Dites quels éléments précis vous allez évoquer (éclairs, nuages, flocons de neige...).

● *Conseils d'écriture*
– Cherchez des verbes qui expriment le mouvement. Vous pouvez réutiliser ceux du texte : souffler, trembler, flamboyer, s'écrouler ; et d'autres : remuer, secouer, s'abattre, tomber, frapper, éclater, se fracasser, se former, se métamorphoser, prendre la forme de...
– Cherchez des verbes exprimant les sons : bruire, gronder, vibrer, tonner, murmurer, siffler, souffler...
– Choisissez des adjectifs pour qualifier ce qui est décrit. Certains seront descriptifs : mouvant, pâle, large, rayé, doré (pris dans le poème), immense, haut, profond, creux, gris... D'autres communiqueront des impressions : effrayant, magnifique, beau, terrifiant...
– Choisissez des verbes de perception : voir, entendre, sentir, percevoir, découvrir, remarquer...
– Votre texte commencera par : « Oh ! regardez... »

● *Quand vous avez fini, relisez-vous.*
– Avez-vous fait une place aux sensations sonores ?
– Avez-vous utilisé des phrases exclamatives pour donner de l'intensité au texte ?

Si vous avez fini d'écrire
Dessinez ce que le poète évoque dans une des strophes du texte.

La vision des peintres
Nicolas de Stael et William Turner : deux tableaux en écho au poème de Victor Hugo.

Observez les images.

1. Quel est le sujet commun de ces toiles ?

2. Quand ont-elles été peintes et par qui ?

3. Faites des rapprochements entre les deux tableaux : couleurs dominantes, place des éléments représentés…

4. Une peinture figurative représente les objets de façon reconnaissable. Quel est le tableau le plus figuratif ?

5. Lequel des deux tableaux préférez-vous ? Pourquoi ? Donnez une ou plusieurs raisons pour expliquer votre choix.

Nicolas de Stael, *Le Soleil*, 1952. MuMa Le Havre.

William Turner, *San Benedetto, en regardant vers Fusina*, huile sur toile, 1843. Tate Gallery, Londres.

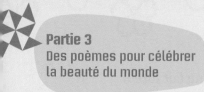

Partie 3
Des poèmes pour célébrer
la beauté du monde

GROUPEMENT
DE TEXTES

4 **Saisir l'instant**

Anthologie de haïkus sur les saisons

Une anthologie est un recueil de textes choisis d'auteurs
différents. Souvent, ces textes sont regroupés autour d'un
thème commun.

Printemps

Pluie de printemps –
un parapluie et un manteau de paille
vont ensemble devisant

Buson

Les fleurs de prunier disparues
comme il est solitaire
le saule !

Buson

Été

Les melons ont si chaud
qu'ils ont roulé
hors de leur cachette feuillue

Kyorai

Était-ce une fleur une baie
ce qui tomba dans l'eau
au cœur du bois d'été ?

Buson

*Fable du Héron, illustrée
par un groupe des
meilleurs artistes de Tokyo,
1894, BNF, Paris.*

Automne

Le vent d'automne fait fureur
mais haut dans le ciel
    les nuages sont immobiles

Rogetsu

Sur la mer obscure
le cri blême
    d'un canard sauvage

Bashô

Hiver

Quand je pense que c'est ma neige
sur mon chapeau
    elle semble légère

Kitaku

Clair de lune d'hiver
l'ombre de la pagode de pierre
    l'ombre du pin

Shiki

Haïkus, sous la direction de Roger Munier, 1962.

écoute

Quelle lecture préférez-vous ?

Yamamoto Baiitsu, *Fleurs de prunus*, paravent, période Edo, 1844. Encre sur papier.

Comprendre le texte

Travail écrit et oral individuel

1. Pour chaque saison, dites lequel des deux poèmes vous préférez.

2. Pour chaque poème choisi, dites quelle image vous reste après la lecture.

3. Proposez un dessin pour donner à voir cette image ou la suggérer.

4. Expliquez oralement aux autres élèves votre choix et l'image qui vous est restée.

Travail oral collectif

5. Combien de vers contient chaque texte ? Combien de phrases ? En comparant deux des poèmes, expliquez leur construction commune.

6. Y a-t-il une ponctuation à l'intérieur des poèmes ? Les vers sont-ils en général longs ou courts ? Sont-ils toujours de la même longueur ?

7. Trouvez un poème à la forme interrogative et un à la forme exclamative.

Bilan

8. Lisez la rubrique « À retenir », puis montrez que ces poèmes sont des haïkus.

à retenir

Un **haïku** est un très court poème japonais de dix-sept syllabes réparties en trois vers, qui évoque un paysage ou un objet pour suggérer un sentiment.

Activités

LANGUE — IV.3

Dans le groupe nominal « le cri blême d'un canard sauvage » (Automne), repérez un adjectif épithète et un GN qui complètent le nom « cri ».
→ **Les fonctions dans le GN** p. 238

ORAL — Réflexion orale — I.7

Par équipes de deux : l'un de vous donne des éléments précis qui lui plaisent dans une saison (objet, phénomène naturel, plante, animal, couleur, son, sensation…). L'autre dit ce qu'il n'aime pas dans la même saison. Chacun des deux expliquera son choix.

ÉCRITURE — Écrire un haïku — III.10

Par équipes de deux : chacun écrit un haïku en reprenant l'un des éléments qu'il a choisis. Il l'écrit pour donner à voir cet élément dans une image précise, comme un dessin ou une photographie. La forme du haïku sera respectée.

Activité numérique — III.11

Créer une anthologie numérique de poèmes

Cherchez sur Internet cinq poèmes sur l'un des thèmes suivants : la terre, l'arbre, une saison, l'eau, le vent.

Votre professeur vous distribuera la fiche 6 pour guider votre travail.

Hokusai Katsushika,
Lis Blackberry, 1832.

161

Partie 3
Des poèmes pour célébrer
la beauté du monde

GROUPEMENT
DE TEXTES

5 Dessiner le monde, dessiner les mots

« Le ciel, la nuit, l'été »

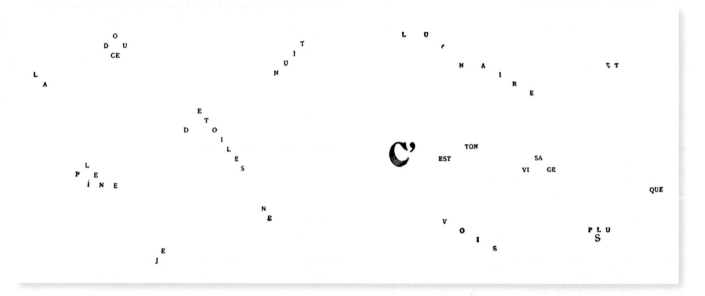

Guillaume Apollinaire, « Le ciel, la nuit, l'été », *Calligrammes*, 1918.

Vincent Van Gogh,
Nuit étoilée, 1889.

Comprendre le texte

Un poème dessiné

1. Lisez le calligramme de gauche à droite et reconstituez le texte par écrit.

2. Comment le poète a-t-il dessiné les différents mots et les a-t-il disposés dans la page ?

3. Qu'a voulu représenter Apollinaire par son dessin ?

4. Quelles sont les deux parties de la phrase du poème ?

5. À quoi le poète rêve-t-il en contemplant la nuit ? Relevez deux adjectifs qui servent à décrire la nuit mais peuvent aussi exprimer des sentiments. Concluez sur ce qu'éprouve le poète.

Bilan

6. Lisez la rubrique « À retenir ». En utilisant vos réponses aux questions 1, 2 et 3. Dites ce qui fait de ce poème un calligramme.

à retenir

Guillaume Apollinaire a inventé le mot « calligramme » en réunissant les deux mots grecs *callos*, « beau », et *gramma*, « lettre » (la lettre de l'alphabet). Un calligramme est ainsi un poème court où les lettres forment un dessin qui renvoie au sens du poème.

Activités

ÉCRITURE Écrire des calligrammes **III.10**

À votre tour, composez plusieurs calligrammes sur les sujets suivants : la lune, le soleil, une étoile, l'un des quatre éléments (l'eau, l'air, la terre, le feu).

● *Avant d'écrire*
Imaginez la forme de votre texte.

● *Conseils d'écriture*
Le texte ne contiendra pas le nom de ce qui est représenté ; seul le dessin le fera deviner.

● *Quand vous avez fini, relisez–vous.*
Le calligramme est-il bien lisible ?

Si vous avez fini d'écrire
Vous réunirez vos calligrammes par thème et les joindrez aux textes de poésie que vous avez déjà rédigés.

Guillaume Apollinaire, *Poèmes à Lou*, 1915.

Partie 3
Des poèmes pour célébrer
la beauté du monde

GROUPEMENT
DE TEXTES

6 **Écouter le monde**

« Destin d'une eau »

Raymond Queneau (1903-1976) a écrit des romans et des poèmes. Il parle souvent de choses simples tout en jouant savamment avec le langage.

Franz von Stuck, *Paysage avec cascade*, début XXᵉ siècle.

1. **Ru** : petit ruisseau ; le mot « ru » est rarement employé, on lui préfère le plus souvent « ruisselet ».
2. **Mobile** : qui bouge (contraire de « immobile »).
3. **Vivaces** : vives.
4. **Prélasse** : qui paresse.

Où cours-tu, ru[1] ?
où cours-tu, ru,
au fond des bois ?
agile comme une ficelle
5 tu coules liquide étincelle
qui éclaire les fougères
minces souples et légères
abandonnant derrière toi
la mobile[2] splendeur des bois

10 où cours-tu, ru ?
où cours-tu, ru,
du fond des bois
tu te précipites à la mort
tu perdras tes eaux vivaces[3]
15 dans un courant bien plus fort
que le tien qui se prélasse[4]
au pied des fougères
minces souples et légères
ignorant sans doute tout ce qui t'attend
20 La rivière le fleuve et le dévorant océan

Raymond Queneau, « Destin d'une eau »,
in *Battre la campagne*, 1968.

Comprendre le texte

Le destin d'une eau

1. Le destin du ru est-il tragique ou heureux ? En quoi peut-il évoquer le destin des humains ?

2. Relisez les vers 4, 5 et 6, puis les vers 13, 14 et 15. Donnez un titre à chaque strophe en montrant bien l'opposition entre elles.

3. Dans la seconde strophe, observez le changement de longueur des vers. Dans quel sens se fait-il ? Montrez que cela renvoie à la taille des cours d'eau évoqués dans les vers 10 et 20.

Un jeu sur les sons

4. Aux vers 1 et 2, dans quels mots retrouve-t-on les sons du mot « ru » ? Dites ces vers à haute voix en jouant avec eux. Quel est l'effet produit ?

5. Relevez quatre mots ou expressions où vous avez trouvé des répétitions des sons [ou], [è] et [an] à la rime et à l'intérieur des vers.

6. Lisez oralement le vers 5. Quelle consonne est répétée trois fois ? Quel sens est ainsi renforcé ?

Bilan

7. Montrez que ce texte joue avec les sons en citant trois passages du poème.

8. Lisez la rubrique « À retenir ». Montrez que le poème est pessimiste sur le destin du ru.

Écoute

Quel est le son qui vous reste dans l'oreille ? Ce poème est-il gai ou triste ?

Activités

LANGUE IV.2

Du début de la 2ᵉ strophe jusqu'à « vivaces », rémplacez « tu » par « vous » et faites les modifications nécessaires.

→ **Le présent** p. 254 et 256

ORAL Lire un poème à plusieurs voix II.2

Regroupez-vous par groupes de trois.
L'un des lecteurs lit les deux premiers vers de chaque strophe. Il en fera des éléments de comptine ou les chantera.
Le second lit le reste de la première strophe. Il fera sentir la beauté et la légèreté de l'eau. Il lira sans se presser.
Le troisième lit la fin de la seconde strophe. Il accentuera la tristesse du destin du ru. Il montrera l'accélération de sa course.

ÉCRITURE Écrire un poème composé de questions III.6

Écrivez un poème composé uniquement de questions.
Vous vous adresserez à un élément de la nature : la forêt, la mer, le soleil, la pluie, la nuit ou tout autre élément qui vous inspire.

à retenir

Le thème du temps qui passe est souvent lié, dans la tradition poétique, à l'écoulement de l'eau.

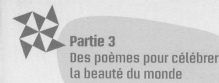

Partie 3
Des poèmes pour célébrer
la beauté du monde

GROUPEMENT
DE TEXTES

7 **Donner une voix à la nature**

« La forêt »

**Le recueil *Motifs* regroupe vingt-et-un poèmes écrits entre 1981
et 1984 par le poète français Eugène Guillevic (1907-1997). Ces
vers cherchent à dire beaucoup avec la plus grande simplicité.**

Je ne suis pas
Une addition d'arbres.

Le chat-huant[1] le sait,
Le répète,

5 Lui qui est ma voix,
Le meilleur de mes voix. [...]

*

Je suis silence.
Je suis une amphore[2] de silence.

Je suis du silence
10 Qui impose du silence. [...]

*

Je suis comme j'étais
Il y a des millénaires.

Les amoureux le savent
Sans le savoir.

15 En moi ils aiment
Comme nulle part ailleurs.

Ils s'aiment
Dans l'origine. [...]

*

J'ai mes bêtes.
20 Elles me comprennent,

Du lièvre à la coccinelle,
Du chevreuil à la fourmi.

Elles se voient perdues
Quand elles me quittent,
25 Quand on m'abat. [...]

Eugène Guillevic,
« La forêt » in *Motifs*,
1981-1984.

***Impressions
de lecture***
Vous êtes-vous
déjà retrouvé(e)
seul(e) dans une
forêt ? Qu'avez-
vous entendu ?
Quelles ont été vos
impressions ?

1. **Chat-huant** : chouette.
2. **Amphore** : vase grec qui
contenait des aliments.

Paul Gauguin, *Paysage aux troncs bleus*, 1892.

Comprendre le texte

La forêt qui parle

1 Qui parle ? Quelle formule répétée aux formes affirmative et négative figure au début de certaines strophes ?

2 Formez des équipes de deux. Donnez, pour chacune des quatre parties, deux titres différents et confrontez vos réponses. Quel est le thème dominant de chaque partie ?

3 Observez les strophes : sont-elles de même longueur ? Et les vers ? Le vocabulaire est-il simple ou difficile à comprendre ?

4 En citant le texte, montrez que la voix de la forêt est composée à la fois de bruit et de silence.

La forêt qui protège

5 Quel âge ont, selon vous, les plus vieux arbres des forêts ? Dans quelles strophes la forêt est-elle associée à la fois à l'ancienneté et à la jeunesse ?

6 Quel point commun y a-t-il entre une forêt et des amoureux, pour le poète ? Essayez de répondre à cette question en discutant à deux du sens mystérieux de la strophe 9.

7 Pourquoi peut-on dire que, dans les trois dernières strophes, la forêt parle comme une mère ?

Bilan

8 Lisez la rubrique « À retenir ». En utilisant vos réponses aux questions 1, 4 et 7, montrez que ce poème utilise le procédé de la prosopopée.

Écoute

Après avoir écouté le texte, entendez-vous les sons ou le silence ?

Activités

LANGUE **IV.1**

Dans les vers 3, 5 et 15, relevez les pronoms personnels de 3e personne. Dites quel élément ils remplacent.

→ **Les pronoms personnels** p. 240

ÉCRITURE Faire parler un élément de la nature **III.10**

Faites parler un élément de la nature, par exemple une dune ou une rivière, en utilisant une prosopopée.

• *Avant d'écrire*
Réfléchissez à ce que vous lui ferez dire : va-t-il se décrire ? Si oui, que dira-t-il de lui ? Va-t-il exprimer des sentiments ? Si oui, lesquels ? Va-t-il dire quels liens il a créé avec les hommes et ce qu'il pense d'eux ?

• *Conseils d'écriture*
Écrivez trois courts passages. Vous commencerez successivement par : « Je ne suis pas », « Je suis » et « J'ai ».

• *Quand vous avez fini, relisez-vous.*
Avez-vous donné à l'élément qui parle une personnalité bien définie ?

Si vous avez fini d'écrire
Entraînez-vous à faire de votre texte une lecture orale et expressive.

à retenir

Un des procédés de la poésie consiste à faire parler un objet inanimé, un élément de la nature, ou un mort. On appelle ce procédé une **prosopopée**.

Partie 3
**Des poèmes pour célébrer
la beauté du monde**

Jeux poétiques

Activité 1

Un poème-collage

a. Choisissez et recopiez dans les poésies
(p. 152 à 166) dix expressions qui vous plaisent.
Elles doivent être plus courtes qu'un vers.

b. En agençant ces diverses expressions, fabriquez
un poème-collage. Votre texte devra avoir un sens,
même s'il est fantaisiste.
Vous pourrez faire quelques modifications
nécessaires (pour les accords, par exemple).

c. Donnez un titre à votre poème-collage.

Joan Miró, Peinture d'après collage, 1933.

Activité 2

Un poème fantaisiste

a. Associez un groupe nominal de la liste A à un
verbe de la liste B. Puis ajoutez à ce début de phrase
un nom de la liste C.
Essayez d'associer des éléments qui ne vont pas
habituellement ensemble. N'ajoutez pas trop de
mots et d'expressions supplémentaires.

b. Composez un poème où vous emploierez
les expressions créées.

Ex. : La Terre attend le souffle. Une princesse doit
renaître dans les ruines.

Liste A : terre • visage • princesse • grand animal
• pâle éclair • ru • splendeur des bois •
une amphore de silence • le fleuve

Liste B : flamboie(ent) • glisse(nt) • luit/
luisent • doit/doivent renaître • renouvelle(nt)
• s'écroule(nt) • pende(nt) • fait/font fureur •
attend(ent)

Liste C : racine • image • glaive • souffle • palais
• écaille • ruines • montagne

Activité 3

Des rimes volées

Voici des rimes qui sont utilisées dans les textes
que vous avez lus :

légère/fougère • ficelle/étincelle • fleurs/couleurs •
fuit/détruit • mouvants/vents • air/éclair

a. Ajoutez à chaque paire de rimes un troisième
élément. Ex. : légère/fougère/rivière.

b. Écrivez un poème où vous emploierez au moins
deux de ces groupes de trois rimes.

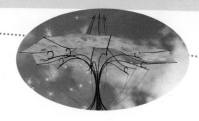

Du plaisir des mots au plaisir d'écrire

Activité 4

Un haïku jivaro

Les Jivaros sont des Indiens d'Amérique du Sud qui réduisaient les têtes de leurs ennemis par des techniques particulières ! Vous allez faire le Jivaro pour un texte poétique…

a. Choisissez soit le texte de Victor Hugo (p. 156) soit celui d'Eugène Guillevic (p. 166) puis transformez-le en haïku.

b. Vous ne reprendrez pas un morceau du poème mais vous essayerez de faire comprendre un des sens du texte. Vous chercherez une image qui, selon vous, en contient l'essentiel. Vous suivrez les règles de la forme du haïku.

Activité 5

Un poème-abécédaire de la nature

a. Fabriquez un abécédaire de la nature (éléments, végétaux, animaux, reliefs, cosmos).
Exemple : A comme arbre, B comme buse, C comme ciel, etc.
Certaines lettres ne seront peut-être pas représentées. L'essentiel n'est pas d'obtenir un abécédaire complet mais plutôt d'évoquer les éléments qui vous plaisent.

b. Après chaque élément évoqué, dites ce qu'il est pour vous ou bien décrivez-le.

c. Vous pouvez jouer avec les sons et répéter la lettre dans le texte.
Ex. : A comme arbre qui garde ses branches même quand on l'abat.

Activité 6

Un abécédaire orné

Choisissez, parmi les mots de votre abécédaire, ceux dans lesquels la première lettre peut devenir un dessin. Ce dessin devra représenter ce que le mot désigne.

Voici des exemples (empruntés à Victor Hugo) dans lesquels les lettres sont l'image d'un élément de la nature.

C c'est le croissant, c'est la lune.
M c'est la montagne.
Le confluent de deux rivières est un Y.
S c'est le serpent.
Z c'est l'éclair.

Vous pouvez ensuite orner votre lettre initiale pour qu'elle soit un vrai dessin, tout en étant lisible comme lettre.

Partie 3
Des poèmes pour célébrer
la beauté du monde

Activité 7

Jeux de mots et d'animaux

a. Lisez ce début d'un poème de Jacques Prévert.

Les animaux ont des ennuis

Le pauvre crocodile n'a pas de C cédille
on a mouillé les L de la pauvre grenouille
le poisson scie
a des soucis [...]

Jacques Prévert, Histoires, 1946.

b. Imitez ce poème en commentant dans le même style amusant soit la longueur, soit les sonorités, soit l'orthographe (et ses difficultés) des noms d'animaux de la liste ci-dessous. Vous n'êtes pas obligé(e) de recourir à des rimes mais pouvez jouer avec les sons répétés.

Liste : zébu • phacochère • rhinocéros • geai • anaconda • ver • chauve-souris • tarentule • loup • coq • éléphant • kangourou

Françoise Millet,
Un cormoran bleu,
2012.

Activité 8

Haïku sur une image

Écrivez un haïku à partir de ces peintures japonaises.

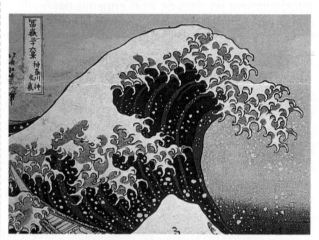

La Grande Vague de Kanagawa, **Grues. Estampes japonaises, Hokusai.**

Deux grues sur un pin enneigé, **Hokusai Katsushika.**

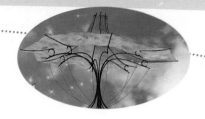

Du plaisir des mots

au plaisir

d'écrire

Activité 9

Les mots aimés

a. Faites une liste de mots que vous aimez et qui désignent des êtres vivants ou des parties de la nature. Tenez compte autant du mot lui-même (sa sonorité, son aspect) que de l'élément qu'il désigne.

b. Choisissez dans la liste des adjectifs qui peuvent être associés à ces mots ou trouvez vous-même des adjectifs.

liquide • frémissant • doux • pur • noble • rose • violet • délicat • sombre • profond • brumeux • incertain • svelte • clair

c. À partir de ces associations, écrivez un poème sur un élément de la nature.

Joel Barr, *One will Rise First*, 2007.

Activité 10

Poème d'eau

a. Pour écrire un poème sur l'eau, complétez les vers qui commencent tous par «J'entre dans l'eau». Vous ajouterez, si vous le voulez, une dernière phrase qui commencera autrement.
J'entre dans l'eau …
J'entre dans l'eau …
J'entre dans l'eau …
J'entre dans l'eau …
J'entre dans l'eau …
J'entre dans l'eau …
J'entre dans l'eau …

b. Donnez un titre à votre poème.

Activité interdisciplinaire

Réaliser un recueil de poèmes
Arts plastiques – Français

Formez un recueil des poèmes que vous avez écrits. Vous l'illustrerez en cours d'arts plastiques et réaliserez une couverture.

 Votre professeur vous distribuera la fiche 7 pour guider votre travail.

Paul Gauguin, *Femmes près d'un ruisseau*, 1892.

Partie 3
Des poèmes pour célébrer
la beauté du monde

Dire la poésie

Activité 1   l.1

Savoir écouter, savoir faire appel à sa mémoire

Guillaume Apollinaire, «Automne malade»,
Alcools, 1913.

a. Écoutez votre professeur ou la conteuse lire
le poème «Automne malade» et répondez aux
questions suivantes.
– Citez de mémoire une expression du poème que
vous trouvez belle.
– Pour évoquer l'automne, le poète parle de deux
lieux : s'agit-il des prés, des vergers, des jardins,
des bois ou des roseraies ?
– Il évoque deux animaux : lesquels ?
– Il parle aussi du temps : évoque-t-il le vent,
l'ouragan, la pluie, le gel, la neige ou le soleil ?
– Avez-vous entendu des rimes ?
– Avez-vous entendu un vers difficile à comprendre ?

b. Redites ces derniers vers plusieurs fois.
Quels sons se répètent ? Essayez de faire entendre
le rythme du train.
Les feuilles
Qu'on foule
Un train
Qui roule
La vie
S'écoule

Activité 2

Bien prononcer le «e» final

Entraînez-vous à prononcer le «e» comme
il convient dans les vers suivants. Attention
au nombre de syllabes : parfois on prononcera
la lettre «e», parfois non (→ le coin du savant 1).
Les vers suivants ont 12 syllabes (→ le coin du
savant 4).

a. J'ouvris les yeux, je vis l'étoile du matin.
   Elle resplendissait au fond du ciel lointain.

b. Le ciel s'illuminait d'un sourire divin.

c. L'herbe verte à mes pieds frissonnait, éperdue.
(Victor Hugo)

d. J'ai trouvé sur le banc une femme endormie.
(Alfred de Musset)

René Magritte, *La pensée parfaite*, 1943.

Le coin du savant

1. La voyelle «e» quand elle termine un mot se
prononce devant une consonne, mais pas devant une
voyelle ni à la fin du vers :
On dira : la- bi-che-bra-m(e) au –clair- de-lun(e)
          1   2 3   4   5   6   7   8

2. Parfois pour respecter le rythme du vers et sa
musique, on prononce une syllabe en deux temps :
on doit dire « dé-li-ci-eux »
              1 2 3 4
au lieu de « dé-li-cieux ».
             1 2   3

3. Un vers de 8 syllabes s'appelle un octosyllabe.

4. Un vers de 12 syllabes s'appelle un alexandrin.

Oral

Bien prononcer les syllabes

Pour respecter le nombre de syllabes du vers, il faut dire certaines syllabes comportant un « i » en un temps et d'autres en deux temps. (→ le coin du savant 2)

a. Il faut entendre 8 syllabes.
(→ le coin du savant 3)
La biche brame au clair de lune
Et pleure à s'en fondre les yeux :
Son petit faon délicieux
A disparu dans la nuit brune.

(Maurice Rollinat, 1846-1903)

b. Il faut entendre 12 syllabes.
Où va ce vent d'automne au souffle desséché
Qui passe, en emportant sur son aile inquiète
Et les feuilles de l'arbre et les vers du poète ?

(Victor Hugo)

Anne Nachin, *Les collines*, XXIᵉ siècle.

Sentir le compte des syllabes

Proposez oralement des mots pour compléter les syllabes qui manquent. Vous devez sentir combien de syllabes doit avoir le mot que vous rajoutez.

a. Écrit pour évoquer le plaisir de se promener. Les vers ont 12 syllabes.
Par les soirs bleus d'…, j'irai par les sentiers,
Picoté par les blés, fouler l'h… menue :
Rêveur, j'en sentirai la f… à mes pieds.
Je laisserai le vent baigner ma tête n…

(Arthur Rimbaud)

b. Écrit pour évoquer la pluie. Les vers ont 8 syllabes
La croisée* est o… : il pleut
Comme minutieusement
À petit b… et peu à peu
Sur le jardin frais et c…

(Henri de Régnier)

*fenêtre

Travailler l'articulation

Lisez lentement, puis de plus en plus vite, mais toujours de façon claire et bien articulée, cette liste qui célèbre les beautés d'un paysage. Ralentissez pour mettre en valeur les deux derniers vers.

La plaine, les vallons plus loin,
Les bois, les fleurs des champs,
Les chemins, les villages,
Les blés, les betteraves,
Le chant du merle et du coucou,
L'air chaud, les herbes, les tracteurs,
Les ramiers sur un bois,
Les perdrix, la luzerne,
L'allée des arbres sur la route,
La charrette immobile,
L'horizon, tout cela
Comme au creux de la main.

Eugène Guillevic, extrait de *Avec*, 1966.

Une épopée de Mésopotamie

Le Premier Roi du monde, Jacques Cassabois

Gilgamesh, donc, règne sur une ville de Mésopotamie : Ourouk. Une capitale puissante, redoutée de ses voisins et protégée par un rempart de briques hérissé de neuf cents tours. Une capitale fertile : mille hectares de jardins, de vergers, d'enclos pour le bétail, petit
5 et gros, d'étangs poissonneux, de temples et de palais, de quartiers résidentiels pour les puissants, de quartiers populeux où la vie déborde dans les ruelles, d'ateliers où le four du potier n'a jamais le temps de refroidir, où l'osier n'est jamais inerte entre les mains du vannier, et la forge toujours incandescente pour fondre le bronze,
10 couler les armes et les outils. Une capitale bruissante. Le grand fleuve Euphrate, après son périple depuis les neiges d'Arménie, s'y apaise avant d'épouser la mer. Et ses eaux, poussées par la rame tranquille des bateliers aux barques de roseaux, font partout chanter ce jardin de la création.

Jacques Cassabois, *Le premier roi du monde.*
L'épopée de Gilgamesh, 2004.

Mésopotamie. Jardins suspendus de Babylone
dans l'Antiquité. Gravure coloriée du XIXᵉ siècle.

Sur les pas de Gilgamesh : la lecture du roman

Vous parcourrez le chemin du héros au rythme qui vous convient. Trois vitesses vous sont proposées.

La vitesse du flâneur (chap. 1 à 7) : mener un débat

Si vous préférez vous attarder en chemin, vous flânerez et vous serez un des quatre guides de la première étape.
Sujet du débat : lequel des deux a le plus de caractéristiques d'un héros : Gilgamesh ou Enkidou ?
Les réponses prendront en compte les origines des deux personnages, leurs capacités physiques et morales, leur rapport avec la nature et la civilisation, leur lien avec les dieux, leurs exploits.

Votre professeur vous distribuera la fiche 5 pour guider votre travail.

La vitesse du marcheur (chap. 8 à 11) : performances orales

Si vous avez avancé d'un pas sûr et régulier, vous serez un des douze acteurs de la deuxième étape.

Première performance : lecture orale à deux
Trois groupes se succèdent et lisent des passages différents.
– Deux élèves expliquent en une phrase la raison de la vengeance d'Ishtar.
– Puis ils font la lecture orale préparée d'un passage du combat des héros avec le Taureau Céleste (p. 92 à 96). Il s'agit de mettre en valeur l'intensité et la dimension extraordinaire du combat.
Le passage fera une demi-page au maximum.

Votre professeur vous distribuera la fiche 6 pour guider votre travail.

Deuxième performance : représentation d'une scène du livre par quatre acteurs
La performance aura lieu deux fois, avec deux équipes différentes.
Quatre élèves jouent la scène de la discussion entre les dieux (p. 99 à 101). Le texte peut être modifié pour être plus facile à dire ou découpé

en répliques plus courtes que dans le roman. Les personnages sont Anou, Enlil, Shamash, Ea.
– Les acteurs préparent la représentation à la maison en travaillant sur le texte, la répartition des rôles et l'apprentissage des répliques.
– Avant de jouer, chacun des personnages s'avance vers le public en se présentant.
« Je suis Anou, le dieu de… ou le dieu qui… »
– Puis les acteurs se mettent en place et jouent la scène.

La vitesse du coureur de fond (chap. 11 à 19) : narration orale et lecture

Si vous avez brûlé les étapes et que vous êtes arrivé(e) rapidement à la fin du livre, vous serez un des dix guides de la troisième étape. Votre travail consistera à emmener toute la classe au bout du récit avec juste une étape de repos (pour le récit de Outa-napishti). Vous lirez de très courts passages de texte à l'appui de vos réponses (cinq lignes maximum).

Votre professeur vous distribuera la fiche 7 pour guider votre travail.

Gilgamesh ou génie au lion, Assyrie, VIIIe siècle av. J.-C. Musée du Louvre, Paris.

Des livres et un film

 Pour les amateurs de légendes

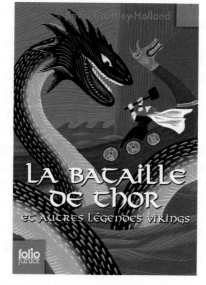

Annie Collognat,
20 Métamorphoses d'Ovide,
Livre de poche jeunesse.

Découvrez la création du monde
et de l'homme, le géant Argus
qui a 100 yeux, le pauvre Narcisse
changé en fleur. Suivez Orphée
au royaume des morts…et lisez
bien d'autres légendes grecques
racontées par le grand poète latin
Ovide.

Kevin Crossley-Holland,
La bataille de Thor, Folio junior.

Thor, le fils d'Odin, crée les
hommes ! Loki, le Changeur
d'Apparence, se fait aigle pour
réussir ses mauvais coups… Les
géants et les dieux se livrent des
luttes terribles ; les nains forgent
les armes… Lisez les légendes
extraordinaires des Vikings.

Evelyne Brisou-Pellen, **Romulus et
Rémus, les fils de la louve,** Pocket
jeunesse.

Deux bébés sont jetés dans le
fleuve par leur méchant oncle. Ils
ne mourront pas noyés. Bien plus,
l'un d'eux fondera une ville qui
règnera sur le monde…
Lisez comme un roman les récits
de la fondation légendaire de
Rome .

**Pour les amateurs
de films drôles
et sensibles**

Pour les amateurs de poésie

Jean-Pascal Dubost et Katy Couprie, **C'est corbeau.** Des poèmes pour grandir, Cheyne éditeur.

Quand un oiseau fait naître le poème et les images… Ou comment un corbeau recueilli alors qu'il était tout petit se comporte dans le monde étrange des hommes. Un livre où le dessin dialogue avec le texte.

Miroirs de la nature. Recueil de haïkus traduits du japonais. Collection classiques en images, Seuil.

Découvrez d'autres haïkus qui font vivre la nature et les animaux, et des images magnifiques des grands artistes japonais pour rêver et écrire.

La prophétie des grenouilles, Film d'animation de Jacques-Rémy Girerd.

Un nouveau déluge s'abat sur la Terre. Seule, une petite troupe, menée par Ferdinand, parvient à défier les éléments qui se déchaînent. Humains et animaux sont entraînés dans le tourbillon d'une aventure rocambolesque… Cette fable troublante revisite celle de l'Arche de Noé. Les grenouilles, face à l'événement, décident de rompre leur vœu séculaire de mutisme à l'égard des hommes.

Activité

Réaliser une exposition sur les récits de fondation dans les différentes mythologies

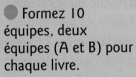

● Trouvez un titre attirant pour votre exposition.

● Formez 10 équipes, deux équipes (A et B) pour chaque livre.

– Les équipes A se chargent de la présentation du livre sur le panneau : couverture, éditeur, auteur, un court extrait qui donne envie de lire la suite, une critique d'élève argumentée.

– Les équipes B se chargent de faire découvrir la mythologie à laquelle se rattache le livre.

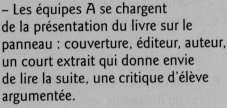
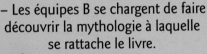

● Vous réaliserez un panneau d'exposition sur chacun des livres proposés. Vous pourrez utiliser les illustrations contenues dans le livre mais aussi des documents trouvés par des recherches au CDI. Votre but est de réaliser une affiche attrayante.

● Quelqu'un parmi vous dessinera et réalisera un tract que vous distribuerez dans les classes, pour faire connaître votre exposition.

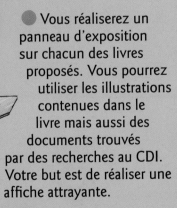
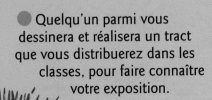

1 Bilan du chapitre

Répondez aux questions suivantes en donnant à chaque fois un exemple.

1. Qu'est-ce qu'on appelle un récit de création ?

2. Qu'est-ce qu'un mythe ?

3. Citez une religion polythéiste et une religion monothéiste.

4. Citez un mythe où la divinité crée par la parole, et un mythe où les éléments de la nature sont fabriqués par un dieu.

5. Qu'appelle-t-on la Genèse ? Quelles religions reconnaissent ce texte comme exprimant une vérité ?

6. Qu'est-ce qu'un haïku ?

7. Citez un texte où le poème suscite des images dans l'esprit du lecteur.

8. Citez un poème en vers. À quoi reconnaît-on qu'il s'agit de vers ?

Le Douanier Rousseau, *Les Flamants*, 1907.

Selon la mythologie chinoise, Pangu a été le premier être vivant et le créateur de tout. École anglaise, XVIIIᵉ siècle.

2 Exprimer son opinion sur son poème préféré

J'ai surtout aimé le texte intitulé... de... parce que le thème du poème... me plaît. Je me souviens du (ou des) vers suivants : ...

Une des images qui me plaît le plus est celle qui évoque...

La nature (ou un de ses éléments) est présenté(e) comme...

3 **Projet final :**
Présenter un récital de poésie

Dans ce chapitre, vous avez appris à :
✖ **découvrir la variété des récits de création par-delà les cultures ;**
✖ **comprendre le lien entre les récits mythiques et la forme poétique ;**
✖ **vous familiariser avec les enseignements que ces récits transmettent.**

Étape 1

– Formez des équipes de cinq.
– Chaque membre de l'équipe apprend l'un des textes suivants :
Soleils couchants (p. 156), *Destin d'une eau* (p. 164), *La forêt* (p. 166)
et deux des huit haïkus proposés (p. 159).
– Le cinquième apprend un poème que l'équipe a librement choisi.

Étape 2

– On travaille la diction des textes.

Étape 3

– Le groupe prépare une phrase de présentation pour chaque texte
(auteur, titre, intention du récitant).
– Chaque groupe choisit une classe du collège comme public
et va lui présenter ce petit récital de poésie.
– Avant la récitation des poèmes, un des membres du groupe présente
les interprètes et le récital.

Étape 4

– Tapez sur un traitement de texte la grille d'évaluation et distribuez-la à la fin du spectacle.
Le public la remplit.

Évaluez-vous

	Assez bien	Bien	Très bien
Mémorisation			
Diction			
Expression			

Des ruses pour tromper les puissants

Dans ce chapitre, vous allez :

❖ Faire le point sur ce que vous savez déjà sur les fables . . . . p. 182

◎ Lire des fables
⤳ Jean de La Fontaine, *Le Loup et l'Agneau* . . . . p. 184
⤳ Jean de La Fontaine, *Le Lion et le Rat* . . . . p. 186
⤳ Jean de La Fontaine, *Le Loup, la Chèvre et le Chevreau* . . . . p. 188
⤳ Jean de La Fontaine, *Le Lion amoureux* . . . . . . p. 190

◎ Lire et dire un texte en vers . . . . p. 192

◎ Lire un fabliau
⤳ *Estula* . . . . p. 194

◎ Écrire en groupe un recueil de fables . . . . p. 198

◎ Lire des extraits du *Médecin malgré lui* de Molière
⤳ Acte 1, scène 1 : Scène de ménage . . . . p. 202
⤳ Acte 1, scène 5 : La vengeance de Martine . . . p. 205
⤳ Acte 2, scène 4 : Un drôle de médecin . . . . . . p. 208
⤳ Acte 3, scène 6 : La force de l'amour . . . . p. 212

◎ Jouer avec la diction et les mimes et écrire des répliques de théâtre . . . . p. 216

◎ Découvrir l'univers du *Roman de Renart* et de *Fantastic Mr Fox* . . . . p. 220

◎ Découvrir des livres et un film . . . . p. 224

❖ Faire le point sur ce que vous avez appris sur les rusés et les puissants . . . . p. 226

Illustration de Félix Lorioux
tirée du *Roman de Renart,* 1932.

Konstantin Andreyevich Somov,
La langue de Colombine, 1915.

1 Rassemblez vos connaissances

1. Avez-vous déjà étudié des fables ? Lesquelles ?

2. Qui sont, de manière générale, les personnages des fables ?

3. Pourquoi écrit-on des fables ?

4. Une fable est-elle une poésie, selon vous ?

2 Retrouvez l'univers des fables

La Cigale et la Fourmi

La Cigale, ayant chanté
    Tout l'été,
Se trouva fort dépourvue
Quand la bise fut venue.
5 Pas un seul petit morceau
De mouche ou de vermisseau.
Elle alla crier famine
Chez la Fourmi sa voisine,
La priant de lui prêter
10 Quelque grain pour subsister
Jusqu'à la saison nouvelle.
Je vous paierai, lui dit-elle,
Avant l'août, foi d'animal,
Intérêt et principal.
15 La Fourmi n'est pas prêteuse ;
C'est là son moindre défaut.
Que faisiez-vous au temps chaud ?
Dit-elle à cette emprunteuse.
Nuit et jour à tout venant
20 Je chantais, ne vous déplaise.
Vous chantiez ? j'en suis fort aise :
Eh bien ! dansez maintenant.

Jean de La Fontaine, « La Cigale et la Fourmi »,
Fables, I, livre premier, 1668.

1. À quoi voyez-vous qu'il s'agit d'une fable ?

2. Quel personnage préférez-vous dans cette
fable ? Pourquoi ?

3 Découvrez le chapitre

1. Lisez le sommaire de ce chapitre (p. 180).
Choisissez une fable dont le titre retient
votre attention.

2. Quel sera le caractère des animaux ?

3. Que peut-il se passer, selon vous ?
Comment les animaux vont-ils agir ?

4. Quelle pourrait être la morale de cette fable ?

5. Les fables sont-elles optimistes ou pessimistes
selon vous ?

1 ## Le triomphe du plus fort

Le Loup et l'Agneau

La raison du plus fort est toujours la meilleure ;
  Nous l'allons montrer tout à l'heure[1].
  Un Agneau se désaltérait
  Dans le courant d'une onde[2] pure.
5 Un Loup survient à jeun[3] qui cherchait aventure,
  Et que la faim en ces lieux attirait.
 « Qui te rend si hardi[4] de troubler mon breuvage ?
  Dit cet animal plein de rage ;
 Tu seras châtié[5] de ta témérité.
10 – Sire, répond l'Agneau, que votre Majesté
  Ne se mette pas en colère ;
  Mais plutôt qu'elle considère
  Que je me vas désaltérant[6]
   Dans le courant,
15 Plus de vingt pas au-dessous d'Elle,
 Et que par conséquent en aucune façon,
  Je ne puis troubler sa boisson.
 – Tu la troubles, reprit cette bête cruelle,
 Et je sais que de moi tu médis[7] l'an passé.
20 – Comment l'aurais-je fait, si je n'étais pas né ?
  Reprit l'Agneau, je tète encor[8] ma mère.
 – Si ce n'est toi, c'est donc ton frère.
 – Je n'en ai point. – C'est donc quelqu'un des tiens :
  Car vous ne m'épargnez guère,
25 Vous, vos Bergers, et vos Chiens.
 On me l'a dit : il faut que je me venge. »
  Là-dessus au fond des forêts
  Le Loup l'emporte, et puis le mange
  Sans autre forme de procès.

Jean de La Fontaine, « Le Loup et l'Agneau »,
Fables, X, livre premier, 1668.

1. **Tout à l'heure :** tout de suite.
2. **Onde :** eau.
3. **À jeun :** qui n'a pas mangé.
4. **Hardi :** audacieux.
5. **Châtié :** puni.
6. **Je me vas désaltérant :** je suis en train de me désaltérer.
7. **Médis :** dis du mal.
8. **Encor :** encore.

Si vous avez fini de lire
Dessinez cette scène sous forme de schéma. Indiquez notamment la place du loup, celle de l'agneau et le sens de la rivière.

écoute

Quel ton la conteuse utilise-t-elle pour le loup ? Et pour l'agneau ? Quelle image en donne-t-elle ?

Comprendre le texte

La victime et son bourreau

1 Relisez les vers 3, 4 et 21. Que peut-on éprouver pour l'agneau ?

2 Relisez les vers 5 à 18. Quels groupes nominaux désignent le loup ? Quelle impression est ainsi créée ?

Un procès injuste

3 Quels sont les quatre reproches que le loup adresse à l'agneau ? Utilisez vos propres mots.

4 Ces reproches sont-ils fondés ? Justifiez votre réponse en reformulant les réponses de l'agneau.

5 Pourquoi le loup est-il venu près de la rivière ? L'agneau avait-il une chance de s'en sortir ?

Une morale pessimiste

6 Quelle est la morale de cette fable ?

7 Où la morale est-elle située par rapport au récit ? Pourquoi est-elle placée ainsi ?

Bilan

8 Pourquoi peut-on dire que l'agneau a résisté au loup ?

Activités

ORAL Mettre en voix une fable **II.2**

Par groupes de trois, répartissez-vous les voix de la fable : celle du fabuliste, celle du loup et celle de l'agneau.

a) Apprenez les vers.
b) Récitez la fable devant la classe sans hésitation. Vous pouvez vous inspirer de la lecture de la conteuse.
c) Vous pouvez également la mettre en scène.

Le fabuliste
– Prononcez distinctement et d'une voix dure la morale ainsi que la fin.
– Lisez naturellement les autres vers.
– Insistez sur les rimes en récitant votre poème.

Le loup
– Faites de grands gestes et de grands mouvements.
– Parlez fort et avancez vers l'agneau en le menaçant.
– Faites comme si vous coupiez la parole à l'agneau.
Vous pouvez vous habiller en noir.

L'agneau
– Bougez peu, parlez bas et votre voix doit être aiguë.
– Reculez devant le loup et mimez la peur.
Vous pouvez vous habiller en blanc.

à retenir

Les auteurs du XVIIe siècle voulaient à la fois amuser, instruire et émouvoir leur lecteur. Ainsi, un petit récit mettant en scène des animaux qui parlent peut l'étonner et lui plaire. Mais le récit permet au fabuliste de délivrer une leçon, une morale au lecteur.

Illustration de Gustave Doré pour « Le Loup et l'Agneau », gravure de 1861-1868.

Partie 1
Faibles et puissants
dans les Fables
de La Fontaine

GROUPEMENT
DE TEXTES

2 La patience ou la force

Le Lion et le Rat

1. **Obliger :** être serviable.
2. **Deux fables feront foi :** Deux fables le montreront (la deuxième est « La Colombe et la Fourmi », p. 192).
3. **À l'étourdie :** sans faire attention.
4. **Lui donna la vie :** lui laissa la vie sauve.
5. **Eût affaire :** eût besoin.
6. **Avint :** advint.
7. **Rets :** filets.
8. **Maille :** boucle du filet.

Il faut, autant qu'on peut, obliger[1] tout le monde :
On a souvent besoin d'un plus petit que soi.
De cette vérité deux fables feront foi[2],
  Tant la chose en preuves abonde.
5 Entre les pattes d'un Lion,
Un Rat sortit de terre assez à l'étourdie[3] :
Le Roi des animaux, en cette occasion,
Montra ce qu'il était, et lui donna la vie[4].
  Ce bienfait ne fut pas perdu.
10 Quelqu'un aurait-il jamais cru
  Qu'un Lion d'un Rat eût affaire[5] ?
Cependant il avint[6] qu'au sortir des forêts
  Le Lion fut pris dans des rets[7],
Dont ses rugissements ne le purent défaire.
15 Sire Rat accourut, et fit tant par ses dents
Qu'une maille[8] rongée emporta tout l'ouvrage.
  Patience et longueur de temps
  Font plus que force ni que rage.

Jean de La Fontaine, « Le Lion et le Rat »,
Fables, XI, livre premier, 1668.

***Si vous avez fini** de lire*
Préféreriez-vous être à la place du rat ou du lion dans cette fable ? Donnez deux raisons pour justifier votre réponse.

Illustration de Gustave Doré
pour « Le Lion et le Rat »,
début du xxᵉ siècle.

Comprendre le texte

Faible et fort

1. De quel « bienfait » est-il question au vers 9 ?

2. Relisez les vers 6 à 16. Relevez les groupes nominaux qui désignent le rat. Relevez ceux qui désignent le lion. Quelle image des animaux La Fontaine donne-t-il ?

3. Selon vous, quel animal est le plus fort dans ce texte ?

Un bienfait n'est jamais perdu

4. Quelles sont les morales de cette fable ? Où sont-elles situées par rapport au récit ? Pourquoi, selon vous ?

5. De quelles qualités le lion et le rat font-ils preuve dans cette fable ?

6. Cette fable vous paraît-elle plutôt optimiste ou pessimiste sur les relations entre le faible et le fort ? Pourquoi ?

Bilan

7. Que vous rappelle la morale de cette fable sur les qualités et les défauts des forts ?

Écoute

Sur quels mots la conteuse a-t-elle insisté ? Pourquoi, selon vous ?

à retenir

Des animaux et des hommes
Au tout début des *Fables*, Jean de La Fontaine écrit : « **Je me sers d'animaux pour instruire les hommes** ». En effet, sous le masque des animaux, se trouvent des personnes réelles. Le lion n'est autre que le roi, Louis XIV, puissant et généreux, mais parfois cruel et arrogant. Le rat est un sujet du roi, entièrement à sa merci. Dans les autres fables du chapitre, nous rencontrons le loup, un prince rusé et dangereux, l'agneau, une personne sans puissance ni fortune, la fourmi, un financier égoïste…

Activités

LANGUE   **IV.3**

Réécrivez la phrase ci-dessous en remplaçant « Le roi » par « Les rois » et en procédant à tous les changements nécessaires. Vous surlignerez tous les changements.
Le Roi des animaux, en cette occasion,
Montra ce qu'il était, et lui donna la vie.
➔ **Le pluriel** p. 272

ÉCRITURE   Écrire une fable   **III.1**

La fable « La Colombe et la Fourmi » illustre aussi la morale : « On a souvent besoin d'un plus petit que soi. » Imaginez et écrivez cette fable en prose.

● *Avant d'écrire*
a) À votre avis, qui sera le « plus petit » dans cette fable ?
b) Quels dangers peuvent menacer une colombe ? et une fourmi ?

● *Conseils d'écriture*
– Racontez d'abord comment la colombe sauve la fourmi puis comment la fourmi sauve la colombe.
– Commencez par : « Une colombe vole jusqu'à son nid. Soudain, elle voit… »
Vous pouvez utiliser le vocabulaire :
● **de la bonté** : bienveillance, générosité, bonté, charité (noms) ;
● **de la gratitude** : ingrat, égoïste, redevable, reconnaissant (adjectifs).

● *Quand vous avez fini, relisez–vous.*
– Votre texte illustre-t-il la morale : « On a souvent besoin d'un plus petit que soi » ?
– Avez-vous utilisé des expressions différentes pour décrire la colombe et la fourmi ?
– Soulignez les verbes au présent. Sont-ils bien conjugués ?

Si vous avez fini d'écrire
Après avoir lu « Le Loup et l'Agneau » et « Le Lion et le Rat », expliquez quelles sont les ressemblances et les différences entre ces deux fables (personnages et morales).

Partie 1
Faibles et puissants
dans les Fables
de La Fontaine

3 **Ruse contre ruse**

Le Loup, la Chèvre et le Chevreau

1. **Paître :** manger.
2. **Die :** dise.
3. **Mot du guet :** mot de passe.
4. **Foin :** signe de dégoût.
5. **De fortune :** par hasard.
6. **Contrefait :** imite.
7. **Papelarde :** hypocrite.
8. **S'il eût ajouté foi :** s'il avait
cru.

*Si vous avez
fini de lire*
Dessinez
cette scène
sous forme de
schéma. Indiquez
notamment la
place de la bique,
celle du loup, du
biquet et de la
porte.

La Bique allant remplir sa traînante mamelle
        Et paître[1] l'herbe nouvelle,
        Ferma sa porte au loquet,
        Non sans dire à son Biquet :
5   « Gardez-vous sur votre vie
        D'ouvrir, que l'on ne vous die[2],
        Pour enseigne et mot du guet[3],
        Foin[4] du Loup et de sa race. »
        Comme elle disait ces mots,
10   Le Loup de fortune[5] passe ;
        Il les recueille à propos,
        Et les garde en sa mémoire.
        La Bique, comme on peut croire,
        N'avait pas vu le Glouton.
15 Dès qu'il la voit partie, il contrefait[6] son ton ;
        Et d'une voix papelarde[7]
    Il demande qu'on ouvre, en disant foin du Loup,
        Et croyant entrer tout d'un coup.
    Le Biquet soupçonneux par la fente regarde.
20 « Montrez-moi patte blanche, ou je n'ouvrirai point »
    S'écria-t-il d'abord (patte blanche est un point
    Chez les Loups, comme on sait, rarement en usage).
    Celui-ci fort surpris d'entendre ce langage,
    Comme il était venu s'en retourna chez soi.
25 Où serait le Biquet s'il eût ajouté foi[8]
        Au mot du guet, que de fortune
        Notre Loup avait entendu ?
        Deux sûretés valent mieux qu'une ;
    Et le trop en cela ne fut jamais perdu.

Jean de La Fontaine, « Le Loup, la Chèvre et le Chevreau »,
Fables, XV, livre quatrième, 1668.

Illustration de « Le Loup, la Chèvre et le Chevreau » par Benjamin Rabier, 1906.

Comprendre le texte

D'une ruse à l'autre

1 Que pensez-vous de l'attitude de la bique ?

2 En quoi le loup se montre-t-il rusé ?

3 Pourquoi le chevreau demande-t-il au loup de montrer « patte blanche » ?

4 En utilisant vos réponses précédentes, dites quel personnage vous semble le plus rusé.

Résister aux puissants

5 Relisez les vers 10 à 18. Quelles sont les deux caractéristiques du loup qui le rendent dangereux ?

6 Comment la conteuse prononce-t-elle « Foin du loup » ? Pourquoi, selon vous ?

7 Relisez « Le Loup et l'Agneau » (p. 184). Quelle différence y a-t-il entre l'attitude du chevreau et celle de l'agneau ?

Bilan

8 Selon La Fontaine, comment peut-on résister aux puissants ?

à retenir

La Fontaine varie la longueur de ses vers : dans cette fable, on peut lire des **alexandrins** (des vers de douze syllabes), comme « Le biquet soupçonneux par la fente regarde » ; des **octosyllabes** (des vers de huit syllabes), comme « Deux sûretés valent mieux qu'une » ; des **heptasyllabes** (des vers de sept syllabes) comme « Foin du loup et de sa race ! ».

Activités

LANGUE **IV.2**

Réécrivez la phrase ci-dessous en mettant les verbes au passé simple.
Vous surlignerez tous les changements.
Le loup de fortune passe ;
Il les recueille à propos,
Et les garde en sa mémoire.

➔ **Le passé simple** p. 262

ÉCRITURE Écrire la suite d'un récit **III.7**

Vous imaginerez la suite de cette fable en prose : le loup, afin de manger le biquet, imagine un nouveau stratagème auquel le biquet répond par une autre ruse.

● *Avant d'écrire*

a) Comment un loup peut-il montrer « patte blanche » ?
b) Quelles autres preuves le biquet pourrait-il demander au loup ? Vous pouvez vous aider de l'illustration.
c) Choisissez, avec votre voisin(e), les ruses qui vous semblent les plus efficaces.

● *Conseils d'écriture*

– Racontez d'abord le stratagème du loup puis imaginez la ruse du biquet.
– Votre texte peut commencer par : « Le loup a une idée pour blanchir sa patte… »
– Vocabulaire de l'intelligence et de la ruse : malin, rusé, adroit, habile **(positif)** / sournois, fourbe, perfide **(négatif)**

● *Quand vous avez fini, relisez–vous.*

– Avez-vous utilisé plusieurs expressions différentes pour décrire le biquet et le loup ?
– Vos phrases ne sont-elles pas trop longues ? Relisez-les à voix basse pour en être sûr(e).

Si vous avez fini d'écrire
Relisez « Le Loup et l'Agneau » (p. 184). Imaginez une ruse que l'agneau pourrait mettre en œuvre pour échapper au loup.

Partie 1
Faibles et puissants
dans les fables
de La Fontaine

GROUPEMENT
DE TEXTES

4 Duper le puissant

Le Lion amoureux

Du temps que les bêtes parlaient,
Les Lions entre autres voulaient
Être admis dans notre alliance.
Pourquoi non? puisque leur engeance[1]
5   Valait la nôtre en ce temps-là,
Ayant courage, intelligence,
Et belle hure[2] outre cela[3].
Voici comment il en alla.
Un Lion de haut parentage[4],
10   En passant par un certain pré,
Rencontra Bergère à son gré[5].
Il la demande en mariage.
Le Père aurait fort souhaité
Quelque Gendre un peu moins terrible
15   La donner lui semblait bien dur ;
La refuser n'était pas sûr :
Même un refus eût fait possible[6]
Qu'on eût vu quelque beau matin
Un mariage clandestin.
20   Car outre qu'en toute manière
La Belle était pour les gens fiers,
Fille se coiffe[7] volontiers
D'amoureux à longue crinière.
Le Père donc ouvertement
25   N'osant renvoyer notre Amant,
Lui dit : « Ma fille est délicate ;
Vos griffes la pourront blesser
Quand vous voudrez la caresser.
Permettez donc qu'à chaque patte
30   On vous les rogne[8] ; et pour les dents,
Qu'on vous les lime en même temps.
Vos baisers en seront moins rudes,
Et pour vous plus délicieux ;
Car ma fille y répondra mieux,
35   Étant sans ces inquiétudes. »
Le Lion consent à cela
Tant son âme était aveuglée !
Sans dents ni griffes le voilà,
Comme place démantelée[9].
40   On lâcha sur lui quelques Chiens :
Il fit fort peu de résistance.
Amour, amour, quand tu nous tiens,
On peut bien dire : Adieu prudence.

Jean de La Fontaine, « Le Lion amoureux »,
Fables, I, livre quatrième, 1668.

1. **Engeance :** espèce.
2. **Hure :** visage.
3. **Outre cela :** en plus de cela.
4. **De haut parentage :** de bonne famille.
5. **A son gré :** qui lui plaisait.
6. **Eût fait possible :** aurait rendu possible.
7. **Se coiffe :** se passionne.
8. **Rogne :** coupe.
9. **Comme place démantelée :** comme un château sans protection.

Écoute

Comment la conteuse prononce-t-elle les paroles du père ? Quelle image en donne-t-elle ?

Si vous avez fini de lire

Quels éléments de la fable retrouvez-vous sur l'image ? Comment sont-ils disposés ? Pourquoi ?

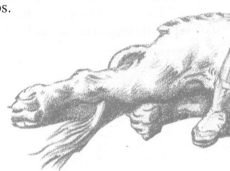

Comprendre le texte

Une étrange alliance

① Que pensez-vous du projet du lion ?

② Comment comprenez-vous les vers 15 et 16 ?

Rogner et limer

③ Que demande le père au lion ? Pour quelles raisons ?

④ Pourquoi le lion accepte-t-il ?

⑤ Le mariage a-t-il lieu ? Pourquoi ?

Sourire et penser

⑥ Comment comprenez-vous le premier vers ?

⑦ Comment le fabuliste justifie-t-il le projet du lion ? Est-il sérieux, selon vous ?

⑧ Quels jeux de mots y a-t-il aux vers 22 et 23 ?

⑨ Que pensez-vous de la morale ?

Bilan

⑩ D'après La Fontaine, comment peut-on se protéger des puissants ?

Illustration de C. Vernet et G. Engelmann pour « Le Lion amoureux », estampe, XIXᵉ siècle.

Activités

ORAL — Mimer la fable — I.3

Répartissez-vous les rôles du lion, de la bergère et du père. Deux élèves mimeront les chiens du père.

Le lion :
– Vous mimerez une rencontre amoureuse et une demande en mariage.
– Par des gestes et des mimiques, vous montrerez votre amour.
– Vous hésiterez un peu avant d'accepter la proposition du père.
– Vous tendrez gentiment vos mains et vos dents.
– Vous courrez, terrifié !

La bergère :
– Vous mimerez une rencontre amoureuse et une demande en mariage.
– Par des gestes et des mimiques, vous montrerez votre amour.
– Vous pourrez, ou non, aider votre père lors de sa ruse.

Le père :
– Vous montrerez votre inquiétude et vos hésitations.
– Vous ferez des gestes et des mimiques hypocrites.
– Vous mimerez les caresses qu'il promet au lion.
– Vous ferez semblant de couper les griffes et de limer les dents du lion.

Les chiens :
– Vous poursuivrez avec rage le lion.

à retenir

Le merveilleux au XVIIᵉ siècle
Les lecteurs du XVIIᵉ siècle raffolent des histoires merveilleuses : contes de fées, opéras mettant en scène des héros et des dieux, fables dans lesquelles les animaux parlent ou épousent des jeunes filles. Toutefois, la magie ne résout pas tous les problèmes.

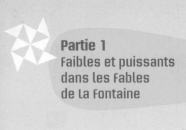

Partie 1
Faibles et puissants
dans les Fables
de La Fontaine

Lire et dire un texte en vers

Activité 1 ---- I.1

Écouter une fable

Jean de La Fontaine, « La Colombe et la Fourmi », *Fables*, livre II, 1668.

Écoutez votre professeur ou la conteuse lire «La Colombe et la Fourmi» de Jean de La Fontaine et répondez aux questions suivantes.

Découvrir

1. Combien y a-t-il de personnages dans cette fable ? Qui sont-ils ?

Écouter et comprendre

2. Relevez, pour chaque personnage, tous les mots ou les groupes de mots qui le désignent.

3. Ces déclarations sont-elles correctes ? Corrigez-les lorsqu'elles sont fausses.

a. La fourmi tombe dans l'océan.

b. La colombe aide la fourmi.

c. Le villageois a de bonnes chaussures.

d. Le villageois veut manger la colombe.

e. La fourmi est une ingrate.

4. Comment comprenez-vous les mots «charité» et «arbalète» ?

Approfondir

5. Quel personnage du texte vous semble le plus sympathique ? Pourquoi ?

6. Quelle est la morale de la fable ?

Illustration de « La Colombe et la Fourmi » par Benjamin Rabier, 1906.

Activité 2

Réciter une fable

Le Renard et le Bouc

Capitaine Renard allait de compagnie
Avec son ami Bouc des plus haut encornés[1].
Celui-ci ne voyait pas plus loin que son nez ;
L'autre était passé maître en fait de tromperie.
5 La soif les obligea de descendre en un puits.
Là chacun d'eux se désaltère.
Après qu'abondamment tous deux en eurent pris,
Le Renard dit au Bouc : Que ferons-nous, compère ?
Ce n'est pas tout de boire, il faut sortir d'ici.
10 Lève tes pieds en haut, et tes cornes aussi :
Mets-les contre le mur. Le long de ton échine[2]
Je grimperai premièrement ;
Puis sur tes cornes m'élevant,
À l'aide de cette machine,
15 De ce lieu-ci je sortirai,
Après quoi je t'en tirerai.
- Par ma barbe, dit l'autre, il est bon ; et je loue[3]
Les gens bien sensés comme toi.
Je n'aurais jamais, quant à moi,
20 Trouvé ce secret, je l'avoue.
Le Renard sort du puits, laisse son compagnon,
Et vous lui fait un beau sermon[4]
Pour l'exhorter[5] à patience.
Si le ciel t'eût, dit-il, donné par excellence
25 Autant de jugement que de barbe au menton,
Tu n'aurais pas, à la légère,
Descendu dans ce puits. Or, adieu, j'en suis hors[6].
Tâche de t'en tirer, et fais tous tes efforts :
Car pour moi, j'ai certaine affaire
30 Qui ne me permet pas d'arrêter en chemin.
En toute chose il faut considérer la fin.

Jean de La Fontaine, « Le Renard et le Bouc »,
Fables, livre III, 1668.

1. **Des plus haut encornés :** avec de longues cornes.
2. **Échine :** dos.
3. **Je loue :** j'admire.
4. **Un beau sermon :** un beau discours.
5. **L'exhorter :** le pousser.
6. **Hors :** dehors.

Comprendre le sens du texte

1. Lisez le texte. Reformulez les phrases difficiles et entraînez-vous à lire les mots compliqués (comme « abondamment », « exhorter »…)

Choisir son rôle

2. Répartissez-vous les rôles du renard, du bouc et du conteur.

Respecter les vers

3. Lisez toutes les syllabes, sauf lorsque le « e » est suivi d'une voyelle ou en fin de vers :
« Mets/-les/ con/tre/ le/ mur/. Le/ long/ de/ ton/ é/ chin(e) »
« Au/tant/ de/ ju/ge/ment/ que/ de/ bar/b(e) au/ men/ton »

4. Faites une très légère pause au milieu du vers et à la fin du vers.

5. Insistez sur les rimes en récitant votre poème.

Mettre en scène

6. Sur quels vers et quels mots insisterez-vous ?

7. Vers 1-8 : Quel ton utiliserez-vous pour réciter le début ? Quels gestes feront le Renard et le Bouc pendant ce temps-là ?

8. Vers 8-16 : Quel ton utilisera le Renard ? Quel geste fera-t-il en parlant ? Quelle sera l'attitude du bouc ?

9. Vers 17-20 : Quel ton utilisera le bouc ? Quel geste fera-t-il en parlant ? Quelle sera l'attitude du renard ?

10. Vers 24-30 : Quel ton utilisera le Renard ? Quel geste fera-t-il en parlant ? Quelle sera l'attitude du bouc ?

11. Vers 31 : Comment lirez-vous la morale ?

Apprendre petit à petit

12. Apprenez votre fable mot à mot, vers à vers, en la répétant.

Vous pouvez vous enregistrer et vous écouter pour vous améliorer ou pour apprendre la fable.

Vous pouvez demander à un parent ou à un ami de vous interroger.

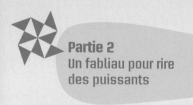
Un fabliau est un récit
du Moyen Âge qui a
pour personnages
des gens du peuple.

1. **Sous sa coupe** : sous son
emprise.
2. **Oppressait** : faisait
cruellement souffrir.
3. **À pied d'œuvre** : prêts
à travailler.
4. **Bourgeois** : habitant du
bourg.
5. **Éberlué** : très étonné.

 écoute

Pourquoi la conteuse
prononce-t-elle le nom
du chien « é-tu-la » ?

Se moquer des riches

Estula

Il y avait jadis deux frères qui n'avaient plus ni père ni mère pour
les conseiller et qui vivaient seuls sans la moindre compagnie. Pauvreté était leur seule amie, car bien souvent elle leur tenait compagnie et c'est là une amie qui fait souffrir plus qu'à leur tour ceux avec
5 lesquels elle se trouve. Et il n'est guère de souffrance plus pénible.
Les deux frères dont je vais vous parler demeuraient ensemble. Une
nuit, mourant de faim, de soif et de froid – maux qui harcèlent souvent ceux que Pauvreté tient sous sa coupe[1] –, ils se mirent à penser
au moyen de se défendre contre la pauvreté qui les oppressait[2] et
10 les faisait vivre dans un malaise perpétuel. Un homme réputé pour
sa grande richesse demeurait près de chez eux. Eux sont pauvres
et le riche est sot. Il avait des choux dans son jardin et des brebis
dans son étable. Les deux frères se sont dirigés vers sa maison : la
pauvreté fait souvent perdre la tête. L'un a pris un sac à son cou et
15 l'autre un couteau à la main. Tous les deux arrivent à pied d'œuvre[3] ;
l'un entre dans le jardin et sans plus attendre se met à couper les
choux, et l'autre se dirige vers l'étable, atteint la porte et l'ouvre ;
puis, comme il lui semble que tout va pour le mieux, il se met à tâter
les moutons pour trouver le plus gras. Mais personne n'était encore
20 couché dans la maison de sorte que l'on entendit le bruit de la porte
de l'étable quand il l'ouvrit. Le bourgeois[4] appela son fils.
« Va voir dans le jardin s'il n'y a rien d'anormal et appelle le chien. »
Le chien s'appelait Estula, mais par chance pour les deux frères,
cette nuit-là, il n'était pas dans la cour. Le garçon, tout en prêtant
25 l'oreille, ouvrit la porte donnant sur la cour et appela :
« Estula ! Estula ! »
Et celui des deux frères qui était dans l'étable répondit :
« Oui, je suis là. »
Il faisait très sombre, de sorte que le garçon ne put pas aper-
30 cevoir celui qui lui avait répondu. Il crut fermement que c'était le
chien qui lui avait répondu, et sans attendre, il revint en courant
vers la maison où il arriva tout tremblant de peur.
« Qu'as-tu donc, beau fils ? lui demanda le père.
– Père, je vous le jure sur la tête de ma mère, Estula vient de me
35 parler.
– Qui ? Notre chien ?
– Oui, vraiment. Et si vous ne voulez pas me croire, appelez-le
vous-même : vous pourrez l'entendre. »
Le bourgeois sortit précipitamment dans la cour pour voir ce
40 miracle et il se mit à appeler son chien Estula. Et l'autre, qui ne
s'était aperçu de rien, répondit :
« Mais oui, je suis là. »
Le bourgeois en fut tout éberlué[5] :
« Par tous les saints et les saintes, fils, j'ai déjà entendu des choses

Miniature d'un livre d'heures,
France, fin du XVe siècle.

6. **Étole :** vêtement que porte
le prêtre pour la messe.
7. **Presbytère :** maison du prêtre.
8. **Subsistance :** nourriture.

45 étonnantes, mais comme celle-ci, jamais ! Dépêche-toi, va raconter
ces merveilles au curé et ramène-le avec toi. Et dis-lui d'apporter
avec lui son étole[6] et de l'eau bénite. »

Le garçon prit ses jambes à son cou et arriva bien vite au presbytère[7]. Sans perdre un instant, il s'approcha du prêtre et lui dit :

50 « Sire, venez chez nous ; suivez-moi vite : vous allez entendre des
choses si étonnantes que vous n'en avez jamais entendu de pareilles.
Prenez votre étole au cou. »

Mais le prêtre lui répondit :

« Tu es complètement fou de vouloir m'emmener dehors. Je suis
55 pieds nus ; je ne peux pas y aller. »

Le garçon lui répliqua :

« Si ! Vous viendrez : je vous porterai. »

Sans dire un mot de plus, le prêtre prend son étole, monte sur
le dos du garçon et les voilà partis. Pour arriver plus vite, le garçon
60 descendit tout droit par le sentier qu'avaient emprunté ceux qui
étaient en quête de subsistance[8]. Celui qui était en train de ramasser

les choux vit arriver la silhouette blanchâtre du curé ; il crut que c'était son frère qui revenait en portant son larcin[9] et lui demanda joyeusement :

65 « Rapportes-tu quelque chose ?

– Par ma foi, oui, répondit le garçon qui pensait que c'était son père qui avait parlé.

– Alors vite, pose-le là. Mon couteau est bien émoulu[10] car je l'ai fait affûter hier à la forge ; je vais lui trancher la gorge. »

70 Quand le prêtre entendit cela, il crut qu'on l'avait attiré dans un piège et, sautant des épaules du garçon, il prit ses jambes à son cou, tout affolé. Mais il accrocha son surplis[11] à un pieu de sorte qu'il y resta et il n'osa pas prendre le temps de le décrocher. Celui qui ramassait les choux ne fut pas moins surpris que celui qui s'enfuyait à cause 75 de lui : il ne comprenait pas ce qui lui avait pris ! Néanmoins il alla prendre cette chose blanche qu'il voyait pendre au pieu et il vit que c'était un surplis. L'autre frère sortit alors de l'étable avec un mouton sur le dos ; il appela celui qui avait rempli son sac de choux et tous les deux, les épaules bien chargées, regagnèrent sans plus s'attarder leur 80 maison qui n'était pas loin. Celui qui avait ramassé le surplis montra son butin à son frère : tous les deux ont bien plaisanté. Ils avaient maintenant retrouvé l'envie de rire que naguère ils avaient perdue.

En peu de temps Dieu accomplit son œuvre. Tel rit le matin qui pleure le soir, et tel est triste le soir qui est gai et heureux au matin.

« Estula », *Fabliaux et contes du Moyen Âge*, présentés et traduits par Jean-Claude Aubailly.

Si vous avez fini de lire
Dessinez, sous forme de schéma, les lieux où se déroule ce fabliau. Indiquez notamment la maison des frères, la maison des riches, leur étable, leur jardin et le presbytère.

Art mozarabe : scène de chasse, 1150. Fresque provenant de l'Ermitage de Baudelio de Berlanga, Soria.

 Comprendre le texte

Pauvres et bourgeois

1 Relisez les lignes 1 à 10. Que peut-on éprouver pour les deux frères ?

2 Quels mots sont répétés en ce début de texte ? Pourquoi, selon vous ?

3 Pour quelles raisons les deux frères décident-ils de voler leur voisin ?

Couper les choux, couper les cous

4 Pourquoi le fils du bourgeois revient-il de la maison en « tremblant de peur » (l. 32) ?

5 Comment son père réagit-il en apprenant « ces merveilles » (l. 46) ?

6 Pourquoi le prêtre prend-il ses jambes à son cou ?

7 Quelle image l'auteur du fabliau donne-t-il des puissants ?

Rire et penser

8 Pensez-vous que les deux paysans ont eu raison ou tort ? Justifiez votre réponse.

9 Ce fabliau vous a-t-il fait rire ou sourire ? Pourquoi ?

Bilan

10 Pourquoi l'auteur du fabliau insiste-t-il sur le comique de cette victoire des faibles ?

Réécouter le fabliau

11 Quelles différences y a-t-il entre le fabliau que vous avez lu et celui que vous venez d'entendre ? Pourquoi les textes ne sont-ils pas identiques, selon vous ?

Activités

LANGUE IV.3

Réécrivez la phrase ci-dessous en remplaçant « Le prêtre » par « Les prêtres » et en procédant à tous les changements nécessaires.
Vous surlignerez tous les changements.

Quand le prêtre entendit cela, il crut qu'on l'avait attiré dans un piège et, sautant des épaules du garçon, il prit ses jambes à son cou, tout affolé.

➜ **Le pluriel** p. 272

ORAL Transformer un fabliau en courte pièce de théâtre III.5

Étape 1. Choisir une scène
Chaque groupe choisit une des parties du fabliau : chez les frères (l. 1 à 10), dans le jardin (l. 10 à 47), avec le prêtre (l. 48 à 75), le dénouement (l. 75 à 84).
Toutes les parties doivent être attribuées.

Étape 2. Transformer le fabliau en scène
– Combien de rôles y aura-t-il dans votre scène ?
– Que dira chacun des personnages ?
– Quels éléments du fabliau transformerez-vous en didascalies ? (Dans une pièce de théâtre, une didascalie est un court texte en italique, que personne ne prononce, et qui indique à l'acteur les déplacements et les gestes qu'il doit faire, le ton qu'il doit prendre, etc.)

Étape 3. Mettre en scène
– De quels accessoires et de quels costumes aurez-vous besoin ?
– Comment vous déplacerez-vous ?
– Comment éclairerez-vous la scène ?
– Comment ferez-vous rire vos camarades ?
Un élève pourra prononcer le début du fabliau (l. 1 à 13, jusqu'à « étable ») ainsi que la morale.

à retenir

Trouvères et troubadours
Au Moyen Âge, on lit rarement les textes en silence. Un troubadour ou un trouvère récite le fabliau dans un château ou une auberge, devant une assemblée noble ou populaire. Un autre troubadour peut l'accompagner avec un instrument de musique. Un autre peut jongler ou mimer les événements racontés.

Écrire un recueil collectif de fables

Vocabulaire de la fable

1 Des cris pour donner à entendre les animaux

Attribuez à chaque animal son cri.
Vous pouvez vous aider d'un dictionnaire.

hibou	piailler
panthère	ululer
âne	coasser
corbeau	rugir
poussin	braire
grenouille	croasser

> **Orthographe**
>
> Conjuguez cinq de ces verbes à la 3ᵉ personne du pluriel du présent de l'indicatif dans une phrase correcte.
> Ex. : Les abeilles bourdonnent.

2 Des qualités et des défauts pour caractériser les animaux

a. Recopiez et complétez ce tableau.

Ruse		Bêtise	
Nom	Adjectif	Nom	Adjectif
ruse	rusé	bêtise	bête
	sage		stupide
Intelligence		idiotie	
	astucieux		simple
Habileté		sottise	
	génial	crédulité	

b. Voici une liste de qualités et de défauts. Associez chaque mot avec son contraire. Vous pouvez vous aider d'un dictionnaire. Il peut y avoir plusieurs possibilités.

Ex. : avare / généreux

doux • vicieux • modeste • violent • raisonnable • bon • insensible • cruel • honnête •

compatissant • orgueilleux • colérique • méchant • trompeur • vertueux • tranquille • paisible • fou.

> **Orthographe**
>
> Mettez au féminin : doux, fou, cruel, méchant, vertueux. Apprenez l'orthographe de ces adjectifs aux deux genres.

3 Des périphrases pour désigner les animaux

a. Retrouvez, pour chaque animal, la périphrase qui le désigne.

le chat •	• le Roi des animaux
les grenouilles •	• l'Animal bêlant
le lion •	• la gent qui porte crête
la chèvre •	• le fléau des Rats
le coq •	• la Gent marécageuse
le mouton •	• l'animal grimpant

b. À votre tour, inventez des périphrases pour désigner les animaux

le crocodile → le ... des eaux troubles
le tigre → le prince de ...
le chien → le ... de la maison
la poule → la ... à plumes
le zèbre → le cheval ...
la biche → la ... des bois

4 Des mots pour exprimer les sentiments

a. Voici des noms synonymes de « colère ». Classez-les du plus fort au plus faible. Vous pouvez utiliser un dictionnaire.

colère • rage • agitation • agressivité • fureur • exaspération • impatience.

b. Trouvez les adjectifs correspondant aux noms de la liste ci-dessus.

c. Voici des verbes exprimant la joie. Classez-les du plus fort au plus faible. Vous pouvez utiliser un dictionnaire.

être heureux (de) • être en extase (devant) • jubiler • ne plus se sentir de joie • se réjouir (de) • sourire • triompher • exulter.

d. Faites une phrase avec chacun des verbes de la liste ci-dessus.

5 Faire vivre les animaux dans leur milieu

Voici des animaux que l'on peut rencontrer dans les fables de La Fontaine. Classez-les selon qu'ils vivent sur terre, dans l'eau ou dans les airs. Il peut y avoir plusieurs solutions. Vous pouvez vous aider d'un dictionnaire.

le cygne • le geai • l'escargot • la laie • le hibou • l'hirondelle • la belette • la perdrix • le moineau • le souriceau • l'huître • le mulet • le perroquet • l'écrevisse • la génisse • le héron • la tortue • le chevreau • le milan • le rossignol • le pigeon.

Orthographe

Choisissez dix de ces mots. Mémorisez leur orthographe.

 Grammaire pour écrire une fable

6 Écrire un récit au présent

Mettez les verbes entre parenthèses au présent.

Deux ânes (se promener) ... sur un chemin poussiéreux. L'un (porter) ... des éponges, et l'autre (avoir) ... sur son dos du sel. Soudain, tous deux (voir) ... une rivière. L'âne chargé de sel y (plonger) ... et s'y (baigner) ... . Il (ressortir) ... de l'eau plus léger : tout son sel (être) ... fondu. Le deuxième (faire) ... de même, il (croire) ... avoir la même chance. Mais les éponges (se gonfler) ... d'eau. Les éponges l'(attirer) ... vers le fond. On le (sauver) ... et on le (punir) ... .

→ **Le présent**, p. 254 et 256

7 Ponctuer les dialogues

Recopiez le dialogue suivant. Ponctuez-le en utilisant des majuscules, des guillemets, des tirets, des points, des virgules, des points d'interrogation.

Il s'agit d'une grenouille qui veut gonfler pour ressembler à un bœuf.

elle dit regardez bien ma sœur
est-ce assez dites-moi n'y suis-je point encore
non
m'y voici donc
point du tout
m'y voilà
vous n'en approchez point
elle s'enfla si bien qu'elle creva

D'après Jean de La Fontaine, « La Grenouille qui veut se faire aussi grosse que le bœuf », *Fables*, Livre I, 1668.

→ **La ponctuation**, p. 230

Illustration des « Deux Coqs » par F. Lorioux, XXᵉ siècle.

 Vers l'écriture d'un recueil de fables

 Réunir les ingrédients d'une fable III.11
Par groupe de deux, choisissez deux animaux de l'exercice 1 et retrouvez leur cri. Attribuez à chaque animal une qualité ou un défaut de l'exercice 2. Trouvez, pour chaque animal, une périphrase en vous aidant de l'exercice 3.

 Écrire la fable
En vous aidant de tous ces éléments, écrivez une fable d'une quinzaine de phrases.

 Décorer sa fable
Vous pouvez recopier votre fable sur du beau papier. Vous pouvez également l'illustrer.

Votre professeur vous distribuera la fiche 4 pour guider votre travail.

Partie 3
Le Médecin malgré lui,
entre naïfs et rusés

PARCOURS DE LECTURE

Découvrir *Le Médecin malgré lui*

1. La comédie au XVIIe siècle

Représentation de la pièce *Le malade imaginaire*, de Molière à la Cour de Versailles. Gravure de 1676.

① Êtes-vous déjà allé(e) au théâtre ? À quoi ressemblait la salle ? Qu'y avait-il sur scène ? Quels éléments vous ont marqué(e) ?

Le théâtre français sous Louis XIV, représentation d'une pièce de Molière. Lithographie, v. 1900.

② À quoi ressemble une scène de théâtre, au XVIIe siècle ? Quelles différences y a-t-il entre le théâtre du XVIIe et le théâtre d'aujourd'hui ?

2. *Le Médecin malgré lui* dans la carrière de Molière

En 1666, Molière est au sommet de sa carrière. Avec la troupe qu'il a fondée, « L'Illustre Théâtre », il a fait rire tout Paris en se moquant des maris jaloux et trompés. On le craint, on l'attaque, mais on l'admire. Le roi Louis XIV lui-même le soutient et vient l'applaudir. Avec *Le Médecin malgré lui*, il s'attaque à présent aux médecins de son époque qu'il juge incompétents, prétentieux et dangereux. C'est un immense succès : la pièce sera jouée près de trois cents fois en quarante ans.

Le Médecin malgré lui,
1666. Gravure
de P. Brissart.

Martine

1. Selon vous, quel personnage est le médecin, sur la gravure en haut à gauche ?

2. Quelle impression donne-t-il ?

3. Comment comprenez-vous le titre de la pièce, *Le Médecin malgré lui* ? Avancez au moins deux hypothèses.

Activité numérique   III.9

De Jean-Baptiste Poquelin à Molière

Réalisez une fiche biographique sur Molière.

Votre professeur vous distribuera la fiche 8 pour guider votre travail.

Sganarelle

Géronte

3. Les personnages du *Médecin malgré lui*

1. Lequel de ces personnages pourrait être le « médecin malgré lui » ? Pourquoi ?

2. Quels seraient ses objectifs, dans cette pièce ? Qui pourrait l'aider à les réaliser ? Qui pourraient être ses adversaires ?

Lucinde

Jacqueline

Bilan

3. En vous aidant de l'ensemble des documents que vous avez étudiés, imaginez, en une dizaine de phrases, l'intrigue de la pièce.

4. Pourquoi la pièce a-t-elle connu un grand succès ? Avancez au moins deux hypothèses.

Valère

Lucas

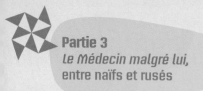

Partie 3
Le Médecin malgré lui,
entre naïfs et rusés

PARCOURS
DE LECTURE

1 **La révolte du faible**

Scène de ménage

SGANARELLE, MARTINE

SGANARELLE. – [...] tu fus bien heureuse de me trouver.

MARTINE. – Qu'appelles-tu bien heureuse de te trouver ? Un homme qui me réduit à l'hôpital[1], un débauché[2], un traître, qui me mange tout ce que j'ai ?

5 SGANARELLE. – Tu as menti : j'en bois une partie.

MARTINE. – Qui me vend, pièce à pièce, tout ce qui est dans le logis.

SGANARELLE. – C'est vivre de ménage[3].

MARTINE. – Qui m'a ôté jusqu'au lit que j'avais.

SGANARELLE. – Tu t'en lèveras plus matin.

10 MARTINE. – Enfin qui ne laisse aucun meuble dans toute la maison.

SGANARELLE. – On en déménage plus aisément.

MARTINE. – Et qui, du matin jusqu'au soir, ne fait que jouer et que boire.

SGANARELLE. – C'est pour ne me point ennuyer.

15 MARTINE. – Et que veux-tu, pendant ce temps, que je fasse avec ma famille ?

SGANARELLE. – Tout ce qu'il te plaira.

MARTINE. – J'ai quatre pauvres petits enfants sur les bras.

20 SGANARELLE. – Mets-les à terre.

MARTINE. – Qui me demandent à toute heure du pain.

SGANARELLE. – Donne-leur le fouet ; quand j'ai bien bu et bien mangé, je veux 25 que tout le monde soit saoul dans ma maison.

MARTINE. – Et tu prétends, ivrogne, que les choses aillent toujours de même ?

SGANARELLE. – Ma femme, allons tout 30 doucement, s'il vous plaît.

MARTINE. – Que j'endure éternellement tes insolences et tes débauches ?

1. Me réduit à l'hôpital : me ruine.
2. Débauché : personne qui ne pense qu'à son plaisir.
3. Vivre de ménage : jeu de mots. « Vivre de ménage » signifie à la fois « faire des économies » et « vivre en vendant son mobilier ».

Martine et Sganarelle.
Illustration par Bertall, 1863.

SGANARELLE. – Ne nous emportons point, ma femme.

MARTINE. – Et que je ne sache pas trouver le moyen de te ranger
35 à ton devoir ?

SGANARELLE. – Ma femme, vous savez que je n'ai pas l'âme endu-
rante, et que j'ai le bras assez bon.

MARTINE. – Je me moque de tes menaces.

SGANARELLE. – Ma petite femme, ma mie[4], votre peau vous dé-
40 mange, à votre ordinaire.

MARTINE. – Je te montrerai bien que je ne te crains nullement.

SGANARELLE. – Ma chère moitié, vous avez envie de me dérober[5]
quelque chose.

MARTINE. – Crois-tu que je m'épouvante[6] de tes paroles ?

45 SGANARELLE. – Doux objet de mes vœux, je vous frotterai les oreilles.

MARTINE. – Ivrogne que tu es !

SGANARELLE. – Je vous battrai.

MARTINE. – Sac à vin !

SGANARELLE. – Je vous rosserai[7].

50 MARTINE. – Infâme !

SGANARELLE. – Je vous étrillerai[8].

MARTINE. – Traître, insolent, trompeur, lâche, coquin, pendard,
gueux, belître, fripon, maraud[9], voleur… !

SGANARELLE. *Il prend un bâton, et lui en donne.* – Ah ! vous en
55 voulez donc ?

MARTINE. – Ah, ah, ah, ah !

SGANARELLE. – Voilà le vrai moyen de vous apaiser.

Molière, *Le Médecin malgré lui*,
acte I, scène 1, 1666.

4. **Ma mie :** mon amie.
5. **Dérober :** voler.
6. **M'épouvante :** prenne peur.
7. **Rosserai :** battrai
violemment.
8. **Étrillerai :** battrai.
9. **Pendard, gueux, belître,
fripon, maraud :** il s'agit
d'insultes.

*Dispute entre Martine et
Sganarelle. Mise en scène de la
compagnie Colette Roumanoff,
2008.*

 **Comprendre le texte**

Une dispute entre époux

① Relisez les dix premières répliques (l. 1 à 13). Reformulez, avec vos mots, les reproches que Martine fait à Sganarelle. Sganarelle cherche-t-il à se justifier ?

② Proposez trois adjectifs pour décrire le caractère de Sganarelle et trois adjectifs pour décrire celui de Martine.

Une discussion qui s'envenime

③ Les menaces et les insultes finales vous choquent-elles ? Pourquoi ?

④ Pourquoi Sganarelle donne-t-il du bâton à sa femme à la fin de la scène ?

⑤ Qui est le plus fort, selon vous, dans cette scène ?

Un duo comique

⑥ « J'ai quatre pauvres petits enfants sur les bras », « Mets-les à terre » (l. 20) ? Comment Sganarelle se moque-t-il de Martine ?

⑦ La phrase : « Doux objet de mes vœux, je vous frotterai les oreilles » (l. 45) est-elle affectueuse ? Pourquoi ?

⑧ Relevez d'autres répliques dans lesquelles Sganarelle joue sur les mots pour répondre à Martine.

Bilan

⑨ Comment se traduisent la force et l'impuissance de Sganarelle dans cette scène ?

 **Activités**

LANGUE   IV.4

Réécrivez la phrase ci-dessous en mettant tous les noms au féminin.

Traître, insolent, trompeur, lâche, coquin, pendard, gueux, belître, fripon, maraud, voleur... !

➔ **Le féminin** p. 270

ORAL   **Mettre en voix une scène de dispute**   I.2

Par groupes de deux, mettez en voix cette scène de dispute.

Martine

I. a) Quel ton Martine utilisera-t-elle ?
b) Comment prononcerez-vous ses insultes ?
c) Comment montrerez-vous sa douleur ?

Sganarelle

2. a) Comment l'agacement de Sganarelle se traduira-t-il ?
b) Comment direz-vous ses jeux de mots ?
c) Comment prononcerez-vous ses menaces ?

● *Conseils*

Vous pouvez parler fort et rapidement (sans faire d'erreur) pour accentuer la colère des personnages.

à retenir

La puissance et la force

Au XVIIᵉ siècle, les puissants sont avant tout les nobles qui viennent d'une ancienne et glorieuse famille. Mais l'argent joue également un rôle important dans l'organisation de la société.

Au sein de la famille, c'est l'homme qui prend les décisions importantes, et sa femme doit lui être soumise.

Partie 3
Le Médecin malgré lui,
entre naïfs et rusés

PARCOURS
DE LECTURE

2 Coups contre coups

La vengeance de Martine

> **Valère et Lucas cherchent un médecin capable de soigner la fille de leur maître, devenue muette. Martine les rencontre par hasard et, pour se venger de Sganarelle, elle prétend qu'il est un médecin génial, mais un peu fou, qui ne guérit que si on le frappe à coups de bâton.**

1. Fagots : petits tas de bois.
2. Sols et double : monnaies du XVIIᵉ siècle.
3. Je n'en puis rien rabattre : je ne peux baisser le prix.
4. Fi : marque de déception ou de mépris.
5. Surfaire : proposer des prix élevés.
6. Feintes : imitations.

Valère, Sganarelle, Lucas

Valère. – Monsieur, il ne faut pas trouver étrange que nous venions à vous : les habiles gens sont toujours recherchés, et nous sommes instruits de votre capacité.

Sganarelle. – Il est vrai, Messieurs, que je suis le premier homme
5 du monde pour faire des fagots[1].

Valère. – Ah ! Monsieur…

Sganarelle. – Je n'y épargne aucune chose, et les fais d'une façon qu'il n'y a rien à dire.

Valère. – Monsieur, ce n'est pas cela dont il est question.

10 **Sganarelle.** – Mais aussi, je les vends cent dix sols[2] le cent.

Valère. – Ne parlons point de cela, s'il vous plaît.

Sganarelle. – Je vous promets que je ne saurais les donner à moins.

Valère. – Monsieur, nous savons les choses.

15 **Sganarelle.** – Si vous savez les choses, vous savez que je les vends cela.

Valère. – Monsieur, c'est se moquer que…

Sganarelle. – Je ne me moque point, je n'en puis rien rabattre[3].

Valère. – Parlons d'autre façon, de grâce.

20 **Sganarelle.** – Vous en pourrez trouver autre part, à moins : il y a fagots et fagots ; mais pour ceux que je fais…

Valère. – Eh ! Monsieur, laissons là ce discours.

Sganarelle. – Je vous jure que vous ne les auriez pas, s'il s'en fallait un double[2].

25 **Valère.** – Eh fi[4] !

Sganarelle. – Non, en conscience, vous en payerez cela. Je vous parle sincèrement, et ne suis pas homme à surfaire[5].

Valère. – Faut-il, Monsieur, qu'une personne comme vous s'amuse à ces grossières feintes[6] ? s'abaisse à parler de la sorte ? qu'un

30 homme si savant, un fameux médecin, comme vous êtes, veuille se déguiser aux yeux du monde, et tenir enterrés les beaux talents qu'il a ?

SGANARELLE, *à part.* – Il est fou.

VALÈRE. – De grâce, Monsieur, ne dissimulez point avec nous.

35 SGANARELLE. – Comment ?

LUCAS. – Tout ce tripotage ne sart de rian ; je savons çen que je savons[7].

SGANARELLE. – Quoi donc ? que me voulez-vous dire ? Pour qui me prenez-vous ?

40 VALÈRE. – Pour ce que vous êtes, pour un grand médecin.

SGANARELLE. – Médecin vous-même : je ne le suis point, et ne l'ai jamais été.

VALÈRE, *bas.* – Voilà sa folie qui le tient. *(Haut.)* Monsieur, ne veuillez point nier les choses davantage ; et n'en venons point, s'il vous
45 plaît, à de fâcheuses extrémités[8].

SGANARELLE. – À quoi donc ?

VALÈRE. – À de certaines choses dont nous serions marris[9].

SGANARELLE. – Parbleu[10] ! venez-en à tout ce qu'il vous plaira : je ne suis point médecin, et ne sais ce que vous me voulez dire.

50 VALÈRE, *bas.* – Je vois bien qu'il faut se servir du remède. *(Haut.)* Monsieur, encore un coup, je vous prie d'avouer ce que vous êtes.

LUCAS. – Et testigué ! ne lantiponez point davantage, et confessez à la franquette que v'êtes médecin[11].

SGANARELLE. – J'enrage.

55 VALÈRE. – À quoi bon nier ce qu'on sait ?

LUCAS. – Pourquoi toutes ces fraimes-là[12] ? A quoi est-ce que ça vous sart ?

SGANARELLE. – Messieurs, en un mot autant qu'en deux mille, je vous dis que je ne suis point médecin.

60 VALÈRE. – Vous n'êtes point médecin ?

SGANARELLE. – Non.

LUCAS. – V' n'estes pas médecin ?

SGANARELLE. – Non, vous dis-je.

VALÈRE. – Puisque vous le voulez, il faut s'y résoudre.

65 *Ils prennent un bâton, et le frappent.*

SGANARELLE. – Ah ! ah ! ah ! Messieurs, je suis tout ce qu'il vous plaira.

Molière, *Le Médecin malgré lui*, acte I, scène 5, 1666.

---

7. Tout ce tripotage ne sart de rian ; je savons çen que je savons : faux langage de paysan : « toute cette comédie ne sert à rien, je sais ce que je sais ».
8. Fâcheuses extrémités : conséquences terribles.
9. Marris : contrariés.
10. Parbleu : juron.
11. Et testigué ! ne lantiponez point davantage et confessez à la franquette que v'êtes médecin : bon dieu, arrêtez vos discours inutiles, et confessez franchement que vous êtes médecin.
12. Fraimes : déformation de « faire la frime », qui signifie « faire mauvais accueil ».

Comprendre le texte

Le quiproquo

1. Relisez les répliques des lignes 4 à 21. Valère et Sganarelle parlent-ils de la même chose ? Comment peut réagir le spectateur ?

2. Comment qualifieriez-vous l'attitude de Valère et de Lucas dans cette scène ?

3. Pourquoi Sganarelle dit-il à la fin de la scène : « Messieurs, je suis tout ce qu'il vous plaira » ?

4. Comparez cette scène avec la précédente. Pourquoi Sganarelle n'est-il plus le plus fort ?

Un trio comique

5. Comment Lucas s'exprime-t-il ? Pourquoi Molière utilise-t-il cette langue ?

6. Qu'est-ce qui faire rire dans cette scène ?

7. Ressentez-vous de la pitié pour Sganarelle à la fin de la scène ? Pourquoi ?

Bilan

8. Comment Martine s'est-elle vengée de Sganarelle ? Comment cette scène fait-elle écho à la précédente ?

à retenir

Le quiproquo
Un quiproquo est un malentendu entre deux personnages. Comme ils ne parlent pas de la même chose, ils peuvent s'étonner, s'agacer, se disputer… et nous faire rire.

Activités

ORAL Mimer une scène violente **1.3**

Par groupes de trois, mimez cette scène. Vous ne prononcerez aucune parole et vous ne toucherez personne.

Sganarelle

1. a) Comment mimerez-vous l'agacement de Sganarelle ?
b) Comment montrerez-vous son arrogance finale ?
c) Quel geste devra-t-il faire quand il dit à propos de Valère : « Il est fou » (l. 33) ?

Valère et Lucas

2. a) Comment mimerez-vous le respect de Valère pour Sganarelle ?
b) Comment montrerez-vous son incompréhension et sa déception ?
c) Par quels gestes le menacerez-vous ?
3. Comment montrerez-vous que Lucas est un idiot ?
4. Comment ferez-vous pour mimer, sans vous toucher, les coups de bâton ? Comment Sganarelle réagira-t-il ?
5. Quels autres gestes pourront faire rire vos camarades ?

• *Conseils*

Sganarelle pourra esquiver quelques coups ou faire comme s'il allait se battre avant d'être frappé. Il pourra tenter de se cacher ou de fuir.

Sganarelle sous les coups de Valère et Lucas. Mise en scène de la compagnie Colette Roumanoff, 2008.

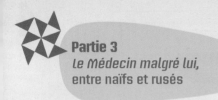

Partie 3
Le Médecin malgré lui,
entre naïfs et rusés

PARCOURS DE LECTURE

③ Le pouvoir des mots

Un drôle de médecin

Sganarelle accepte à contrecœur de devenir médecin. Valère et Lucas l'emmènent auprès du riche seigneur Géronte et de sa fille, Lucinde, devenue subitement muette.

1. **Accommoderait** : *satisferait.*
2. **Plût à Dieu que la mienne eût cette maladie !** : *si seulement la mienne avait cette maladie.*

SGANARELLE, GÉRONTE, LUCINDE, JACQUELINE

SGANARELLE. – Est-ce là la malade ?

GÉRONTE. – Oui, je n'ai qu'elle de fille ; et j'aurais tous les regrets du monde si elle venait à mourir.

SGANARELLE. – Qu'elle s'en garde bien ! il ne faut pas qu'elle meure
5 sans l'ordonnance du médecin.

GÉRONTE. – Allons, un siège.

SGANARELLE. – Voilà une malade qui n'est pas tant dégoûtante, et je tiens qu'un homme bien sain s'en accommoderait[1] assez.

GÉRONTE. – Vous l'avez fait rire, Monsieur.

10 SGANARELLE. – Tant mieux : lorsque le médecin fait rire le malade, c'est le meilleur signe du monde. Eh bien ! de quoi est-il question ? qu'avez-vous ? quel est le mal que vous sentez ?

Lucinde *répond par signes, en portant sa main à sa bouche, à sa tête et sous son menton.* – Han, hi, hom, han.

15 SGANARELLE. – Eh ! que dites-vous ?

LUCINDE *continue les mêmes gestes.* – Han, hi, hom, han, han, hi, hom.

SGANARELLE. – Quoi ?

LUCINDE. – Han, hi, hom.

20 SGANARELLE, *la contrefaisant.* – Han, hi, hom, han, ha : je ne vous entends point. Quel diable de langage est-ce là ?

GÉRONTE. – Monsieur, c'est là sa maladie. Elle est devenue muette, sans que jusques ici on en ait pu savoir la cause ; et c'est un accident qui a fait reculer son mariage.

25 SGANARELLE. – Et pourquoi ?

GÉRONTE. – Celui qu'elle doit épouser veut attendre sa guérison pour conclure les choses.

SGANARELLE. – Et qui est ce sot-là qui ne veut pas que sa femme soit muette ? Plût à Dieu que la mienne eût cette maladie[2] ! je me
30 garderais bien de la vouloir guérir.

3. **Oppresse** : fait souffrir.
4. **Va-t-elle où vous savez** : Sganarelle parle des toilettes.
5. **Copieusement** : en grande quantité.
6. **Entends** : comprends.
7. **Matière** : excréments.
8. **Louable** : bien faite.

GÉRONTE. – Enfin, Monsieur, nous vous prions d'employer tous vos soins pour la soulager de son mal.

SGANARELLE. – Ah ! ne vous mettez pas en peine. Dites-moi un peu, ce mal l'oppresse[3]-t-il beaucoup ?

35 GÉRONTE. – Oui, Monsieur.

SGANARELLE. – Tant mieux. Sent-elle de grandes douleurs ?

GÉRONTE. – Fort grandes.

SGANARELLE. – C'est fort bien fait. Va-t-elle où vous savez[4] ?

GÉRONTE. – Oui.

40 SGANARELLE. – Copieusement[5] ?

GÉRONTE. – Je n'entends[6] rien à cela.

SGANARELLE. – La matière[7] est-elle louable[8] ?

GÉRONTE. – Je ne me connais pas à ces choses.

SGANARELLE, *se tournant vers la malade*. – Donnez-moi votre bras.
45 Voilà un pouls qui marque que votre fille est muette.

GÉRONTE. – Eh oui, Monsieur, c'est là son mal ; vous l'avez trouvé tout du premier coup.

SGANARELLE. – Ah, ah !

JACQUELINE. – Voyez comme il a deviné sa maladie !

50 SGANARELLE. – Nous autres grands médecins, nous connaissons d'abord les choses. Un ignorant aurait été embarrassé, et vous eût été dire : « C'est ceci, c'est cela » : mais moi, je touche au but du premier coup ; et je vous apprends que votre fille est
55 muette.

GÉRONTE. – Oui ; mais je voudrais bien que vous me puissiez dire d'où cela vient.

SGANARELLE. – Il n'est rien plus aisé :
60 cela vient de ce qu'elle a perdu la parole.

GÉRONTE. – Fort bien ; mais la cause, s'il vous plaît, qui fait qu'elle a perdu la parole ?

65 SGANARELLE. – Tous nos meilleurs auteurs vous diront que c'est l'empêchement de l'action de sa langue.

GÉRONTE. – Mais encore, vos sentiments sur cet empêchement de l'action
70 de sa langue ?

Lucinde, Sganarelle et Géronte, gravure sur acier par Delannoy d'après un dessin de G. Staal, 1870.

9. **Aristote** : grand philosophe grec antique.
10. **Certaines humeurs / humeurs peccantes / d'autant que les vapeurs [...] des maladies / *Cabricias arci thuram* [...] *et casus*** : charabia médical mélangeant le grec, le latin et l'hébreu.
11. **Que n'ai-je étudié !** : si seulement j'avais étudié !

SGANARELLE. – Aristote[9], là-dessus, dit… de fort belles choses.

GÉRONTE. – Je le crois.

SGANARELLE. – Ah ! c'était un grand homme !

GÉRONTE. – Sans doute.

75 SGANARELLE, *levant son bras depuis le coude.* – Grand homme tout à fait : un homme qui était plus grand que moi de tout cela. Pour revenir donc à notre raisonnement, je tiens que cet empêchement de l'action de sa langue est causé par de certaines humeurs[10], qu'entre nous autres savants nous appelons humeurs peccantes[10], peccantes,
80 c'est-à-dire… humeurs peccantes ; d'autant que les vapeurs formées par les exhalaisons des influences qui s'élèvent dans la région des maladies[10], venant… pour ainsi dire… à… Entendez-vous le latin ?

GÉRONTE. – En aucune façon.

SGANARELLE, *se levant avec étonnement.* – Vous n'entendez point
85 le latin !

GÉRONTE. – Non.

SGANARELLE, *en faisant diverses plaisantes postures.* – *Cabricias arci thuram, catalamus, singulariter, nominativo haec Musa,* « la Muse », *bonus, bona, bonum, Deus sanctus, estne oratio latinas ?*
90 *Etiam,* « oui ». *Quare,* « pourquoi ? » *Quia substantivo et adjectivum concordat in generi, numerum, et casus*[10].

GÉRONTE. – Ah ! que n'ai-je étudié[11] !

Molière, *Le Médecin malgré lui*, acte II, scène 4, 1666.

Lucinde examinée par Sganarelle.
Mise en scène de la compagnie Colette Roumanoff, 2008.

Comprendre le texte

Le médecin et ses patients

1 Relisez les sept premières répliques (l. 1 à 12). Quelle est l'attitude de Sganarelle vis-à-vis de sa patiente ?

2 Sganarelle dit : « Et qui est ce sot-là qui ne veut pas que sa femme soit muette ? » (l. 28) Pourquoi cette réplique fait-elle écho à la première scène ?

3 Comment Géronte et Jacqueline réagissent-ils aux propos de Sganarelle ? Qu'est-ce que cela révèle de leur personnalité ?

4 Lucinde est-elle vraiment malade ? À quoi le voyez-vous ?

Une étrange consultation

5 Sganarelle a-t-il trouvé « tout du premier coup » (l. 47) que Lucinde est muette ?

6 Relisez les lignes 56 à 67. Sganarelle vous semble-t-il compétent ? Pourquoi ?

7 Pourquoi Sganarelle évoque-t-il Aristote ?

8 Relisez les lignes 75 à 82. Comprenez-vous les explications de Sganarelle ? Pourquoi ?

9 Quelle image Molière donne-t-il des médecins de son époque ?

Bilan

10 En quoi cette scène montre-t-elle le pouvoir des mots ?

à retenir

La médecine au XVIIe siècle
Un médecin, au XVIIe siècle, est avant tout un savant. Il doit connaître les philosophes antiques et doit savoir parler latin et grec (et parfois l'hébreu). Pour guérir les malades, on leur donnait des purges et on les saignait souvent, ce qui les affaiblissait et les tuait parfois. En somme, au XVIIe siècle, les médecins suscitent à la fois l'admiration… et la crainte.

 ## Activités

ORAL Mettre en scène une consultation **1.6**

1. Répartissez-vous les rôles de Sganarelle, Géronte, Lucinde et Jacqueline (vous pouvez jouer toute la scène ou une partie seulement).

Sganarelle

2. a) Comment jouerez-vous son assurance ?
b) Comment prononcerez-vous son charabia pour faire rire vos camarades ?
c) Quels gestes fera-t-il pour faire rire ?

Géronte

3. a) Quel ton utiliserez-vous pour montrer la naïveté et l'admiration de Géronte ?
b) Quels gestes fera-t-il ?

Lucinde

4. Comment crierez-vous pour faire rire vos camarades ? Quels gestes Lucinde peut-elle faire en poussant ses cris ?

Jacqueline

5. Comment jouerez-vous son enthousiasme ?

• *Conseils*
– Sganarelle pourra sourire ou faire des signes au public.
– Tous les personnages seront impressionnés par Sganarelle.

Activité interdisciplinaire

Costumes et décors
Français – Arts plastiques

Vous réaliserez les costumes et les décors du *Médecin malgré lui*.

 Votre professeur vous distribuera la fiche 9 pour guider votre travail.

Partie 3
Le Médecin malgré lui,
entre naïfs et rusés

PARCOURS
DE LECTURE

4 La force de l'amour

Ruse et déguisement

Léandre, le véritable amour de Lucinde, a révélé à Sganarelle que la maladie n'était qu'une ruse pour échapper à un mariage forcé. Sganarelle a une nouvelle ruse : Léandre se déguisera en apothicaire (sorte de pharmacien du XVIIe siècle) et l'accompagnera chez Lucinde. Mais dès que Lucinde voit Léandre, elle ne peut cacher son amour et se remet à parler.

LUCINDE, GÉRONTE, SGANARELLE

LUCINDE. – Non, je ne suis point du tout capable de changer de sentiments.

GÉRONTE. – Voilà ma fille qui parle ! Ô grande vertu du remède ! Ô admirable médecin ! Que je vous suis obligé[1], Monsieur, de cette
5 guérison merveilleuse ! et que puis-je faire pour vous après un tel service ?

SGANARELLE, *se promenant sur le théâtre, et s'essuyant le front.* – Voilà une maladie qui m'a bien donné de la peine !

LUCINDE. – Oui, mon père, j'ai recouvré la parole ; mais je l'ai
10 recouvrée pour vous dire que je n'aurai jamais d'autre époux que Léandre, et que c'est inutilement que vous voulez me donner Horace.

GÉRONTE. – Mais…

LUCINDE. – Rien n'est capable d'ébranler la résolution[2] que j'ai prise.

15 GÉRONTE. – Quoi… ?

LUCINDE. – Vous m'opposerez en vain de belles raisons.

GÉRONTE. – Si…

LUCINDE. – Tous vos discours ne serviront de rien.

GÉRONTE. – Je…

20 LUCINDE. – C'est une chose où je suis déterminée.

GÉRONTE. – Mais…

LUCINDE. – Il n'est puissance paternelle qui me puisse obliger à me marier malgré moi.

GÉRONTE. – J'ai…

25 LUCINDE. – Vous avez beau faire tous vos efforts.

GÉRONTE. – Il…

LUCINDE. – Mon cœur ne saurait se soumettre à cette tyrannie.

1. **Obligé** : reconnaissant.
2. **Ébranler la résolution** : changer la décision.

La guérison de Lucinde.
Mise en scène de la compagnie
Colette Roumanoff, 2008.

3. **Couvent :** lieu qui accueille
les religieuses chrétiennes...
et les filles désobéissantes.
4. **Impétuosité :** violence.

GÉRONTE. – Là...

LUCINDE. – Et je me jetterai plutôt dans un couvent[3] que d'épouser
un homme que je n'aime point.

GÉRONTE. – Mais...

LUCINDE, *parlant d'un ton de voix à étourdir*. – Non. En aucune
façon. Point d'affaire. Vous perdez le temps. Je n'en ferai rien. Cela
est résolu.

GÉRONTE. – Ah ! quelle impétuosité[4] de paroles ! Il n'y a pas moyen
d'y résister. Monsieur, je vous prie de la faire redevenir muette.

SGANARELLE. – C'est une chose qui m'est impossible. Tout ce que
je puis faire pour votre service est de vous rendre sourd, si vous
voulez.

GÉRONTE. – Je vous remercie. Penses-tu donc...

LUCINDE. – Non. Toutes vos raisons ne gagneront rien sur mon
âme.

GÉRONTE. – Tu épouseras Horace, dès ce soir.

LUCINDE. – J'épouserai plutôt la mort.

SGANARELLE. – Mon Dieu ! arrêtez-vous, laissez-moi médicamenter cette affaire. C'est une maladie qui la tient, et je sais le remède
qu'il faut apporter.

GÉRONTE. – Serait-il possible, Monsieur, que vous pussiez[5] aussi guérir cette maladie d'esprit ?

50 SGANARELLE. – Oui : laissez-moi faire, j'ai des remèdes pour tout, et notre Apothicaire nous servira pour cette cure[6]. *(Il appelle l'Apothicaire et lui parle.)* Un mot. Vous voyez que l'ardeur[7] qu'elle a pour ce Léandre est tout à fait contraire aux volontés du père, qu'il n'y a point de temps à perdre, que les humeurs sont fort aigries[8], et
55 qu'il est nécessaire de trouver promptement[9] un remède à ce mal, qui pourrait empirer par le retardement. Pour moi, je n'y en vois qu'un seul, qui est une prise de fuite purgative[10], que vous mêlerez comme il faut avec deux drachmes[11] de matrimonium[12] en pilules. Peut-être fera-t-elle quelque difficulté à prendre ce remède : mais,
60 comme vous êtes habile homme dans votre métier, c'est à vous de l'y résoudre, et de lui faire avaler la chose du mieux que vous pourrez. Allez-vous-en lui faire faire un petit tour de jardin, afin de préparer les humeurs, tandis que j'entretiendrai[13] ici son père ; mais surtout ne perdez point de temps : au remède, vite, au remède spécifique !

Molière, *Le Médecin malgré lui*, acte III, scène 6, 1666.

Léandre et Lucinde,
gravure, 1860.

Comprendre le texte

Une guérison comique

1 Quelles qualités Lucinde montre-t-elle dans cette scène ?

2 Relisez les répliques 4 à 19 (l. 9 à 28). Qui domine l'échange entre Lucinde et Géronte ? Quelle peut être la réaction du spectateur ?

3 Géronte dit à Sganarelle : « je vous prie de la faire redevenir muette » (l. 36). Qu'en pensez-vous ?

4 Pourquoi l'attitude de Lucinde est-elle risquée ?

Un nouveau remède

5 Que désignent, pour Géronte, les expressions « prise de fuite purgative » (l. 57) et « deux drachmes de matrimonium » (l. 58) ? Comment Léandre doit-il les comprendre ? (Aidez-vous des notes.)

6 Relisez l'extrait 3 (p. 208). Quel procédé comique Molière réutilise-t-il ici ?

7 Pourquoi Léandre est-il indispensable pour ce nouveau remède ? Pourquoi Sganarelle lui demande-t-il de « faire un petit tour de jardin » (l. 62) ?

Bilan

8 Comment la force de l'amour résiste-t-elle à l'autorité du père ?

Activités

LANGUE IV.2

Réécrivez la phrase ci-dessous en mettant tous les verbes à la 2ᵉ personne du présent de l'impératif. Vous surlignerez tous les changements.

Mon Dieu, arrêtez-vous, laissez-moi médicamenter cette affaire.

→ **Le présent** p. 254 et 256

ORAL Improviser une suite I.3

Par groupes de quatre, improvisez la suite de cette scène.

Léandre et Lucinde, une fois mariés, reviennent voir Géronte. Sganarelle est présent.

N'écrivez pas de scène de théâtre mais concertez-vous sur ce que vous allez jouer.

1. Comment Géronte réagira-t-il ?
2. Quelle sera l'attitude de Lucinde et celle de Léandre ?
3. Quel sera le rôle de Sganarelle dans cette scène ? Quelle nouvelle ruse imaginera-t-il ?
4. Quels mots et quels gestes pourront faire rire vos camarades ?

à retenir

Les différents types de comiques

Différents procédés permettent de faire rire les spectateurs.

– Les gifles et les coups, les mouvements brusques relèvent du **comique de gestes**.

– Les mots familiers, vulgaires ou les termes médicaux incompréhensibles appartiennent au **comique de mots**.

– Les personnages ridicules relèvent du **comique de caractère**.

Partie 3
Le Médecin malgré lui,
entre naïfs et rusés

Jeux théâtraux

Activité 1

S'entraîner à articuler (1 élève)

Répétez cinq fois d'affilée la phrase de votre choix en articulant bien et sans faire d'erreur.

– Panier piano
– Je veux et j'exige d'exquises excuses.
– Malgré vos explications exposées, vous êtes sans excuses.
– Ce cher Sanchez a chu sur Sancho et ses sachets.
– Ciel, si ceci se sait, ces soins sont sans succès.
– Un chasseur sachant chasser doit savoir chasser sans son chien.

Activité 2

Changer de ton (1 élève)

Voici des phrases tirées de pièces de Molière.

– « Il faut manger pour vivre et non pas vivre pour manger. »
– « Les langues ont toujours du venin à répandre. »
– « Tout le plaisir de l'amour est dans le changement. »
– « Qui veut noyer son chien l'accuse de la rage. »
– « Je vis de bonne soupe, et non de beau langage. »
– « Vivre sans aimer n'est pas vivre. »
– « Je n'ai plus aucune tendresse pour toi. »
– « Ne pleurez donc point comme cela : car vous me feriez rire. »
– « Et nous vous avons parlé, comme nous parlerions à notre propre frère. »
– « Voilà un médecin qui a la barbe bien jeune. »

Choisissez-en une et prononcez-la sur le ton de votre choix :

– comme s'il s'agissait d'un secret ;
– comme s'il y avait un sous-entendu ;
– comme si vous parliez à un sourd ;
– très vite et très clairement ;
– en la chantant sur un air connu ;
– avec une menace dans la voix ;
– avec timidité ;
– comme si vous vous révoltiez.

Activité 3

Exprimer une émotion (1 élève)

Choisissez une des répliques de l'activité 2 et prononcez-la avec l'émotion ou le sentiment de votre choix : la peur, la surprise, la colère, la joie ou la pitié.

Du plaisir des mots au plaisir de jouer

Mimer une image fixe (2 élèves)

a. Choisissez une de ces situations :
- une personne apprend qu'elle a gagné au loto ;
- une personne rencontre un ancien ami d'enfance dans la rue ;
- une personne se retrouve seule, dans une rue, devant un gigantesque chien ;
- une personne s'aperçoit qu'elle a perdu son téléphone portable.

b. Entraînez-vous, par groupes de deux, à mimer, en un seul geste, cette situation. L'un mime, l'autre lui donne des conseils précis sur la position de ses membres, sa posture et son regard.

Mimer une émotion (1 élève)

Choisissez une de ces scènes et mimez-la en insistant sur les émotions du personnage. Votre posture et votre visage doivent indiquer ce qu'il ressent.

a. Une personne se promène dans la rue et réfléchit. D'un coup, elle voit une chose qui la dégoûte profondément.

b. Une personne lit un livre chez elle. Elle entend du bruit mais ne parvient pas à savoir d'où il vient. Elle est très effrayée.

Partie 3
Le Médecin malgré lui,
entre naïfs et rusés

Activité 6

Mimer une scène (2 élèves)

Choisissez une de ces scènes et mimez-la à deux.

a. Un(e) cuisinier(ère) fait goûter sa nouvelle recette à un(e) ami(e). Le goût est affreux mais son ami(e) n'ose pas dire la vérité.

b. Une jeune personne très polie aide une personne âgée à traverser la rue… Mais la personne âgée ne désire pas traverser la rue.

Activité 7

Écrire à partir d'une réplique (2 élèves ou plus)

a. Relisez les répliques de l'activité 2. Choisissez-en une.

b. Inventez une petite scène comique (au moins dix répliques) au cours de laquelle un personnage prononcera l'une de ces répliques.

c. Mettez en scène votre travail. Discutez entre vous des gestes, des déplacements et du ton qui pourraient faire rire vos camarades.

Activité 8

Écrire à partir d'un titre (3 élèves ou plus)

Voici quelques pièces de théâtre écrites par Molière : *Le Médecin volant, L'Étourdi, Le Prince jaloux, L'Avare, L'Imposteur, L'Amour médecin.*

a. Choisissez une de ces pièces.

b. Imaginez ce que pourrait être l'intrigue de la pièce. Quel sera le rôle de chacun d'entre vous ?

c. Écrivez une des scènes de cette pièce (au moins dix répliques).

d. Mettez en scène votre travail. Discutez entre vous des gestes, des déplacements et du ton qui pourraient faire rire vos camarades.

Activité interdisciplinaire

Tous en scène
Français – Arts plastiques

Vous mettrez en scène et filmerez vos sketches.

 Votre professeur vous distribuera la fiche 10 pour guider votre travail.

Du plaisir des mots au plaisir de jouer

Remplir les blancs d'une scène (3 élèves)

a. Lisez cet extrait du *Petit Malade* de Georges Courteline.

b. Selon vous, pourquoi l'enfant tombe-t-il toujours ?

c. Jouez cette scène en respectant les didascalies et improvisez la fin. Vous expliquerez pourquoi l'enfant tombe tout le temps.

En scène, le médecin et la mère de Toto.

Le médecin, *le chapeau à la main.* – C'est ici qu'il y a un petit malade ?

Madame. – C'est ici, docteur ! entrez donc. Docteur, c'est pour mon garçon. Figurez-vous, ce pauvre mignon, je ne sais pas comment ça se fait, depuis ce matin, tout le temps il tombe.

Le médecin. – Il tombe ?

Madame. – Tout le temps ; oui, docteur.

Le médecin. – Par terre ?

Madame. – Par terre.

Le Médecin. – C'est étrange, cela... Quel âge a-t-il ?

Madame. – Quatre ans et demi.

Le médecin. – Quand le diable y serait, on tient sur ses jambes, à cet âge-là. Et comment ça lui a-t-il pris ?

Madame. – Je n'y comprends rien, je vous dis. Il était très bien hier soir et il trottait comme un lapin à travers l'appartement. Ce matin, je vais pour le lever, comme j'ai l'habitude de faire, je lui enfile ses bas, je lui passe sa culotte, et je le mets sur ses jambes. Pouf ! il tombe.

Le médecin. – Un faux pas, peut-être.

Madame. – Attendez !... je me précipite ; je le relève... Pouf ! il tombe une seconde fois. Étonnée, je le relève encore... Pouf ! par terre ! et comme ça sept ou huit fois de suite. Bref, docteur, je vous le répète, je ne sais pas comment ça se fait, depuis ce matin, tout le temps il tombe.

Le médecin. – Voilà qui tient du merveilleux. Je puis voir le petit malade ?

Madame. – Sans doute.

Elle sort, puis reparaît tenant dans ses bras le gamin. Celui-ci arbore sur ses joues les couleurs d'une extravagante bonne santé. Il est vêtu d'un pantalon et d'une blouse lâche, empesée de confitures séchées.

Le médecin. – Il est superbe, cet enfant-là !... Mettez-le à terre, je vous prie.

La mère obéit. L'enfant tombe.

Le médecin. – Encore une fois, s'il vous plaît.

Même jeu que ci-dessus. L'enfant tombe.

Madame. – Encore.

Troisième mise sur pieds, immédiatement suivie de la chute du petit malade qui tombe tout le temps.

Le médecin, *rêveur.* – C'est inouï. *Au petit malade, que soutient sa mère sous les bras.* Dis-moi, mon petit ami, tu as du bobo quelque part ?

Toto. – Non, monsieur.

Le médecin. – Cette nuit, tu as bien dormi ?

Toto. – Oui, monsieur.

Le médecin. – Et tu as de l'appétit, ce matin ? Mangerais-tu volontiers une petite sousoupe ?

Toto. – Oui, monsieur.

Le médecin. – Parfaitement... *(Compétent)* C'est de la paralysie.

Madame. – De la para !... Ah ! Dieu !

Elle lève les bras au ciel. L'enfant tombe.

Georges Courteline, *Le Petit Malade*, 1905.

Les tours de maître Renart

ÉTONNANTS · CLASSIQUES

Le Roman de Renart

EXTRAITS

Le Roman de Renart

Ce recueil rassemble des textes écrits au Moyen Âge. Tout le monde en veut au pauvre Renart ! Que lui reproche-t-on ? Peu de choses, sinon d'avoir trompé le loup Isengrin, ridiculisé le chat Tibert, blessé Brun l'Ours, menti au roi Noble le lion, croqué quelques poules et fait rire ses lecteurs !

« Seigneurs, crie-t-il, écoutez-moi bien ! Dites-moi quel châtiment réserver à ce coquin sans foi ni loi, et la façon de me venger de lui.

– Sire, répliquent les barons, Renart est complètement pourri. Personne ne vous en voudra si vous le faites pendre. »

Le roi répond : « C'est bien parlé. Qu'on se dépêche, et sans discussion ! si on laissait filer Renart, jamais il ne reviendrait. Sachez que nous le regretterions et plus d'un innocent pourrait s'en mordre les doigts. »

Au sommet d'une haute montagne, sur un rocher, le roi a fait dresser la potence pour pendre Renart le goupil : le voici en grand péril.

Le Roman de Renart, XIIIe siècle.

Roman de Renart. **La Cour de Noble Roi**, XIIIe siècle,
Jacquemart Gelée de Lille, BNF, Paris.

Activité

ORAL Juger Renart

Comme la cour du roi Noble, vous organiserez le jugement de Renart.

Étape 1 : Se répartir les rôles
Par groupes de quatre, répartissez-vous les rôles de Renart, Grimbert, Isengrin, les animaux de la cour.

Étape 2 : Recueillir les témoignages
• **Isengrin :** lisez les parties « Renart le Goupil et Isengrin le loup » et « La guerre au roi ».
• **Les animaux de la cour :** lisez les parties « Quand les tours se compliquent » et « La guerre au roi ».
• **Renart :** lisez les parties « Renart le Goupil et Isengrin le loup » et « La guerre au roi ».
• **Grimbert :** lisez les parties « Quand les tours se compliquent » et « La guerre au roi ».

Étape 3 : Préparer sa plaidoirie
Ne rédigez pas des phrases complètes, mais écrivez sous forme de notes.
• **Isengrin et les animaux de la cour :** Pourquoi Renart devrait-il être condamné ? Faites la liste précise de ses ruses et de ses crimes.
• **Renart et Grimbert :** Pourquoi Renart devrait-il être acquitté ? Faites la liste des ruses dont il a été la victime, trouvez-lui des excuses ou des alibis pour ses crimes.

Étape 4 : Jouer le procès
1. Isengrin commencera par accuser Renart. Renart se défendra.
2. Les animaux de la cour l'accuseront. Grimbert le défendra.
3. Chacun pourra ensuite répondre aux arguments avancés et préciser certains éléments.

• *Conseils*
– Entraînez-vous avant de passer devant la classe.
– Ne lisez pas mais adressez-vous directement à vos camarades.
– Tenez-vous droit, parlez distinctement et utilisez un langage soutenu.

Étape 5 : Rendre un verdict
Les autres élèves voteront et décideront si Renart est coupable.

Roman de Renart.
**Illustration par
Felix Lorioux, 1924.**

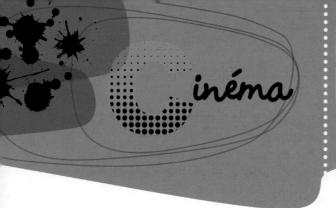

inéma

Étude de *Fantastic Mr Fox*, de Wes Anderson

L'histoire

Après des années passées à chaparder des poules, Mr. Fox s'est rangé. Il est à présent journaliste et mène une vie tranquille avec sa femme et son fils, mais il s'ennuie affreusement. Comment rester honnête quand ses voisins élèvent des canards, des oies et des dindes, et fabriquent le meilleur cidre du monde ?

Activité 1

Retour sur le film

1 Quels points communs y a-t-il entre Renart et Mr. Fox ?

Activité 2 – Arrêt sur image 1

Mr Fox désire acheter une maison près de chez Boggis, Bunce et Bean, des éleveurs cruels et rusés. Son ami Blaireau veut le faire renoncer à ce projet : il serait trop tenté de redevenir un voleur de poules.

1 Comment Mr Fox est-il cadré ? Quelle image le réalisateur donne-t-il de lui ?

2 Décrivez le décor. Pourquoi le réalisateur a-t-il placé ces éléments autour de Mr Fox ?

Arrêt sur image 2

Mr Fox a cédé à ses instincts. En cachette de sa femme Felicity et en compagnie de son ami Kylie, il a rendu visite au poulailler de Boggis et à la cave de Beans. Mais à son retour sa femme le surprend...

3 Comment Mr Fox a-t-il évolué entre cette scène et la précédente ?

4 Quel personnage semble dominer la scène ? Pourquoi ?

5 Comment la scène est-elle éclairée ? Quelle impression cela donne-t-il ?

Arrêt sur image 3

Boggis, Bunce et Bean ont fait le siège du terrier de Mr Fox et l'ont contraint à fuir dans les égouts. Ils ont également capturé son fils, Ash, et son neveu, Kristofferson. Pour Mr Fox et ses amis, il est l'heure de contre-attaquer.

6 Que peuvent ressentir les personnages ? À quoi le voyez-vous ?

7 Quelle est la prise de vue de cette image ? Quel est l'effet produit sur le spectateur ?

8 Mr Fox est-il un héros, selon vous ?

Activité 3

Du livre au film d'animation

1 Retrouvez, pour chaque élément du récit, l'élément correspondant du film.

	Le Roman de Renart	**Fantastic Mr. Fox**
Personnages	Renart et Hermeline Les renardeaux Noble, Brun et Tibert Isengrin et Grimbert	
Péripéties	Le troubadour s'adresse au public La pêche à la queue Renart et Chanteclerc le coq Renart et Isengrin dans le puits Le jugement de Renart Le siège de Maupertuis	

2 Qui s'en tire le mieux, à la fin de l'histoire, Renart ou Mr Fox ? Pourquoi, selon vous ?

3 Une de ces œuvres vous a-t-elle fait rire ou sourire ? À quel(s) moment(s) ?

Des livres et un film

Pour les amateurs de petits et grands rusés

Léopold Sédar Senghor, Abdoulaye Sadji, **La belle histoire de Leuk-le-Lièvre,** Edicef.

Leuk-Le-Lièvre incarne l'intelligence qui triomphe partout et toujours dans les situations les plus difficiles, notamment face à son ennemi juré, Bouki-l'Hyène, stupide et méchant, dont le rusé lièvre fait l'éternel trompé…

Alan Arkin, **Moi, un lemming,** Flammarion, Père Castor.

Bubber est un jeune lemming qui appartient à une grande colonie de petits rongeurs. Tout le monde est très excité autour de lui, car les lemmings ont décidé de traverser la mer. Mais Bubber est inquiet; quel est le sens de ce départ ? De plus, les lemmings ne savent pas nager ! Bubber semble le seul à percevoir le danger. Le petit lemming refuse de suivre les siens...

Jihad Darwiche, David B., **Sagesses et malices de Nasreddine, le fou qui était sage,** Albin Michel.

Connaissez-vous le fou qui était sage ? Il se nomme Nasreddine Hodja et ses brèves histoires ont fait le tour du monde : petits et grands malins y découvriront, derrière le rire, des vérités simples et lumineuses comme le jour. Un recueil de plus de 60 histoires tout en sagesse, à la lisière de l'absurde et de la raison.

Pour les amateurs de films captivants et poétiques

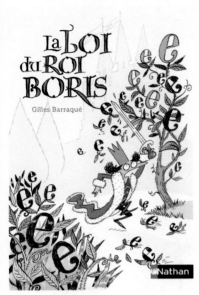

Gilles Barraqué, **La Loi du Roi Boris,** Nathan.

Sa Majesté Boris III, roi du Poldovo, s'embête. Quoi de mieux pour s'occuper qu'une bonne guerre? Et voilà que les hostilités sont engagées... contre une malheureuse lettre de l'alphabet ! Une joyeuse plaisanterie? Hélas, l'application pointilleuse de la loi du roi Boris mène vite le Poldovo au chaos. Mais la résistance s'organise...

Pour les amateurs d'albums vivants et indémodables

La Fontaine aux fables, Delcourt.

Source intarissable d'émerveillement, *Les Fables* de La Fontaine ne cessent d'irriguer notre imagination tout en distillant, génération après génération, leur malicieuse sagesse. Trente-six fables sont adaptées par des dessinateurs de haut vol. Parfaitement fidèles au texte original, ils font revivre la comédie animalière de La Fontaine avec une exubérance et une jubilation communicatives.

Le Chat du Rabbin, Film d'animation de Joann Sfar et Antoine Delesvaux

Alger, années 1920. Le rabbin Sfar vit avec sa fille Zlabya, un perroquet bruyant et un chat espiègle qui dévore le perroquet et se met à parler pour ne dire que des mensonges. Le rabbin veut l'éloigner. Mais le chat, fou amoureux de sa petite maîtresse, est prêt à tout pour rester auprès d'elle...

Activité

Réaliser une critique audio ou vidéo

Étape 1 : Choisir et lire un récit

Regardez la page ci-contre et choisissez un récit (ou un album) dont le titre, la couverture ou le résumé retient votre attention.

Étape 2 : Écrire une critique

Rédigez, en une quinzaine de phrases, la critique de votre livre. Insistez sur vos réactions de lecteur : avez-vous ri ? souri ? été ému(e) ?

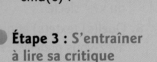

Étape 3 : S'entraîner à lire sa critique

Lisez et relisez votre critique. Vous ne devez pas faire d'erreur en la lisant et votre ton doit sembler naturel.

Étape 4 : Enregistrer sa critique audio ou vidéo

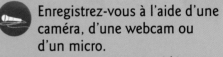 Enregistrez-vous à l'aide d'une caméra, d'une webcam ou d'un micro.
Vous pouvez mettre cette vidéo en ligne sur le site du collège ou du CDI.

1 Bilan du chapitre

Répondez aux questions suivantes en donnant à chaque fois un exemple.

1. Quels personnages puissants avez-vous croisés dans ce chapitre ?
2. Quels personnages rusés avez-vous rencontrés ?
3. Par quels moyens peut-on se protéger ou se moquer des puissants ?
4. Avez-vous ri ou souri lors de ce chapitre ? Pour quelles raisons ?
5. Les fables et le théâtre ne servent-ils qu'à divertir ou amuser ? Répondez en citant un ou plusieurs textes étudiés lors de ce chapitre.
6. Pourquoi peut-on mettre en scène des fables ou des scènes de théâtre ?
7. Qu'avez-vous appris sur la France du XVIIe siècle ?
8. Quel(s) texte(s) et quelle(s) images avez-vous préférés ? Pourquoi ?

2 Exprimer son opinion sur une fable ou une pièce de théâtre

Demandez-vous quel est votre texte préféré avant de compléter les phrases suivantes.

1. J'ai surtout aimé... parce qu'on y voit...
2. Le héros est... Il est rusé car...
3. Il doit affronter... qui est puissant car...
4. Il le dupe en...
5. Il nous a fait rire ou sourire car...
6. Je me souviens de l'expression : « ... »

3 Projet final :
Mettre en voix une ruse

Dans ce chapitre vous avez appris à :

- ✖ **étudier les moyens qu'ont les plus faibles pour se protéger ou se venger des puissants ;**
- ✖ **analyser la dimension critique et morale des fables et du théâtre ;**
- ✖ **inventer des ruses et des stratagèmes ;**
- ✖ **mimer et mettre en voix un texte.**

Étape 1 → Découvrir des personnages filous et malins

Choisissez un livre dans cette liste. Vous pouvez lire des aventures de personnages rusés venant…

… de la Grèce antique : *Sagesses et malices des Dieux grecs* de Laure Mistral et Benoît Jacques.

… d'Algérie : *Le Chat du Rabbin* de Joann Sfar.

… du monde musulman : *Nasr Eddin Hodja : la soupe au piment et autres sublimes idioties.*

… de Côte d'Ivoire : *Aya de Yopougon* de Marguerite Abouet et Clément Oubrerie .

… de toute l'Afrique : *Contes et fables d'Afrique* de Jan Knappert et Jean Muzi.

… de Chine : *Confucius, le roi sans royaume* de Maxence Fermine et Olivier Besson.

… du Japon : *Le moustique : 70 histoires zen pour rire et sourire* d'Henri Brunel.

… des États-Unis : *Big Fish* de Daniel Wallace.

Étape 2 → Mettre en voix une ruse

Choisissez une histoire qui vous a surpris(e), étonné(e) ou fait rire.

Entraînez-vous à la lire. Vous devrez la lire fort, lentement, sans erreur et en mettant le ton.

Vous pouvez insister sur des passages, lire plus lentement ou plus rapidement selon le rythme du récit.

Si vous avez choisi une bande dessinée, vous pouvez la lire avec un ou plusieurs camarades.

Conseils :

 Enregistrez-vous à l'aide d'un micro pour vous entraîner.

Étape 3 → Entrer dans la ronde…

Un élève lit la ruse qu'il a choisie devant la classe.

Un autre élève doit expliquer en quoi le personnage est rusé. Il peut à son tour lire sa ruse.

Un troisième élève fait de même.

Toute la classe doit, à la fin de l'heure, avoir lu sa ruse.

Évaluez-vous

	Oui	Pas tout à fait	Non
J'ai bien expliqué pourquoi le personnage de l'histoire de mon camarade est rusé.			
J'ai lu sans erreur mon histoire.			
J'ai lu fort et lentement.			
J'ai mis le ton et j'ai varié le rythme de ma lecture.			

Étude de la langue

I. La phrase et les mots : notions fondamentales

1. La phrase (simple et complexe), la ponctuation . . . . p. 230

2. Les types et les formes de phrases . . . . p. 232

3. Les classes de mots . . . . p. 234

II. Autour du nom

4. Les noms et les déterminants . . . . p. 236

5. Les fonctions dans le groupe nominal : l'épithète, le complément de nom . . . . p. 238

6. Les pronoms personnels . . . . p. 240

7. Les pronoms démonstratifs et possessifs . . . . p. 242

III. Autour du verbe

8. Le sujet . . . . p. 244

9. L'attribut du sujet . . . . p. 246

10. Les compléments d'objet direct et indirect, le complément d'objet second . . . . . . p. 248

11. Les compléments de phrase (ou compléments circonstanciels) :
le lieu, le temps, la manière, le moyen . . . . p. 250

IV. Le verbe

12. Le verbe (généralités) . . . . p. 252

13. Le présent : valeurs, conjugaison des verbes du 1er et du 2e groupe . . . . p. 254

14. Le présent des verbes du 3e groupe, le passé composé, l'impératif . . . . p. 256

15. Le futur, le futur antérieur et le conditionnel présent . . . . p. 258

16. L'imparfait et le plus-que-parfait . . . . p. 260

17. Le passé simple . . . . p. 262

18. L'infinitif et le participe, l'accord du participe passé, les terminaisons en « -é » et « -er » . . p. 264

19. Employer les temps dans un récit au présent . . . . p. 266

20. Employer les temps dans un récit au passé . . . . p. 268

V. Orthographe

21. Le féminin des noms et des adjectifs . . . . p. 270

22. Le pluriel des noms et des adjectifs . . . . p. 272

23. Les accords dans le groupe nominal . . . . p. 274

24. L'accord du verbe avec son sujet . . . . p. 276

VI. Vocabulaire

25. Les synonymes et les hyperonymes, les homonymes . . . . p. 278

26. L'origine des mots, les familles de mots, le sens des mots . . . . p. 280

27. La formation des mots : mots simples, mots composés, mots dérivés . . . . p. 282

28. L'usage du langage et des codes de comportement en situation . . . . p. 284

La phrase (simple et complexe), la ponctuation

 Observons

Texte 1

Le panda est un mammifère il vit dans les forêts de l'Himalaya il est noir et blanc mesure environ 1,50 mètre et peut peser plus de 100 kilos quel bel animal

Texte 2

Le panda est un mammifère. Il vit dans les forêts de l'Himalaya. Il est noir et blanc, mesure environ 1,50 mètre et peut peser plus de 100 kilos. Quel bel animal !

❶ Quel texte lisez-vous le plus facilement ?

❷ Qu'est-ce qui rend l'un des deux textes plus facile à lire ?

❸ Lisez le texte à voix haute. Nommez les signes de ponctuation employés dans le texte 2 et expliquez à quoi ils correspondent.

❹ Où se trouvent les majuscules dans le texte 2 ?

❺ Combien de verbes conjugués y a-t-il dans la première et la deuxième phrase ? Et dans la troisième ?

 Retenons

➤ **La phrase** est un ensemble organisé de mots ayant un sens complet.

➤ **La phrase écrite** commence par une majuscule et se termine par un point (.) ou une ponctuation forte : un point d'interrogation (?) ou un point d'exclamation (!).

Ex. : L'ours est un animal des montagnes.

➤ **À l'oral**, la phrase est précédée et suivie d'une pause de la voix.

➤ **La phrase contient en général un ou plusieurs verbes conjugués.**

Ex. : Il <u>est</u> brun mais <u>peut</u> aussi être blanc.

➤ **Parfois, elle n'a pas de verbe.**

Ex. : Quelle erreur !

➤ **À l'intérieur d'une phrase, la virgule sépare les groupes de mots et indique une pause de la voix.**

Ex. : L'ours est un herbivore, parfois craintif, parfois agressif.

➤ **Une phrase simple** est une phrase qui contient un seul verbe conjugué (ex. : les phrases 1 et 2 du texte 2).

➤ **Une phrase complexe** est une phrase qui contient plusieurs verbes conjugués (ex. : la phrase 3 du texte 2).

Repérer

1 * Dans les phrases suivantes, soulignez les verbes conjugués, entourez les majuscules et les points, mettez entre crochets les phrases. Indiquez ensuite de combien de phrases est constitué le texte.

Le zoo de Vincennes

Créé en 1934 par le Muséum d'histoire naturelle, le Parc Zoologique de Paris a 80 ans. La dégradation de ses structures, liée à son âge, menaçait sa survie. À l'exception de la restauration du Grand Rocher, à la fin des années 1990, il n'avait fait l'objet d'aucune rénovation importante. La décision fut prise de maintenir ce lieu de patrimoine cher au public et de le rénover.

2 * Même consigne. Combien y a-t-il de phrases simples ? de phrases complexes ?

Le zoo qui rouvre aujourd'hui séduira tous les publics. Si le Grand Rocher se dresse toujours au-dessus du parc, il domine désormais des paysages reconstituant les territoires d'origine des animaux, favorisant une immersion totale des visiteurs. Très bien conçu, le parcours spectaculaire qu'emprunte le visiteur traverse les cinq régions du monde. De la Patagonie à la plaine du Soudan, de l'Europe aux milieux tropicaux de Madagascar, les animaux ne sont plus de simples objets de curiosité mais deviennent les ambassadeurs de leur milieu naturel.

Manipuler

3 * Isolez les phrases en rétablissant les points et les majuscules supprimés. Lisez ensuite le texte à haute voix.

personne ne retint Georges lorsqu'il s'esquiva après le goûter ses souliers souples lui permettaient de marcher et de courir sans bruit et, pour se confondre avec les ombres de la nuit, il avait revêtu un duffel-coat gris foncé pour comble de précaution, il s'était noirci la figure ainsi déguisé il ressemblait plus à un épouvantail qu'à un détective

D'après Enid Blyton, *Un exploit du clan des sept,* 2004.

4 * Rétablissez les virgules à l'intérieur de ces phrases (leur nombre est indiqué entre parenthèses). Lisez ensuite les phrases à voix haute.

a. Il aperçut bientôt sa mère sa sœur et ses cousins bien-aimés. (1)

b. Plus tard après la sortie de l'école il rejoignit ses amis. (2)

c. Dans chaque enveloppe vous trouverez les consignes utiles à la réalisation de ce travail. (1)

d. Tous les jours après le repas il partait à la plage pour ramasser les coquillages les algues les os de seiche abandonnés par l'océan. (5)

e. Après avoir franchi une centaine de pas les Indiens s'arrêtèrent de nouveau et s'embusquèrent dans un fourré alarmés par un bruit de pas. (2)

5 * * Rétablissez les neuf virgules dans ce texte.

Alors les chevaux s'endormirent aussi dans l'écurie les chiens dans la cour les pigeons sur le toit les mouches sur le mur le feu lui-même se tut et s'endormit le rôti cessa de rissoler. Et le vent tomba et sur les arbres devant le château pas une petite feuille ne continua de bouger.

D'après Jacob et Wilhelm Grimm, *La Belle au bois dormant,* 1812.

S'exprimer

6 * Enrichissez les phrases simples au moyen des expressions données entre parenthèses. Plusieurs solutions sont possibles.

a. Nous irons au bord de la mer. (dans huit jours / avec nos amis / et nous vous rendrons visite)

b. La visite au zoo était passionnante. (avec tes parents / dimanche dernier / vraiment)

c. Le repas ne nous a pas plu. (indigeste / mal préparé / chez Chantal / beaucoup)

7 * * Enrichissez les phrases suivantes par des expressions de votre invention afin d'obtenir l'effet demandé entre parenthèses. Vous devez conserver une phrase unique.

a. La nuit venait. (peur, inquiétude)

b. Le soleil se levait à l'horizon. (beauté, tranquillité)

c. Le chat dort. (confort, silence)

d. Les élèves écoutent. (concentration, réflexion)

e. L'avion atterrit. (bruit, puissance)

Observons

Le czar charge le messager Michel Strogoff de transmettre au grand-duc un message capital.
– Passeras-tu par Omsk ?
– C'est mon chemin, sire.
– Si tu vois ta mère, tu risques d'être reconnu, il ne faut pas que tu voies ta mère !
– Je ne la verrai pas, dit-il.
– Jure-moi que rien ne pourra te faire avouer ni qui tu es ni où tu vas !
– Je le jure.

Jules Verne, *Michel Strogoff*, 1876.

1 Relevez une question. Quel signe de ponctuation est employé ?

2 Relevez la phrase qui exprime une défense, puis la phrase qui invite à prêter serment. Quel est le ton employé ? Quel signe de ponctuation est utilisé ?

3 Qui prononce les phrases que vous venez de relever ?

4 Qui prononce les phrases terminées par un point ? Quel personnage a de l'autorité sur l'autre ?

5 Relevez une phrase affirmative et une phrase négative.

Retenons

I. Les types de phrases

1. Pour s'exprimer, on emploie plusieurs types de phrases qui correspondent à des intentions différentes.
Pour informer et raconter, on emploie la **phrase déclarative**. À l'écrit, elle se termine par un point (.). À l'oral, son intonation est descendante.

Ex. : Michel Strogoff est un roman de Jules Verne.

2. Pour poser une question, on emploie la **phrase interrogative**. À l'écrit, elle se termine par un point d'interrogation (?). À l'oral, son intonation est ascendante.

Ex. : Est-ce que vous avez lu Jules Verne ?
Avez-vous déjà lu un roman de Jules Verne ?

3. Pour donner un ordre, un conseil ou pour interdire quelque chose, on emploie la **phrase injonctive**. Elle se termine par un point (.) ou un point d'exclamation (!). Parfois, elle n'a pas de verbe.

Ex. : Attention ! Lis vite ce roman !

4. Pour marquer un sentiment fort, on emploie la **phrase exclamative**. Elle se termine par un point d'exclamation (!). Elle peut se combiner avec les trois autres types de phrases.

Exemples :
– *Phrase déclarative :* J'aime beaucoup les romans de Jules Verne !
– *Phrase injonctive :* Arrête de remuer !
– *Phrase interrogative :* Veux-tu te taire !

II. Les formes de phrases

1. Tous les types de phrases sont soit à la forme affirmative, soit à la forme négative.

Exemples :
– J'aime lire. Je n'aime pas lire.
– Viendrez-vous ? Ne viendrez-vous pas ?
– Écris-lui ! Ne lui écris pas !

2. La négation est souvent composée de deux éléments qui encadrent le verbe : « ne … pas », « ne … plus », « ne … jamais ». Dans la langue familière, le premier élément est souvent omis.

Ex. : Elle <u>ne</u> lui écrit <u>jamais</u>. Elle lui écrit <u>jamais</u>.

Entraînement

------ Repérer ------

1 * Recopiez le tableau ci-dessous puis classez-y les phrases suivantes. Relevez ensuite les phrases exclamatives. Quels sentiments traduisent-elles ?

a. Mes amis n'ont pas cru ce que je leur ai raconté. **b.** Nous avons suivi une grande avenue et nous sommes arrivés au château. **c.** Voulez-vous visiter le parc ? **d.** Cette chambre est immense ! **e.** Vas-tu te dépêcher ! **f.** Ne me parlez plus jamais ainsi ! **g.** Est-ce que vous avez répondu à sa lettre ? **h.** Qu'il se taise !

Phrases déclaratives	Phrases interrogatives	Phrases injonctives

2 ** Dites si les phrases injonctives suivantes expriment un ordre, un conseil, une interdiction ou une prière.

a. Je vous en prie, cessez de le tourmenter. **b.** Ne mentez jamais à vos amis. **c.** Travaillez régulièrement si vous voulez réussir ! **d.** Venez immédiatement ! **e.** Ne marchez pas sur les pelouses.

3 *** Lisez le texte suivant puis recopiez :
a) deux phrases exclamatives qui soient aussi injonctives ;
b) une phrase interrogative ;
c) une phrase déclarative qui soit aussi exclamative.

À quoi penses-tu, toi, la tête renversée ? Tes yeux tranquilles se lèvent vers le soleil qu'ils bravent… Mais c'est pour suivre seulement le vol de la première abeille, engourdie, égarée, en quête d'une fleur de pêcher mielleuse… Chasse-la ! elle va se prendre au vernis de ce bourgeon de marronnier !… Non, elle se perd dans l'air bleu, couleur de lait de pervenches, dans ce ciel brumeux et pourtant pur, qui t'éblouit… Ô toi, qui te satisfais peut-être de ce lambeau d'azur, ce chiffon de ciel borné par les murs de notre étroit jardin, songe qu'il y a, quelque part dans le monde, un lieu envié d'où l'on découvre tout le ciel ! Songe, comme tu songerais à un royaume inaccessible, songe aux confins de l'horizon, au pâlissement délicieux du ciel qui rejoint la terre…

Colette, *Les Vrilles de la vigne*, 1908.

------ Manipuler ------

4 * Transformez ces déclarations en ordre.

a. Vous ne buvez jamais de vin. **b.** Nous devons partir à huit heures précises. **c.** Il ne faut jamais oublier son portable. **d.** Vous soulignerez dans cette liste tous les déterminants. **e.** Vous ne lui achèterez plus de bonbons.

5 * Transformez les phrases suivantes en phrases exclamatives. Vous utiliserez les mots introducteurs suivants : « comme », « que », « quel », « quelles », « où ».

a. Tu es un paresseux. **b.** Ce sac est lourd. **c.** J'ai acheté un beau vélo. **d.** Ces personnes sont des étourdies. **e.** Je me demande où le trouver. **f.** Je suis heureux de te voir de retour.

6 * Reformulez les questions suivantes de manière moins familière en utilisant la formule « est-ce que » puis l'inversion du sujet.

a. Vous pouvez répondre plus clairement ? **b.** Vous n'avez pas acheté cette voiture ? **c.** T'as pas vu mon livre ? **d.** Où tu vas ? **e.** Vous avez faim ? **f.** Quel livre tu as oublié ?

7 ** Donnez, pour chaque phrase, la phrase négative correspondante.

a. Il manque quelqu'un. **b.** Il manque quelque chose. **c.** Il écrit des romans et des nouvelles. **d.** Vous parlez beaucoup. **e.** Il est encore à la maison. **f.** Tu te trompes toujours. **g.** Vous le trouverez quelque part. **h.** On a cherché partout.

------ S'exprimer ------

8 ** Rédigez une potion magique de sorcier en employant des phrases déclaratives et impératives. Vous emploierez les verbes suivants.

prendre • ajouter • mélanger • secouer • verser • touiller • faire • cuire • attendre

9 ** Écrivez un monologue dans lequel un enfant demande avec insistance une permission à un adulte. Vous utiliserez plusieurs phrases interrogatives et exclamatives pour exprimer ses questions et son impatience.

10 *** Imaginez un dialogue entre deux amis qui évoquent un souvenir partagé et heureux.

+ d'exercices sur le site

Observons

1. Le héros détruit des monstres affreux.
2. Ils disparaissent de l'écran.
3. Maintenant, le niveau 2 du jeu commence.
4. À ce niveau, le héros doit tuer deux monstres en même temps.

❶ Citez le verbe de la phrase 1 et celui de la phrase 2. Comment les avez-vous repérés ?

❷ Relevez deux noms dans la phrase 1. Dites s'ils sont masculins ou féminins.

❸ Dans la phrase 1, remplacez le mot « monstres » par le mot « pieuvres ». Quelle modification devez-vous faire ?

❹ Un déterminant est un mot court placé devant un nom. Relevez deux déterminants dans la phrase 1.

❺ Un pronom est un mot qui remplace un nom. Repérez un pronom dans la phrase 2.

❻ Dans la phrase 3, trouvez un mot que l'on peut déplacer facilement. Peut-il changer d'orthographe et se mettre au pluriel, par exemple ?

 ## Retenons

I. Les mots appartiennent à des classes fixes

Il s'agit des verbes, des noms, des adjectifs, des déterminants, des pronoms, des adverbes, des prépositions.

II. Les mots variables

1. Le **verbe** se conjugue : il varie en personne et en temps. C'est le noyau, le mot essentiel de la phrase.

Ex. : Nous <u>avons gagné</u> la partie. *(Verbe « gagner »)*

2. Le **nom** désigne un être, une chose, une idée, un acte, un système… Il varie en nombre. C'est le noyau du groupe nominal.

Ex. : Connais-tu ce nouveau <u>site</u> ? Connais-tu ces nouveaux <u>sites</u> ?

3. L'**adjectif qualificatif** s'emploie dans un groupe nominal pour préciser une qualité du nom. Il s'accorde en genre et en nombre avec le nom.

Ex. : On peut y trouver un jeu <u>gratuit</u>. On peut y trouver des jeux <u>gratuits</u>.

4. Le **déterminant** est un mot court placé au début du groupe nominal. Il s'accorde en genre et en nombre avec le nom.

Ex. : J'ai <u>un</u> abonnement mensuel. J'ai <u>des</u> abonnements mensuels.

5. Le **pronom** est un mot qui remplace un groupe nominal. « Pro-nom » = « pour un nom ».

Ex. : Mes parents limitent mon temps d'écran. <u>Ils</u> craignent que je ne joue trop.

III. Les mots invariables

1. L'**adverbe** sert à modifier le sens d'un verbe, d'un adjectif, de la phrase ou d'un autre adverbe. Les adverbes sont de formes très diverses.

Ex. : L'héroïne du jeu court <u>vite</u>. Elle est <u>particulièrement</u> rapide. <u>Malheureusement</u>, son arme n'est pas <u>toujours</u> efficace.

2. La **préposition** est un mot court qui introduit un groupe nominal.

Ex. : Ils disparaissent <u>de</u> l'écran.

3. Les **conjonctions de coordination** sont « mais », « ou », « et », « donc », « or », « ni », « car ». « Et », « ni » et « ou » relient uniquement des mots de même nature et de même fonction.

Ex. : Il est rapide <u>et</u> concentré.

Repérer

1 * Distinguez les noms des adjectifs qualificatifs.

fenêtre • étrange • peureux • bruit • sonore • magie • doux • jeunesse • malédiction • navire

2 ** Indiquez si les mots de la liste sont des noms, des déterminants ou des verbes.

ciel • mes • chaussure • finiront • cette • notre • tulipe • comprendre • décidaient • voiture

3 ** Indiquez si les mots de la liste sont des adjectifs, des noms ou des pronoms.

elles • coléreux • lune • difficile • idée • activité • intéressant • lui • fragile • commencement • nous • prudent

4 ** Indiquez si les mots sont des adverbes ou des prépositions.

aujourd'hui • à • dans • demain • ici • pour • sous • longuement • sans

Manipuler

5 ** Formez des noms à partir des adjectifs suivants.

triste • gai • clair • sage • vieux • haut • fidèle • frais • profond • agile • seul • avare

6 ** Grammaire et vocabulaire

a) Quels sont les noms correspondant aux verbes suivants ?

découvrir • comprendre • maudire • vaincre • manipuler • croire • créer • décider • rassembler • donner • connaître

b) Pour chacun des noms correspondant aux verbes « découvrir », « maudire », « créer », « donner » et « connaître », donnez un exemple de l'action désignée par le nom.

Ex. : au verbe « déduire » correspond le nom « déduction ». → Un détective fait des déductions pour trouver la clé de l'énigme.

7 * Grammaire et orthographe

Dictée n° I : Henri Gougaud, « La maison hantée ».

S'exprimer

8 * Complétez les groupes nominaux avec des adjectifs qualificatifs puis employez ces GN dans des phrases.

des journées • notre grand-oncle • ce désert • vos paroles • cet après-midi • des histoires • des découvertes • l'aventure • une situation • l'atmosphère • ces qualités

9 ** Cherchez le sens et la classe des mots suivants dans un dictionnaire. Employez-les ensuite dans des phrases.

territoire • affronter • péripétie • vaillance • loyal • épreuve • surmonter • clairvoyant • avisé

Réflexion sur la langue

10 * Les mots de la grammaire

a) Étymologiquement, le mot « adjectif » signifie « qui s'ajoute à ». Expliquez pourquoi cette classe de mots s'appelle ainsi. Justifiez aussi l'utilisation du mot « qualificatif ».

b) Le texte suivant est extrait de la Bible.
– Après l'avoir lu, dites ce que l'homme est chargé de faire.
– Montrez le lien entre le fait de donner des noms et celui de posséder un pouvoir.
– Trouvez d'autres exemples de ce lien entre « nommer » et « dominer » (« dominer » n'a pas ici seulement le sens de « commander », il peut aussi signifier « maîtriser, manier »).
– Concluez sur l'intérêt d'avoir un vocabulaire étendu.

Les noms des animaux dans la Bible

L'Éternel Dieu forma de la terre tous les animaux des champs et tous les oiseaux du ciel, et il les fit venir vers l'homme, pour voir comment il les appellerait, et afin que tout être vivant portât le nom que lui donnerait l'homme.

La Bible, trad. de L. Segond, Genèse, 19.

Observons

1. Rémus et Romulus furent jetés dans le Tibre par leur oncle Amulius.

2. Les jumeaux furent recueillis par une louve.

3. La louve allaita les enfants.

4. Elle les considérait comme ses petits.

5. Ainsi cette louve les sauva.

6. Plus tard Romulus fonda Rome.

7. Cette ville fut la capitale d'un grand empire.

1 Relevez les noms propres du texte.

2 Relevez un nom masculin, un nom féminin, un nom singulier et un nom pluriel. Quels mots, autres que les noms, portent les marques du genre et du nombre et vous ont permis de répondre ?

3 Pourquoi, selon vous, emploie-t-on « une » devant « louve » à la phrase 2 et « la » à la phrase 3 ?

4 Quel est le sens de « cette » à la phrase 5 ?

5 Quelle précision les mots « leur » (phrase 1) et « ses » (phrase 4) apportent-ils ?

Retenons

I. Les noms

1. Le **nom propre** désigne un être ou une chose unique. Il commence par une majuscule.

2. Le **nom commun** désigne un être et une chose qui n'est pas unique.

Ex. : Une louve, un empire.

II. Les déterminants

➤ **Le déterminant indique le genre et le nombre du nom qu'il accompagne :**

– le genre est masculin (un empire) ou féminin (une louve) ;

– le nombre est singulier (une louve) ou pluriel (les enfants).

➤ **Les différents déterminants sont les articles, les déterminants démonstratifs et les déterminants possessifs.**

1. Les articles

a. L'**article défini** introduit un nom déjà connu et identifiable : « le », « la », « les ».

Ex. : Les jumeaux sont recueillis.

Parfois, ils s'unissent à la préposition qui les précède : on les appelle les « **articles définis**

contractés » : « du » = « de le », « au » = « à le ».

Ex. : La louve sort du bois.

Devant une voyelle, ils s'élident (la voyelle s'efface) et s'écrivent alors « l' ».

Ex. : La louve voit l'enfant.

b. L'**article indéfini** désigne une chose ou un être qui n'a pas encore été identifié : « un », « une », « des ».

Ex. : Ils sont recueillis par une louve.

c. L'**article partitif** s'emploie pour une chose dont on ne peut pas déterminer la quantité : « de la », « du » (= « de le »), « des » (= « de les »).

Ex. : Je veux du lait.

2. Les déterminants possessifs

Le déterminant possessif indique le possesseur du nom qu'il accompagne : « mon, ma, mes », « ton, ta, tes », « son, sa, ses », « notre, nos », « votre, vos », « leur, leurs ».

Ex. : leur oncle, ses bébés.

3. Les déterminants démonstratifs

Le déterminant démonstratif accompagne un nom dont on a déjà parlé : « ce », « cet », « cette », « ces ».

Ex. : cette louve.

Entraînement

Repérer

1 * Indiquez si les mots soulignés sont des noms ou des verbes.

a. La <u>marche</u> à franchir est haute. **b.** Il <u>marche</u> vite. **c.** Il vit dans une grande <u>ferme</u>. **d.** Je <u>ferme</u> soigneusement la porte chaque soir. **e.** Il prend vite la <u>mouche</u>. **f.** Il se <u>mouche</u> souvent. **g.** <u>Chasses</u>-tu parfois le lion ? **h.** Les <u>chasses</u> à courre sont désormais interdites. **i.** Lancelot <u>lance</u> sa <u>lance</u>.

2 * * Certains noms propres sont devenus des noms communs. Écrivez le nom commun (et son déterminant) qui correspond à chacune de ces personnes. Faites des recherches pour savoir qui étaient ces personnes.

a. M. Poubelle **b.** M. Sandwich **c.** M. de Béchamel **d.** M. Bottin **e.** M. Braille **f.** M. Diesel **g.** M. Jacuzzi

3 * * * De quels personnages mythiques ces noms communs proviennent-ils ?

un dédale • une mégère • une méduse • l'écho

4 * * Relevez les quinze déterminants dans le texte suivant et donnez leur classe grammaticale.

Selon la légende, Rome a été fondée le 21 avril 753 av. J.-C. par Romulus et Rémus. Le dieu Mars et Rhéa Silvia sont leurs parents. Afin d'éviter que les descendants de son frère ne viennent un jour lui réclamer le trône qu'il a usurpé, Amulius oblige sa nièce à devenir une vestale. Elle sera ainsi une prêtresse du foyer, qui ne doit pas se marier. Or, Rhéa Silvia est séduite par Mars, qui lui apparaît sous les traits d'un beau jeune homme. Elle accouche de jumeaux. Cette nouvelle parvient au roi…

5 * Recopiez et compléter les phrases suivantes avec « ses » ou « ces ».

a. … cartes postales sont un peu tristes. En avez-vous d'autres ? **b.** Il envoie souvent des SMS à … amis mais il pense aussi à écrire à … grands-parents. **c.** Je ne sais pas si … lettres vous parviendront, mais je les ai écrites avec plaisir.

Manipuler

6 * Employez les mots suivants dans deux phrases. Dans l'une, chaque mot sera un nom ; dans l'autre, il sera un verbe.

gare • livre • voile • paye • écrit • clos • hausse • neige • joues • place

7 * * Recopiez et complétez les phrases suivantes avec les déterminants qui conviennent.

… jour, … homme traversait … bois. Il trouva … loup pendu par … pied au haut d'… chêne. « Homme, dit … loup, tire-moi d'ici pour …amour de Dieu. J'étais monté sur … chêne pour y prendre … nid de pie. En descendant, j'ai pris … pied dans … branche fendue. Je suis perdu, si tu n'as pas pitié de moi. — Je te tirerais de là avec plaisir, Loup, répondit …homme ; mais j'ai peur que tu ne me manges, quand tu seras dépendu. — Homme, je te jure de ne faire aucun mal, ni à toi, ni aux tiens, ni à tes bêtes. » … homme dépendit donc … loup.

D'après Jean-François Bladé, *10 contes de loup*, 1993.

8 * * Ajoutez un article indéfini devant chaque nom suivant. Attention ! Quand il y a plusieurs solutions, vous devez les proposer.

tapis • pomme • fil • fils • souris • genoux • feux • perdrix • fourmi • radis

9 * * Donnez les noms correspondant aux verbes et aux adjectifs suivants. Vous les ferez précéder d'un déterminant.

chanter • croire • persuader • voir • prendre • sévère • gentil • rapide • ennuyeux • capable

S'exprimer

10 * Après avoir fait l'exercice 7, imaginez la suite de l'histoire en un paragraphe. Soulignez les déterminants dans votre texte.

Réflexion sur la langue

11 * Les mots suivants appartiennent tous à la famille de « nom ». Donnez oralement le sens de chaque mot puis inventez une phrase dans laquelle vous l'emploierez.

nommer • prénom • pronom • surnom • nominal • nomination • renommée • surnommer

+ d'exercices sur le site

Les fonctions dans le groupe nominal : l'épithète, le complément de nom

Observons

1. Quand viennent les longues nuits d'hiver, on voit <u>le grand loup</u> courir sous la pâle clarté de la lune.

2. Les traîneaux à chiens sont arrêtés devant le chalet en rondins.

3. Une âpre bise souffle.

D'après Jack London.

❶ Dans le groupe souligné (phrase 1), donnez la classe grammaticale de chaque mot.

❷ Relevez dans les phrases les quatre adjectifs qualificatifs. Pour chacun, indiquez le nom qu'il qualifie. Quelle précision apporte-t-il à ce nom (aspect, taille…) ?

❸ Dans la phrase 1, relevez les noms introduits par la préposition « de ». Indiquez quel autre nom chacun d'eux complète.

❹ Dans la phrase 2, quels noms sont introduits par « à » et « en » ? Quels mots ces noms complètent-ils respectivement ?

Retenons

I. Le groupe nominal

1. Le nom est précédé dans la phrase d'un déterminant et peut être accompagné d'un adjectif qualificatif. Ce groupe s'appelle un **groupe nominal** (GN).

Ex. : le grand loup.

2. Il peut être introduit par une **préposition** (« à », « de », « par », « pour », « sans », « sous »…).

Ex. : <u>sous</u> la pâle clarté.

II. L'adjectif qualificatif épithète

1. L'adjectif qualificatif exprime une qualité du nom auquel il se rapporte.

2. Dans le GN, il est placé juste devant ou derrière le nom ; on dit qu'il est épithète du nom auquel il se rapporte.

Ex. : les <u>longues</u> nuits.

III. Le complément de nom (CDN)

1. Le GN peut être complété par un deuxième GN ou un groupe à l'infinitif. Ce sont des expansions.

Ex. : sous la pâle clarté <u>de la lune</u>. *« De la lune » est complément du nom « clarté ».*

Ex. : un couteau <u>à découper</u>.

2. Le CDN est toujours introduit par une préposition : « de », « à », « en », « sans »…

Ex. : une cabane <u>en</u> rondins, un traîneau <u>à</u> chiens.

3. Le CDN donne des précisions sur le nom. Il peut indiquer le rattachement (la clarté de la lune), la matière (une cabane en rondins)…

— — — — — Repérer — — — — —

1 * **Dans les GN suivants, donnez la classe grammaticale précise de chacun des mots.**

a. des cheveux gris **b.** ce teint pâle **c.** un énorme globe terrestre **d.** la célèbre Madame de Sévigné **e.** notre magnifique maison

2 * **Relevez dans les phrases suivantes les adjectifs qualificatifs et donnez leur fonction grammaticale précise.**

a. Un ami sûr et fidèle est une grande aide dans la vie. **b.** L'odeur entêtante des roses parfumait la pièce. **c.** Les roses et les violettes parfumées embaument l'air du jardin. **d.** Mes grands-parents paternels et maternels m'ont toujours chéri.

3 * **Relevez les GN compléments du nom dans les phrases suivantes. Indiquez de quel nom ils sont l'expansion.**

a. Les souliers de ma sœur sont trop petits pour moi. **b.** Les enfants n'ont pas le droit de jouer sur des machines à sous. **c.** J'ai rangé tous les crayons dans la boîte en fer sur l'étagère. **d.** Où avez-vous passé les vacances d'été ? **e.** L'avion pour le Canada partira certainement en avance.

— — — — — Manipuler — — — — —

4 * **Dans les phrases suivantes, enrichissez les noms soulignés :**
a) par des adjectifs épithètes ;
b) par des GN compléments du nom.

a. Le <u>chien</u> s'endort devant le <u>traîneau</u>. **b.** Le <u>trappeur</u> entre dans la <u>maison</u>. **c.** La <u>neige</u> s'étend jusqu'à l'<u>horizon</u>. **d.** Dans la <u>cheminée</u>, le <u>feu</u> brûle. **e.** Un <u>fagot</u> est appuyé contre le <u>mur</u>.

5 * **Recopiez et complétez les GN avec des CDN dont la classe grammaticale est indiquée entre parenthèses.**

a. Une maison sans … (groupe nominal) **b.** Un ticket pour … (nom propre) **c.** La permission de … (infinitif) **d.** Une machine à … (groupe infinitif) **e.** Un homme de … (groupe nominal) **f.** Une boisson à … (groupe nominal) **g.** Des chaussures pour … (infinitif) **h.** Un sac de … (nom commun) **i.** Un sac pour … (infinitif) **j.** Un sac sans … (groupe nominal)

6 * * **Dans le texte suivant, accordez les adjectifs et les participes employés comme adjectifs entre parenthèses avec les noms dont ils sont épithètes.**

Pour la soirée, ces soirs (paisible) et (rose) de l'Ukraine, vous devinez : les étoiles se montrant peu à peu pour faire fête à la lune, celle-ci paraissant dans sa (doux) majesté, et, à l'horizon, des bandes (violet) de couleurs (varié), jetant leurs (dernier) feux, rayant la steppe (assombri) et (silencieux). La lisière de la forêt devenait (sérieux), presque (sévère) ; une (grand) roche, (entouré) de mystère, faisait pendant à une autre roche, se dressant comme un bloc de jais (noir), (éclairé) d'en haut.

D'après P. J. Stahl, *Maroussia*, 1974.

7 * * * **Transformez les phrases suivantes en GN comme on en trouve dans les titres. Encadrez ensuite les CDN dans les GN obtenus.**

a. Les habitants de l'île se sont révoltés. **b.** Il est absolument défendu de marcher sur la glace. **c.** Le vol pour San Francisco a été annulé. **d.** La libre circulation des personnes a été suspendue. **e.** Les bandits se sont rendus pendant la nuit. **f.** Les prisonniers ont été libérés. **g.** Les élèves courront pendant 200 mètres. **h.** Les habitants du village ont participé massivement à la fête. **i.** Les salaires ont été considérablement réduits. **j.** Les parents se sont inquiétés vivement.

— — — — — S'exprimer — — — — —

8 * **Imaginez des phrases où les adjectifs suivants seront épithètes. Vous ferez varier le genre et le nombre (deux au masculin singulier, deux au masculin pluriel, deux au féminin singulier, deux au féminin pluriel).**

nocturne • craintif • solitaire • obscur • lointain • glacial • éperdu • tremblant

9 * * **Écrivez un paragraphe pour décrire un paysage d'hiver (vous pouvez reprendre le vocabulaire de l'exercice 8). Vous emploierez au moins cinq adjectifs épithètes et cinq CDN.**

Observons

A. Nathan répond à une correspondante anglaise. Elle lui a demandé s'il aime la musique.

B. Hello Suzan,

Je serai content de faire ta connaissance aux prochaines vacances. Tu vois, je ne parle pas assez bien l'anglais pour t'écrire dans ta langue. Mais je veux l'apprendre pour que, quand je viendrai, nous puissions discuter en anglais ensemble.

Oui, j'aime la musique, je prends des cours de guitare.

See you soon!

Nathan

① Dans la première partie du texte (A), quels groupes nominaux les pronoms « il » et « elle » remplacent-ils ? Ces pronoms sont-ils de la 1ʳᵉ, de la 2ᵉ ou de la 3ᵉ personne ?

② Dans la seconde partie du texte (B), indiquez à qui renvoie le pronom « je ». Indique-t-il la 1ʳᵉ, la 2ᵉ ou la 3ᵉ personne ?

③ Dans la partie B, à qui renvoie le pronom « tu » ? Quelle expression de la lettre le signale ? Ce pronom indique-t-il la 1ʳᵉ, la 2ᵉ ou la 3ᵉ personne ?

④ Dans la partie B, à qui renvoie le pronom « nous » ?

Retenons

➤ **Les pronoms « je » et « tu » s'emploient dans une situation d'échange oral ou écrit.**

– « Je » renvoie à celui ou à celle qui parle ou écrit. C'est un pronom de 1ʳᵉ personne.

– « Tu » renvoie à celui ou à celle à qui l'on s'adresse. C'est un pronom de 2ᵉ personne.

Ex. : Je t'écris pour savoir si tu es d'accord.

➤ **« Il(s) », « elle(s) », « le », « la », « les », « lui », « leur » et « se » sont des pronoms de 3ᵉ personne. Ils remplacent le plus souvent des groupes nominaux.**

Ex. : Ta lettre est bien arrivée, elle a mis deux jours à peine.

➤ **Les pronoms personnels varient en nombre et en personne. Les pronoms de 3ᵉ personne varient aussi en genre (« il / elle », « ils / elles »).**

➤ **« Moi », « toi » et « soi » sont des formes d'insistance.**

Ex. : Toi, tu es seulement entêté, alors que moi, j'insiste parce que j'ai raison.

➤ **Tous les pronoms personnels varient selon leur fonction dans la phrase.**

Ex. : Je te vois. « Je » : 1ʳᵉ personne, sujet. « Te » : 2ᵉ personne, complément d'objet direct.

Tu me vois. « Tu » : 2ᵉ personne, sujet. « Me » : 1ʳᵉ personne, complément d'objet direct.

— — — Repérer — — —

1 * * Relevez les pronoms personnels, donnez leur personne et indiquez à qui ils renvoient ou quel GN ils remplacent.

a. « Préparez-vous à partir, dit le guide aux alpinistes qu'il accompagnait. Nous devons atteindre le sommet avant midi. » **b.** « Attendez, je ne suis pas prêt ! » cria Émile. **c.** « Quelqu'un a vu mon sac ? » demanda-t-il à la ronde. **d.** « Je l'avais posé là et il n'y est plus ! » **e.** « Regarde sous la table », répondit Jeanne. **f.** « Ah ! oui. Mais je ne vois pas mon piolet. Je suis sûr qu'il était attaché sur mon sac. » **g.** « Bon, nous partons ! » cria le guide, agacé. « Je ne peux plus attendre ! » **h.** « Et moi, s'exclama Émile, comment je vais faire, sur la glace sans piolet ? » **i.** « Tiens, le voilà, dit Mehdi. Tu l'avais oublié devant la porte du refuge. » **j.** « Bon, s'écria Émile, qu'est-ce que nous attendons pour partir ? »

2 * * Quand « le », « la », « l' », « les », « leur » sont placés devant un verbe, ce sont des pronoms personnels, ils remplacent des GN. Quand ils sont placés devant un nom ou un adjectif, ce sont des déterminants. Dans les phrases suivantes, indiquez la classe grammaticale à laquelle appartiennent les mots soulignés.

a. <u>Les</u> iris fleurissent en avril. **b.** Regarde cette plante, c'est de la ciguë, on ne <u>la</u> cueille pas car elle est toxique. **c.** <u>Leurs</u> lys blancs parfument tout <u>le</u> jardin. **d.** Ces magnifiques roses, je <u>les</u> ai choisies pour toi. **e.** Il paraît que <u>la</u> capucine peut se manger en salade. **f.** J'ai fait un bouquet de fleurs des champs : saponaires, bleuets et reines-des-prés ; je <u>le</u> <u>leur</u> offrirai ce soir. **g.** Au jour de l'An, on s'embrasse sous une branche de gui. **h.** Si on <u>l'</u>appelle tournesol, c'est parce que cette fleur change de direction pendant <u>la</u> journée en suivant la course du soleil. **i.** Je n'aime pas <u>le</u> glaïeul, je <u>le</u> trouve trop grand et il n'a aucune senteur. **j.** On sent <u>le</u> parfum des genêts depuis la maison, j'aime <u>le</u> retrouver chaque année au début de l'été.

— — — — Manipuler — — — —

3 * Recopiez et complétez les phrases suivantes avec les pronoms qui conviennent.

a. Voici une voiture idéale à mes yeux : … est économe en carburant et peu polluante ; je … préfère à d'autres, plus rapides et plus chères. **b.** …, je refuse de participer à ce jeu stupide. Et …, qu'en pensez-… ? **c.** Le guide a rassemblé les visiteurs autour de … avant de … expliquer l'histoire de la cathédrale. **d.** … les avons quittés rapidement et … n'avons même pas pensé à … remercier de leur accueil. **e.** Les élèves ont compris cette notion difficile parce que le professeur … … a longuement expliquée. **f.** Toi et … … sommes chargés de ranger les ballons de basket. **g.** Les parents d'Amélie doutent d'… et elle rêve de … prouver sa valeur. **h.** Maintenant que toi et … *(deux possibilités)* … êtes élus délégués, … devrez assister au conseil de classe.

— — — — S'exprimer — — — —

4 * Transformez en pronoms personnels les GN soulignés. Quelle maladresse d'expression les pronoms permettent-ils d'éviter ?

Le héros part chercher un oiseau d'or. <u>Le héros</u> rencontre un renard pris au piège. <u>Le héros</u> délivre <u>le renard</u>. Le renard dit au héros que désormais <u>le renard</u> sera son allié et que quand ce sera nécessaire, <u>le renard</u> viendra en aide <u>au héros</u>. Le héros remercie <u>le renard</u>. <u>Le héros</u> traverse une grande forêt et <u>le héros</u> se perd dans la grande forêt. Le héros appelle le renard et demande <u>au renard</u> son aide. Aussitôt le renard apparaît, <u>le renard</u> guide le héros et le mène à la sortie de la forêt.

— — — Réflexion sur la langue — — —

5 * Vocabulaire. Voici des exemples d'emploi du mot « personne » tirés d'un article de dictionnaire. Trouvez l'exemple correspondant à chacun des sens.

Sens : 1. Un homme ou une femme. **2.** L'homme ou la femme en tant qu'être moral. **3.** L'être, le corps, la vie de quelqu'un.

Ex. : **1.** On a attenté à sa personne. **2.** La morale repose sur le respect de la personne humaine. **3.** Qui sont ces personnes ?

Observons

Un fabliau du Moyen Âge raconte ceci…

1. Un vieil homme donne tous ses biens à son fils et, dès lors, celui-ci se met à maltraiter son père puis à vouloir le chasser de la maison.

2. Le fils vient voir son vieux père pour le chasser en lui donnant pour tout bagage une vieille couverture, une de celles qu'on utilise pour protéger les chevaux.

3. Le petit-fils du vieil homme, qui assiste à la scène, prend la couverture, la coupe en deux et en donne une moitié à son grand-père en disant :
– Voici ta couverture.

4. Puis il montre à son père la demi-couverture qu'il a gardée et dit :
– Et voilà la tienne, celle que je te donnerai quand tu seras vieux et que je te chasserai.

5. Le père de l'enfant, honteux, comprend la leçon et demande pardon à son père.

① Dans la phrase 1, quel mot le pronom « celui-ci » reprend-il ?

② Dans la phrase 2, quel mot est repris par « celles » ?

③ Dans le passage de dialogue de la phrase 3, quel déterminant introduit le mot « couverture » ?

④ Quels mots sont repris par « la tienne » dans la phrase 4 ?

⑤ À quoi le mot « ceci » renvoie-t-il dans la phrase de présentation du texte ?

Retenons

I. Les pronoms démonstratifs

1. Formes

a. « Celui », « celle(s) » et « ceux » sont variables et peuvent être renforcés par « ci » ou « là ».

Ex. : Il y a deux chemins possibles. <u>Celui</u> de droite est rapide mais <u>celui-là</u>, vers la gauche, est plus joli.

b. « Ceci », « cela », « ce », « c' » et « ça » sont invariables et reprennent des éléments divers : parties de phrases, phrases, textes, idées, situations.

Ex. : Quoi que l'on décide, <u>ça</u> m'est égal.

2. Emplois

a. Dans un échange oral, les pronoms démonstratifs permettent de désigner des éléments présents dans la situation.

Ex. : Prenons <u>celui-là</u>, nous ne sommes pas pressés.

b. À l'écrit, les pronoms démonstratifs variables remplacent des GN et permettent de distinguer un élément d'un autre ou des autres.

Ex. : Les marcheuses arrivèrent tard. <u>Celle</u> qui marchait le plus lentement semblait fatiguée.

II. Les pronoms possessifs

Les pronoms possessifs varient selon le genre et le nombre de l'objet possédé et selon la personne du possesseur.

Ex. : mes bagages, <u>les miens</u>. Tes valises, <u>les tiennes</u>.

Repérer

1 * Relevez les pronoms démonstratifs dans les phrases suivantes. Pour ceux qui sont variables, donnez leur genre et leur nombre. Pour ceux qui sont invariables, indiquez ce qu'ils représentent.

a. Les candidats à la présidence de notre club de lecture ont tous leurs mérites. Celui-ci, plein d'enthousiasme, amènera de nouveaux inscrits. **b.** Celle-là, qui n'agit pas sans réfléchir, nous assurera que nos projets sont sensés et utiles. **c.** Celui-là, imaginatif et sensible, guidera bien nos choix. **d.** Mais celle qui a ma préférence est une autre encore, en raison de sa vraie passion pour la lecture. **e.** C'est en tout cas une belle équipe, et cela donnera à notre club un fonctionnement dynamique.

2 * Recopiez et complétez le tableau ci-dessous par les pronoms possessifs qui conviennent.

Masculin singulier	Féminin singulier	Masculin pluriel	Féminin pluriel
	La mienne		
	La tienne		
	La sienne		
	La nôtre		
	La vôtre		
	La leur		

3 * Dans les phrases suivantes, indiquez les noms que reprennent les pronoms possessifs. Précisez le genre, le nombre et la personne de ces pronoms.

a. J'ai oublié mes ciseaux. Peux-tu me prêter les tiens ? **b.** Cette belle maison sur la colline, c'est la vôtre ? **c.** Mon bagage est ce sac informe ; le tien, cette superbe valise de cuir ; et le leur, une grande malle métallique. **d.** Ses sœurs l'aident et le soutiennent, les miennes s'amusent de mes erreurs. Et les vôtres, quelle attitude ont-elles ? **e.** Leurs parents limitent leur temps quotidien d'écran, alors que les miens me laissent faire. **f.** Ses vêtements paraissent toujours impeccables, les tiens semblent sortir du panier à linge sale. **g.** Son métier lui convient, le mien me plaît beaucoup aussi ; nous aimerions savoir ce que vous pensez du vôtre.

Manipuler

4 * Recopiez et complétez chaque phrase avec le pronom démonstratif qui convient.

a. Pour aller dans le centre-ville, on peut prendre le bus mais … va plus vite en tramway. **b.** Le quartier historique est piétonnier, mais …, plein de charme également, est accessible à vélo. **c.** Autour de la ville, il y a cinq collines boisées ; sur …, on a bâti une église. **d.** Sur deux d'entre elles, … sont de belles maisons qui ont été construites. **e.** Un fleuve traverse la cité, … qui a fait de … une voie commerciale dès l'Antiquité. **f.** La banlieue est peu étendue et … des habitants qui viennent travailler en ville mettent peu de temps. **g.** On a supprimé la ligne de train et … a un peu isolé la ville.

5 * Remplacez les GN introduits par des déterminants possessifs par les pronoms possessifs correspondants.

a. mon ami **b.** mon adresse **c.** ta voisine **d.** nos préoccupations **e.** ses affaires **f.** notre décision **g.** votre père **h.** vos billets **i.** leurs impressions **j.** mes qualités

S'exprimer

6 * Travaillez à deux.
a) Pour chaque phrase, imaginez quels éléments d'une situation précise peuvent désigner les pronoms démonstratifs. Chacun de vous proposera sa version.
b) Comparez les deux versions et choisissez celle qui vous plaît le plus.
c) Pour l'une des situations, rédigez un court texte qui la présentera.

a. Tu as vu ça ? **b.** Prête-moi celui-là, celui que j'ai ne me plaît pas. **c.** Qui aurait pu attendre cela d'une personnalité aussi timide ? **d.** Ce sont d'étranges histoires. **e.** Ceux qui ont manqué ça ont vraiment raté quelque chose.

Réflexion sur la langue

7 * Vocabulaire. Dans chaque phrase, remplacez le pronom possessif par un GN qui permettra de comprendre ce que désigne le pronom.
Le pronom possessif exprime-t-il seulement la possession ? Quels autres sens peut-il porter ?

a. Il a encore fait des siennes ! **b.** Je me sens capable de protéger les miens. **c.** Pour réussir, il faut que tu y mettes du tien. **d.** À la vôtre ! **e.** Restez dîner, soyez des nôtres.

Observons

1. Le clown amuse les spectateurs.
2. Ses grimaces font rire.
3. Les lions avancent vers le dompteur.
4. Vont-ils obéir à ses ordres ?
5. Les clowns t'ennuient.
6. Tu préfères les magiciens.
7. Aller au cirque t'a toujours beaucoup plu.

① Le sujet est la personne ou la chose qui fait l'action du verbe conjugué. Dans la phrase 1, le mot « clown » est le sujet du verbe « amuse ». Quelle question pouvez-vous poser pour le trouver ?

② Relevez le sujet dans chacune des phrases 2 à 7 en utilisant la question trouvée précédemment. Concluez : à quelle place le sujet peut-il se trouver par rapport au verbe ?

③ Justifiez la terminaison de chaque verbe conjugué des phrases 1 à 7. Formulez une règle d'accord.

④ Quelle est la classe grammaticale du sujet dans chacune des phrases 1 à 7 ?

Retenons

➤ **Le sujet est la personne qui fait l'action exprimée par le verbe. On le trouve en posant la question « qui est-ce qui + verbe ? ».**

➤ **Le sujet commande l'accord du verbe en personne (1ʳᵉ, 2ᵉ ou 3ᵉ) et en nombre (singulier ou pluriel).**

   Ex. : Paul et Julie <u>travaillent</u>.

➤ **Un même sujet peut commander plusieurs verbes.**

   Ex. : Les enfants <u>jouent</u> et <u>courent</u> dans la maison.

➤ **Le sujet précède ou suit le verbe. S'il le suit, on l'appelle un sujet inversé.**

   Ex. : <u>Le collège</u> est très grand. Où vont <u>les enfants</u> ?

➤ **Le sujet peut être :**

   – un nom : <u>Le chat</u> dort ;
   – un groupe nominal : <u>Le chat gris</u> dort ;
   – un pronom : <u>Il</u> dort ;
   – un infinitif : <u>Dormir</u> lui plaît ;
   – une proposition : <u>Que tu viennes</u> me surprendrait beaucoup.

Repérer

1 * Trouvez le sujet du verbe souligné en posant la question appropriée.

a. Les galets <u>roulent</u> sous les pas, rendant la marche difficile.
b. Où <u>vont</u> tous ces enfants ?
c. De nombreux élèves <u>discutaient</u> au fond de la cour.
d. Parfois, au loin, le bruit d'un moteur <u>s'élevait</u> dans le silence du soir.
e. La grande ombre des arbres <u>donnait</u> à l'eau un reflet vert.

2 * * * Recopiez le texte puis soulignez les verbes conjugués et encadrez les sujets de ces verbes.

Retour à la maison

Phyllis et Jinn relevèrent ensemble leur tête penchée sur le manuscrit et se regardèrent un long moment sans prononcer une parole. « Une belle mystification », dit enfin Jinn, en se forçant un peu pour rire. Phyllis restait rêveuse. Certains passages de l'histoire l'avaient émue et elle leur trouvait l'accent de la vérité. Elle en fit la remarque à son ami. [Jinn] largua toute la voile, l'offrant tout entière aux rayonnements conjugués des trois soleils. Puis il commença de manœuvrer des leviers de commande, utilisant ses quatre mains agiles. Phyllis, ayant chassé un dernier doute en secouant énergiquement ses oreilles velues, sortait son poudrier et, en vue du retour au port, avivait d'un léger nuage rosé son admirable mufle de chimpanzé femelle.

Pierre Boulle, La Planète des singes, 1963.

3 * * Trouvez le sujet de chaque verbe conjugué et indiquez à quelle classe grammaticale il appartient.

Moi, pendant ce temps, j'allais m'asseoir dehors sur la terrasse. Le soleil, déjà très bas, descendait vers l'eau de plus en plus vite, entraînant tout l'horizon après lui. Le vent fraîchissait, l'île devenait violette. Dans le ciel, près de moi, un gros oiseau passait lourdement […] Peu à peu la brume de mer montait. Bientôt on ne voyait plus que l'ourlet blanc de l'écume autour de l'île […] Tout à coup, au-dessus de ma tête, jaillissait un grand flot de lumière douce. Le phare était allumé. Laissant toute l'île dans l'ombre, le clair rayon allait tomber au large sur la mer, et j'étais là, perdu dans la nuit […]. Mais le vent fraîchissait encore. […] À tâtons, je fermais la grosse porte, j'assurais les barres de fer ;

puis, toujours tâtonnant, je prenais un petit escalier de fonte […] et j'arrivais au sommet du phare.

Alphonse Daudet, Lettres de mon moulin, 1869.

Manipuler

4 * Faites des expressions de la liste 1 les sujets des verbes des expressions de la liste 2.

Liste 1 : une foule dense et bruyante • ce jeune enfant • tu • nous • ils • on • courir • être distrait • trois hommes silencieux

Liste 2 : ne manquerons pas votre concert • peut coûter cher • discutaient avec animation • s'était accumulée • peut être bon pour la santé • rapporteras ce livre • trouve de tout chez ce commerçant • attendaient devant la mairie • n'est pas rassuré

5 * Recopiez les phrases suivantes en complétant l'élément proposé avec un sujet adapté.

a. … n'est jamais facile. **b.** … peut toujours être utile. **c.** … offre de nombreuses difficultés. **d.** … arrivent toujours en retard. **e.** … sont vraiment intéressantes. **f.** … a toujours effrayé les enfants timides. **g.** … s'étalaient à l'infini. **h.** … étiez le joueur le plus populaire de l'équipe. **i.** … as déjà vu ce film.

S'exprimer

6 * Rédigez un texte pour évoquer, de façon vivante, les actions montrées sur cette photographie. Tous les personnages représentés ainsi que la mer deviendront sujets de vos phrases.

7 * Orthographe

Dictée n°2 : Colette, *Les Vrilles de la vigne.*

Observons

1. John est un Américain.
2. Il voit chaque jour son professeur de français.
3. Il deviendra vite excellent dans notre langue.

1 Combien de personnages y a-t-il dans les phrases 1 et 3 ? dans la phrase 2 ?

2 Remplacez « John » par « Pamela » (phrase 1). Quels changements apportez-vous à l'attribut « Américain » ?

3 Remplacez « il » par « elle » dans la phrase 3. Le reste de la phrase change-t-il ?

4 Par quel verbe pouvez-vous remplacer « deviendra » dans la phrase 3 ?

Retenons

➤ **L'attribut du sujet (ou prédicat) représente le sujet. Il indique une particularité, une qualité du sujet par l'intermédiaire d'un verbe équivalent à « être ».**

Ex. : Sophie semble <u>prudente</u>.

➤ **On ne doit pas le confondre avec le COD : contrairement à lui, il désigne toujours la même personne que le sujet.**

Ex. : <u>Pierre</u> est un <u>élève</u>. *(« Pierre » et « élève » représentent une seule personne, « élève » est attribut du sujet « Pierre ».)*
<u>Pierre</u> voit un <u>élève</u> dans la cour. *(« Pierre » et « élève » représentent deux personnes différentes : « élève » est COD de « Pierre ».)*

➤ **L'attribut du sujet s'accorde en genre et en nombre avec le sujet.**

Ex. : <u>Les animaux</u> sont parfois <u>méchants</u>. <u>Ce chien</u> est parfois <u>méchant</u>.

➤ **Il suit un verbe « attributif » qui peut être :**

– un verbe d'état : « être », « paraître », « devenir », « sembler », « rester », « demeurer », « avoir l'air », « passer pour »… ;
– certains verbes comme « naître », « tomber », « sortir »…

Ex. : La leçon n'<u>est</u> pas <u>difficile</u>. Il <u>naît</u> <u>riche</u>. Il <u>tombe</u> <u>malade</u>. Il <u>sortira</u> <u>premier</u> de la compétition.

➤ **L'attribut du sujet peut être :**

– un adjectif qualificatif : Sylvie semble très <u>contente</u> ;
– un nom commun ou un groupe nominal : M. Blanc est <u>un excellent professeur</u> ;
– un pronom : Cette valise est <u>la mienne</u> ;
– un verbe à l'infinitif introduit par « de » : Sa plus grande fierté était <u>d'avoir réussi</u>.

Entraînement

— — — — — — Repérer — — — — — —

1 * Relevez les sujets, les verbes attributifs et les attributs du sujet dans les phrases suivantes. Attention ! Deux phrases ne contiennent pas d'attribut du sujet.

a. Le lion est l'un des carnivores les plus craints mais aussi un des plus admirés.
b. Le lion est le plus grand et le plus puissant des carnivores d'Afrique.
c. Un lion dans la force de l'âge est un spectacle impressionnant.
d. Les lions sont les seuls félins à vivre en groupe.
e. Les rares solitaires sont toujours des lions âgés, blessés ou malades.
f. Les lionnes restent toute leur vie dans le même groupe.
g. Elles soignent et élèvent ensemble leurs petits.
h. Les lionceaux sont joueurs et câlins.
i. Ils deviennent méfiants et plus agressifs en grandissant.
j. La taille d'une troupe est très variable, pouvant aller de deux à quarante individus.

2 * * * Relevez les attributs du sujet dans les phrases suivantes. Attention : certaines phrases n'ont pas d'attribut.

a. Mon frère demeure 25 rue Balzan. **b.** Mon frère demeure mon meilleur ami. **c.** Il reste imperturbable dans les épreuves. **d.** Il nous reste huit jours de vacances. **e.** Je parais indifférente mais je ne le suis pas du tout. **f.** Il parut à 8 h précises au domicile de sa tante. **g.** Cet homme est né aveugle. **h.** Cet homme est né le 28 juin. **i.** Mon voisin est tombé malade hier soir. **j.** Mon voisin est tombé du haut de l'échelle hier soir.

— — — — — — Manipuler — — — — — —

3 * Recopiez et complétez les phrases suivantes avec un verbe à valeur attributive suivi d'un attribut du sujet. Vous n'emploierez pas plus de deux fois le verbe « être ».

a. Devant nous, deux jeunes enfants … . **b.** Aujourd'hui, la voisine de ma mère … . **c.** Comme chaque année, tous les habitants de la ville … . **d.** Au collège, les élèves de troisième … . **e.** Depuis plusieurs

jours, ma petite sœur … . **f.** Pendant les vacances, mes cousins et moi … . **g.** À partir d'aujourd'hui, vous … . **h.** Comme tu me l'as demandé, je … . **i.** Après le goûter, les enfants … . **j.** Comme tu en as envie, tu … .

4 * Recopiez et complétez les phrases suivantes avec un verbe attributif différent à chaque fois.

a. Ces personnes … épuisées. **b.** Le renard … un animal très rusé. **c.** Les enfants … joueurs et vifs. **d.** Ma sœur … attristée par le départ de ses enfants. **e.** Les oiseaux migrateurs … des animaux très résistants.

5 * Grammaire et orthographe. Réécrivez les phrases suivantes au pluriel en faisant les accords nécessaires.

a. Ma petite sœur paraissait surprise de te voir. **b.** Tout animal est craintif devant un inconnu. **c.** Ce trio de Schubert a semblé connu de tout le public. **d.** Cette pièce de théâtre a été écrite en moins de six mois. **e.** Il est parti perdant. **f.** Il rentrera satisfait de son voyage.

6 * * * Par équipes de deux, utilisez les verbes suivants dans deux phrases : dans l'une, le verbe sera suivi d'un attribut du sujet, dans l'autre, d'un complément de votre choix (COD, complément circonstanciel). Vous soulignerez le groupe qui suit le verbe et indiquerez sa fonction.

quitter • naître • partir • rentrer • vivre • rester

7 * Orthographe
Dictée n°3 : Guy de Maupassant, *Yvette*.

— — — — — — S'exprimer — — — — — —

8 ** Décrivez un animal effrayant. Votre texte comprendra six attributs du sujet. Vous les introduirez par des verbes différents et emploierez des attributs qui seront un GN, un adjectif qualificatif, un nom commun, un infinitif et un pronom.

9 * Faites le portrait d'une personne qui vous est chère. Vous emploierez au moins quatre attributs du sujet introduits par des verbes attributifs différents.

Observons

1. Les navigateurs de la Renaissance ont parcouru <u>les mers</u> pendant de nombreuses années.

2. Ils ont découvert <u>des terres nouvelles</u> et ont parlé à <u>des peuples inconnus</u>.

3. Ils se sont souvenus de <u>leurs découvertes</u>.

4. Ils <u>les</u> ont parfois racontées à leur retour.

5. Ils auraient aimé <u>vivre là-bas</u>.

6. Ils ont souvent rapporté <u>des trésors</u>.

7. Ils ont offert ces richesses aux rois.

❶ Lisez les phrases 1 à 6 en supprimant les mots ou groupes de mots soulignés. Les phrases gardent-elles un sens ?

❷ Dans la phrase 2, quel complément suit directement le verbe ? Lequel est introduit par une préposition ?

❸ Dans la phrase 3, quelle préposition introduit le complément ?

❹ Dans la phrase 7, repérez un complément construit directement et un autre introduit par une préposition. Quel verbe complètent-ils ?

Retenons

I. Le COD et le COI

1. Le **complément d'objet** désigne la chose ou la personne sur laquelle s'exerce l'action du verbe. Il est essentiel au sens de la phrase, on ne peut pas le supprimer.

Ex. : Ils découvrent <u>des terres nouvelles</u> (COD). Ils parlent à <u>des peuples inconnus</u> (COI).

2. Le **complément d'objet direct (COD)** complète les verbes directement, sans préposition.

Ex. : Ils parcourent <u>les mers</u>.

3. Le **complément d'objet indirect (COI)** complète le verbe par l'intermédiaire d'une préposition : « à », « de ».

Ex. : Ils parlent <u>à des peuples inconnus</u>. Ils se souviennent <u>de leurs aventures</u>.

4. Le COD ou le COI se placent généralement après le verbe. Si le complément d'objet est un pronom, il est placé avant le verbe.

Ex. : Je vois <u>les aventuriers</u>. → Je <u>les</u> *(COD)* vois. Je parle <u>au navigateur</u>. → Je <u>lui</u> *(COI)* parle.

II. Le COS

Le **complément d'objet second (COS)** complète un verbe déjà accompagné d'un COD ou d'un COI. Il est introduit par la préposition « à », quelquefois par « pour ».

Ex. : L'explorateur a rapporté <u>un vase d'or</u> *(COD)* <u>au roi</u> *(COS)*.

Les habitants de l'île ont sculpté <u>des totems</u> *(COD)* <u>pour leurs dieux</u> *(COS)*.

III. La classe grammaticale des COD, des COI et des COS

Les COD, COI et COS peuvent être :

– **un nom ou un groupe nominal** : Ils ont parcouru <u>les mers</u> ;

– **un pronom** : Ils <u>les</u> ont parfois racontées ;

– **un verbe à l'infinitif ou un groupe à l'infinitif** : Ils auraient aimé <u>vivre là-bas</u>.

Repérer

1 * **Relevez les COD dans les phrases suivantes et indiquez leur classe grammaticale.**

a. Avant de partir pour Paris, il vérifie son itinéraire sur la carte. **b.** Tu ne souhaites pas partir tôt. **c.** Ne laissez jamais vos valises et votre sac dans votre voiture. **d.** Avez-vous terminé ce roman ? Si c'est le cas, rendez-le à la bibliothèque rapidement. **e.** J'ai acheté des pommes et je les ai mangées aussitôt. **f.** Que voulez-vous faire ? **g.** Peut-être aimerez-vous lire ce livre ! **h.** Ce bébé ne veut pas dormir. **i.** Sa mère le berce doucement. **j.** Nous ne l'entendons plus à présent.

2 * * **Dans les phrases suivantes, soulignez les verbes, encadrez les COD et entourez les COI.**

a. Dans toutes les villes, on peut circuler aisément. **b.** Il a emprunté la voiture de sa mère ce matin. **c.** Je prendrai tout à l'heure le train pour Cabourg. **d.** Le professeur me regarde avec sévérité. **e.** Il achète chaque jour les provisions nécessaires pour la semaine. **f.** Il ne pense jamais à son avenir. **g.** J'ai beaucoup profité de son aide. **h.** Vous lui plaisez beaucoup. **i.** J'aime beaucoup cela. **j.** Je les inviterai un autre jour. **k.** Pense à venir tôt ce soir.

3 * * **Indiquez si les mots soulignés sont COD, sujets inversés ou attributs du sujet.**

a. Où vont <u>tous ces enfants</u> ? **b.** Vous avez vu hier soir <u>un film très divertissant</u>. **c.** Devant moi courait à toute allure <u>un énorme chien</u>. **d.** Ce travail devenait <u>une terrible épreuve</u>. **e.** Nous avons joué <u>une pièce de théâtre très amusante</u>. **f.** Où <u>les</u> avez-vous trouvés ? **g.** Paul demeure <u>un garçon très sympathique</u>. **h.** N'espère pas <u>venir demain</u> ! **i.** <u>Quelle réponse</u> vous paraît <u>juste</u> ? **j.** <u>Quelle réponse</u> lui avez-vous donnée ?

4 * **Relevez dans chaque phrase le COS et le COD puis donnez leur classe grammaticale respective.**

a. Je lui ai envoyé une lettre de remerciement. **b.** Nous avons préparé ce cadeau pour ton petit frère. **c.** Les explorateurs ont raconté leurs découvertes à leurs amis. **d.** Nous avons demandé au voisin de rentrer plus tôt. **e.** Nous te confions nos intérêts. **f.** Il a donné sa collection de timbres à Paul. **g.** Il a convaincu ses parents de le laisser partir seul en voyage. **h.** Ma mère me remercie très vivement de l'avoir aidée. **i.** Est-ce que vous nous préviendrez de la date du contrôle ? **j.** Le professeur imagine des exercices pour ses élèves. **k.** Tu as pris ce ballon à ton frère ! **l.** Rends-le lui !

Manipuler

5 * * **Recopiez et complétez les phrases suivantes avec un COD, un COI ou un COS dont la nature est indiquée entre parenthèses.**

a. Nous avons acheté … (COD, GN). **b.** Mes parents ont voulu cette année … (COD, groupe à l'infinitif). **c.** Nous avons exigé … (COD, GN). **d.** Les élèves proposaient à … (COS, nom propre) de … (COI, groupe à l'infinitif) mais il n'a pas voulu. **e.** Nous avons voulu … (COS, pronom) envoyer des fleurs. **f.** Vous nous avez habitués … (COS, groupe infinitif). **g.** … (COD, pronom) avez-vous pensé de cette demande ? **h.** Nous … (COS, pronom) avons proposé … (COI, verbe à l'infinitif). **i.** … (COS, pronom) avez-vous envoyé … (COD, GN).

S'exprimer

6 * **Employez chacun des verbes suivants dans une phrase qui contiendra un COD et un COS.**

a. envoyer **b.** donner **c.** préparer **d.** ajouter **e.** confier **f.** demander **g.** rendre

7 * **Les verbes suivants désignent des actes de parole. Employez-les dans des phrases avec un COD ou un COI plus un COS.**

a. promettre **b.** interdire **c.** jurer **d.** autoriser **e.** garantir **f.** confier (au sens de « parler »)

8 * **Imaginez des phrases contenant les verbes suivants dans leurs différentes constructions.**

parler, parler à, parler de • jouer, jouer à, jouer de • arriver, arriver à, arriver de

9 * **a)** Vous êtes un sorcier ou une fée bienveillant(e) qui fait des dons à tous ceux qu'il (elle) aime. Pour chaque don, rédigez une phrase avec un COD et un COS.
Le groupe verbal sera « donner pour don » + GN / ou « donner pour don de » + verbe à l'infinitif.

b) Vous êtes un sorcier ou une fée malveillant(e) qui fait des dons agaçants à tous ceux qu'il (elle) n'aime pas. Vous emploierez la même construction que pour les dons bienveillants.

Observons

1. Le boulanger travaille la pâte.

2. Le boulanger travaille la nuit.

3. Il cuit toute la fournée dans un grand four électrique.

4. Quand les pains sont cuits, il les farine soigneusement au moyen d'une brosse.

1 Repérez le sujet dans la phrase 1. Indiquez si le groupe nominal qui suit le verbe peut être déplacé dans la phrase. Quelle est la fonction de ce GN ?

2 Dans la phrase 2, déplacez le groupe complément. La phrase est-elle correcte ? Selon vous, le complément complète-t-il le verbe ou l'ensemble de la phrase ?

3 Dans la phrase 2, le complément de phrase indique le temps. Repérez dans la phrase 3 un complément de phrase qui indique le lieu. À quelle classe le mot principal du groupe appartient-il ? Quel mot introduit le groupe complément ?

4 Dans la phrase 4, quel groupe de mots donne une indication de temps ? Est-ce un GN ou une proposition ?

5 Repérez dans la phrase 4 un mot invariable qui donne une indication de manière.

6 Repérez dans la phrase 4 un GN qui donne une indication de moyen. À quelle classe grammaticale le mot principal du groupe appartient-il ?

Retenons

> **I. Les compléments de phrase (ou compléments circonstanciels)**
> Les compléments de phrase apportent une indication qui concerne l'ensemble de la phrase. C'est pour cette raison qu'ils peuvent être déplacés. On peut même parfois les supprimer.
>
> *Ex. :* Les comédiens répètent <u>pendant des heures sur la scène vide</u>.
> <u>Pendant des heures</u>, <u>sur la scène vide</u>, les comédiens répètent.
> Les comédiens répètent.
>
> **II. Les catégories de compléments de phrase**
> On classe les compléments de phrase suivant leur sens :
> – le complément de lieu : dans l'atelier, ici ;
> – le complément de temps : dans une semaine, aujourd'hui, quand ils seront partis ;
> – le complément de manière : rapidement, avec soin ;
> – le complément de moyen : avec une scie, grâce à son aide.
>
> **III. Les classes grammaticales des compléments de phrase**
> Les compléments de phrases peuvent être :
> – des GN sans préposition : le 8 janvier ;
> – des GN introduits par une préposition : <u>en</u> Alaska, <u>dans</u> huit jours, <u>avec</u> passion, <u>avec</u> un tournevis ;
> – des adverbes : là, souvent, longuement. Les adverbes peuvent prendre la forme de locutions adverbiales (être composés de plusieurs mots) : plus tard, çà et là ;
> – des propositions : avant qu'il arrive.

Repérer

1 * Dites si les groupes soulignés sont des compléments de lieu, de temps, de manière ou de moyen.

a. Ouvre tous les coquillages <u>avec ce couteau à huîtres</u>. **b.** Le dessert est commandé, on nous le livrera <u>tout à l'heure</u>. **c.** Les enfants mettront la table <u>gentiment</u> et <u>avec soin</u>. **d.** Il faut encore repasser la nappe <u>avant qu'ils ne commencent à chercher les assiettes et les verres</u>. **e.** Le fer à repasser se trouve <u>dans le placard de l'entrée</u>. **f.** Jeanne a rapporté du pain mais je ne le vois pas <u>à sa place habituelle</u>.

2 ** Indiquez si les éléments soulignés sont des compléments de phrase ou s'ils ont une autre fonction.

a. <u>Bientôt</u>, on pourra réserver <u>une place</u> pour un voyage sur la Lune. **b.** Le cambrioleur a ouvert <u>la porte</u> <u>au moyen d'un pied-de-biche</u>. **c.** <u>Partout</u>, on voyait <u>des vêtements</u> jetés à la hâte : <u>sur les chaises</u>, <u>sur le lit</u>, <u>dans les fauteuils</u>. **d.** La nourrice tricotait <u>avec une rapidité mécanique</u> <u>pendant que les enfants dormaient</u>. **e.** Il y avait beaucoup de voyageurs <u>en ce temps-là</u> ; aujourd'hui, plus <u>personne</u> ne s'arrête chez nous. **f.** <u>En cachette de ses parents</u>, il lit <u>des livres très difficiles</u> qu'un enfant de son âge a du mal à comprendre. **g.** <u>Avant que les randonneurs ne quittent le refuge</u>, il faut qu'ils nettoient <u>le dortoir</u>.

Manipuler

3 * Remplacez les mots ou groupes compléments de temps par des GN. Le sens pourra être légèrement modifié.

a. quotidiennement. **b.** après qu'ils ont fini de dîner. **c.** avant que nous n'arrivions. **d.** mensuellement. **e.** dès que le soleil se lève.

4 * Recopiez et complétez les phrases suivantes avec les compléments de phrase demandés.

a. Les vendangeurs sont rentrés … (complément de temps). **b.** L'embouteillage a duré une heure … (complément de lieu). **c.** Notre classe participe à un défi lecture … (complément de temps). **d.** Je l'entendais chanter … (complément de manière). **e.** Mon voisin a allumé son portable pendant le film … (complément de manière). **f.** On entendait la mer … (complément de lieu). **g.** Un événement surprenant est arrivé …

(compléments de temps et de lieu). **h.** La pluie tombe … (compléments de lieu, de temps et de manière).

5 ** Ajoutez à chaque phrase un complément de lieu, un complément de temps et un complément de manière.

a. Marie joue du piano. **b.** Ils se promènent. **c.** Malik et Ambroise s'écrivent. **d.** La police a arrêté un suspect. **e.** L'équipe de France a remporté le match. **f.** Le gardien de l'immeuble fait les petites réparations nécessaires. **g.** On mangeait du raisin blanc. **h.** La lune luit.

6 * Remplacez les GN compléments de temps par des propositions compléments de temps. Vous utiliserez les termes suivants :

avant que • dès que • pendant que • jusqu'à ce que • lorsque

a. Dès le début de l'enquête, l'inspecteur sut qu'il serait confronté à un mystère. **b.** Pendant l'audition des témoins, il remarqua de nombreux détails contradictoires et inexplicables. **c.** Il sut rapidement qu'il se produirait un fait nouveau avant la fin de l'enquête. **d.** Lors de l'interrogatoire d'une dame posée et sérieuse, il entendit pour la première fois parler de fantômes. **e.** Il décida de ne rien entreprendre jusqu'à l'arrivée du célèbre commissaire Maigret.

7 * Grammaire et orthographe
Dictée n°4 : Pierre Miquel, *Au temps des anciens Égyptiens.*

S'exprimer

8 ** Remplacez les compléments de manière par des adverbes. Employez ensuite ces adverbes dans des phrases.

a. avec douceur **b.** avec rapidité *(deux réponses)* **c.** avec force **d.** sans paiement **e.** en un mot **f.** une autre fois

9 ** Rédigez un paragraphe de récit dans lequel vous emploierez les compléments de phrase suivants. Vous avez droit à un joker (un mot non employé). Votre texte pourra être très fantaisiste.

en ce temps-là • dans ce pays • un jour • soudain • avec colère • joliment • dans une casserole • sur son cheval • sans arrêt • d'un seul coup • jusqu'à ce qu'il parvienne au sommet de la tour • devant la porte • jusqu'au ciel

---

Observons

1. Un mythe des anciens Égyptiens raconte ainsi la création du monde.
2. Au commencement, seule existe une mer sombre et immobile ; c'est le corps du dieu de l'Océan, Nou.
3. Puis une montagne surgit, venue du fond des eaux.
4. Sur son sommet plat, le soleil luit.
5. Atoum, le dieu Soleil, <u>est apparu</u>.

❶ Dans la phrase 1, relevez le verbe et indiquez à quel temps et à quelle personne il est conjugué. Exprime-t-il un état ou une action ?

❷ Mêmes questions pour les deux verbes de la phrase 2.

❸ À quel groupe le verbe « surgir » appartient-il ? Précisez le temps et la personne de ce verbe dans la phrase 3.

❹ Combien de mots la forme verbale soulignée de la phrase 5 comporte-t-elle ?

Retenons

➤ **Le verbe est le noyau, le mot essentiel de la phrase. Il indique l'action ou l'état exprimés. C'est au verbe que se rapportent le sujet et les compléments d'objet.**

Ex. : Le soleil et le vent <u>brunissent</u> la peau.
    Sujet   *Verbe*

➤ **Le verbe varie en temps suivant le sens de la phrase.**

Ex. : L'été arriv<u>era</u> bientôt. L'été arriv<u>ait</u>.

Il **varie en personne** en s'accordant au sujet.

Ex. : Il aim<u>e</u> l'été. Nous aim<u>ons</u> l'été.

➤ **La partie du verbe qui varie s'appelle la terminaison. La partie fixe, qui indique le sens du mot, s'appelle le radical (ou la base).**

Ex. : Elles savour/aient les soirées d'été.
               base/terminaison

Certains verbes ont plusieurs radicaux.

➤ **On classe les verbes en trois groupes :**

– les verbes du **1er groupe** ont l'infinitif en « -er » et un seul radical ;

Ex. : arriver, parler.

– les verbes du **2e groupe** ont l'infinitif en « -ir » et deux radicaux ;

Ex. : choisir : je choisi/s *(radical :* choisi*)*, nous choisiss/ons *(radical :* choisiss*)*.

– les verbes du **3e groupe** sont tous les verbes qui suivent d'autres modèles de conjugaison.

Ex. : je dois, nous devons ; je lis, ils lisent.

➤ **« Être » et « avoir » n'appartiennent à aucun groupe.**

➤ **On distingue les temps simples des temps composés :**

– les **temps simples** ne comportent qu'un mot. Il y a quatre temps simples : le **présent** (il pense), le **futur** (il pensera), l'**imparfait** (il pensait) et le **passé simple** (il pensa) ;

– les **temps composés** comportent deux mots : un auxiliaire (« être » ou « avoir ») et un participe passé.

Il y a quatre temps composés : le **passé composé** (il a pensé), le **futur antérieur** (il aura pensé), le **plus-que-parfait** (il avait pensé) et le **passé antérieur** (il eut pensé).

───── Repérer ─────

1 * Trouvez l'intrus dans chaque groupe de mots.

a. prier • lier • coutumier • scier.
b. dire • luire • instruire• cire.
c. naître • maître • paraître • connaître.
d. croire • boire • accroire • nageoire.
e. désir • partir • maintenir • enfouir.

2 * Trouvez l'intrus dans chaque groupe de mots.

a. finir • venir • choisir • grandir.
b. partir • mentir • ouvrir • haïr.
c. savoir • croire • avoir • pouvoir.
d. connaître • être • paraître • naître.

3 * Séparez le radical de la terminaison.

a. Elles apprenaient. **b.** Tu cries. **c.** Vous indiquez. **d.** Il craint. **e.** Nous distinguons. **f.** Je perçois. **g.** Ils apprécient. **h.** Tu parais. **i.** Elle comprend. **j.** Nous garantissons. **k.** Vous intervenez. **l.** Il dit.

4 * Précisez si les formes soulignées sont à un temps simple ou composé.

Déméter, fille de Cronos et de Rhéa, <u>était</u> pour les Grecs la déesse des moissons, du blé et de toutes les plantes. Chaque année, elle <u>faisait</u> mûrir les grains dorés et à la fin de l'été, les humains lui <u>offraient</u> leurs remerciements pour la générosité de la terre. Elle <u>vivait</u> dans l'île montagneuse de Sicile avec sa fille unique Perséphone. Celle-ci <u>avait grandi</u> et <u>était devenue</u> l'une des plus belles jeunes filles du pays. [...] Perséphone, qui <u>était sortie</u> se promener seule, ne <u>rentra</u> pas. La nuit tomba sans qu'elle donnât signe de vie. Déméter attendit en vain, puis <u>finit</u> par appeler ses servantes : « Cherchez-la dans les champs, les collines et les vallées ! <u>ordonna</u>-t-elle. Quelque terrible accident <u>a dû</u> survenir pour que ma fille Perséphone ne rentre pas. »

Les Plus Belles Histoires de la mythologie, 1977.

───── Manipuler ─────

5 * Travaillez par groupes de trois et rapidement. Dans chaque groupe, le premier donne l'infinitif du verbe de chaque phrase, le second indique le participe passé du verbe et le troisième précise le groupe du verbe.

Le groupe propose ensuite un corrigé oral complet pour chaque forme.

a. Je connais. **b.** Tu sers. **c.** Il aboie. **d.** Nous grandissons. **e.** Vous êtes. **f.** Elles comprennent. **g.** Jules lit. **h.** Claire et Antoine rougissent. **i.** Tu avais. **j.** J'apprécie.

6 * * Mettez les formes suivantes à la personne indiquée entre parenthèses. Séparez le radical de la terminaison pour les formes proposées et pour celles que vous avez trouvées. Pour chaque verbe, précisez s'il a un radical ou plusieurs.

a. Je parle (il). **b.** Tu réussis (nous). **c.** Elle écrit (je). **d.** Nous savons (je). **e.** Il craint (ils). **f.** Vous venez (je). **g.** Vous conduisez (elle). **h.** Nous mangeons (je). **i.** Je bâtis (nous). **j.** Il va (vous).

───── S'exprimer ─────

7 * Vocabulaire, grammaire et orthographe
Dictée n°5 : Claude Helft, *La Mythologie égyptienne.*

8 * Trouvez les verbes correspondant aux noms suivants. Indiquez à quel groupe ils appartiennent. Employez-en cinq dans des phrases. Vous pouvez aussi rédiger un paragraphe où vous en emploierez le plus possible.

soin • interruption • valeur • plaisir • négation • admission • extinction • fiction • départ • beauté • froid • paix • voie

9 * Employez dans des phrases les verbes suivants, qui désignent des actions que vous faites tous les jours en classe.

souligner • relever • citer • expliquer • justifier • présenter • employer • tracer • illustrer

─── Réflexion sur la langue ───

10 * Les mots de la grammaire
L'origine étymologique du mot « verbe » est le latin *verbum*, qui signifie « mot, parole ». Dans les textes chrétiens, le mot « Verbe » (avec une majuscule) signifie « la parole de Dieu ».
Mettez ces informations en rapport avec la définition du « verbe » donnée dans le premier paragraphe du cours.

Observons

1. Ce matin, je vous présente les gestes à faire sur une personne victime d'un malaise.
2. Après lui avoir dégrafé le col, je lui parle pour vérifier si elle saisit le sens de mes paroles.
3. Attention ! Il <u>est</u> dangereux de faire bouger quelqu'un qui est peut-être blessé.

1 À quel temps sont tous les verbes conjugués des phrases ?

2 Relevez l'expression de la phrase 1 qui montre que l'action a lieu au moment où l'on parle. Montrez que le temps employé a la même valeur dans la phrase 2.

3 Le verbe souligné de la phrase 3 est au présent. Ce temps a-t-il la même valeur que dans les deux autres phrases ?

4 Conjuguez un des verbes du 1er groupe au présent. Donnez ses terminaisons.

5 Trouvez, dans la phrase 2, un verbe du 2e groupe. Conjuguez-le et donnez ses terminaisons. A-t-il un ou deux radicaux ?

Retenons

I. Les valeurs du présent

1. Dans les situations de communication orale ou écrite, le présent exprime des **actions qui ont lieu au moment où l'on s'exprime.**

Ex. : Aujourd'hui, nous <u>commençons</u> l'étude du présent. Je t'<u>écris</u> de Venise.

2. On peut employer le présent dans un récit pour en raconter les **actions principales.**

Ex. : La porte s'<u>ouvre</u> en grinçant. Le détective <u>éteint</u> sa lampe de poche.

3. À l'oral et à l'écrit, le présent sert à énoncer une **vérité générale**, valable en tout temps.

Ex. : L'eau <u>bout</u> à cent degrés.

II. La conjugaison du présent

1. Les verbes du 1er groupe n'ont qu'un radical (ou base). Leurs terminaisons sont : « -e », « -es », « -e », « -ons », « -ez », « -ent ».

Ex. : je dans/e, tu dans/es, il dans/e, nous dans/ons, vous dans/ez, ils dans/ent.

2. Les verbes du 2e groupe ont deux radicaux (ou bases) : en « -i » au singulier et en « -iss » au pluriel. Leurs terminaisons sont : « -s », « -s », « -t », « -ons », « -ez », « -ent ».

Ex. : je fini/s, tu fini/s, il fini/t, nous finiss/ons, vous finiss/ez, ils finiss/ent.

3. Cas particuliers
– Attention à l'orthographe des verbes qui ont une voyelle au radical. Au singulier, n'oubliez pas d'écrire la voyelle avant le « e » de la terminaison.

Ex. : je nie, je remue, je cloue.

– Les verbes en « -cer » prennent une cédille devant le « o ».

Ex. : je trace, nous traçons.

– Les verbes en « -ger » gardent le « e » à la 1re personne du pluriel.

Ex. : Je nage, nous nageons.

Repérer

1 * Distinguez les emplois du présent qui renvoient au moment où l'on s'exprime de ceux qui expriment une vérité générale. Pour les premiers, indiquez à quelle situation ils correspondent.

a. Tout flatteur vit aux dépens de celui qui l'écoute. (Jean de La Fontaine) **b.** Les mélèzes ne poussent qu'en altitude. **c.** Je t'envoie le programme du cinéma en pièce jointe. **d.** Vous affirmez que vous étiez chez vous le soir du crime. **e.** Un sot trouve toujours un plus sot qui l'admire. (Nicolas Boileau) **f.** Nous t'envoyons nos meilleurs vœux. **g.** T'es où ? **h.** Je commence le détartrage. **i.** Chacun a son défaut où toujours il revient. (Jean de La Fontaine)

2 * Distinguez les phrases qui sont extraites d'un récit au présent de celles qui sont tirées d'un récit au passé.

a. L'équipage déploie la grand-voile. **b.** Il trébucha mais se rattrapa de justesse à un arbre. **c.** Elle fit démarrer son scooter à grand bruit. **d.** Soudain, l'orage éclate. **e.** Le cheval saute et franchit le canyon juste à temps : les bandits arrivent. **f.** Elle attrapa la main de son adversaire et lui immobilisa le bras. **g.** Les chasseurs découvrent les empreintes qu'ils guettent depuis le début de la journée : celles d'un grand loup. **h.** L'assistant du vétérinaire nous fait entrer dans la salle d'attente.

Manipuler

3 * Conjuguez les verbes suivants au présent, à toutes les personnes.

accepter • atterrir • rajeunir • maigrir • aider • fréquenter • bondir • fermer • embellir

4 * * Conjuguez les verbes suivants au présent, à toutes les personnes.

scier • muer • nouer • lier • étudier • remuer • louer

5 * * Conjuguez les verbes suivants au présent, à toutes les personnes.

remplacer • menacer • exercer • agacer • enlacer • percer • dédicacer • coincer

6 * * Conjuguez les verbes suivants au présent, à toutes les personnes.

rédiger • partager • patauger • plonger • songer • loger • déménager • encourager

7 * * Conjugaison et orthographe. Conjuguez au présent les verbes entre parenthèses.

a. Les vers de bois (percer) des trous dans les meubles et les poutres. **b.** Nous nous (diriger) vers la sortie. **c.** Tu (clouer) une plinthe le long du mur du salon. **d.** Il (oublier) souvent ses clés. **e.** Vous (dénoncer) les effets négatifs de ce régime. **f.** Elle (enrager) de ne pouvoir venir à cette fête. **g.** Nous (annoncer) notre arrivée à nos hôtes. **h.** Vous ne nous (déranger) pas. **i.** Nous (héberger) nos cousins cette semaine. **j.** Nous nous (placer) de face pour bien voir le spectacle. **k.** Il (saluer) les nouveaux arrivants.

8 * Conjugaison et orthographe

Dictée n°6 : Jacques Cassabois, *Le Premier Roi du monde*.

S'exprimer

9 * * Quel genre d'action la liste de verbes qui suit permet-elle d'exprimer ?

Ajoutez trois verbes du même domaine de sens et rédigez un paragraphe au présent et à la 1re personne. Vous pouvez ensuite écrire (en ajoutant des verbes si nécessaire) un texte fantaisiste en détournant ces mots de leur sens pour parler de l'art d'écrire une rédaction, d'obtenir de ses parents une permission refusée, etc.

Liste : mélanger • remuer • chauffer • saisir • éplucher • étaler • farcir • mijoter • casser • rôtir

Réflexion sur la langue

10 * Verbes et vocabulaire. Quand on crée un verbe nouveau, il appartient au 1er groupe : « photographier », « téléviser »… C'est la conjugaison « vivante » du français.
Trouvez des exemples de verbes créés pour désigner des actions liées à des nouveautés techniques et employez-les dans des phrases.

Observons

A. *Le narrateur voyage en train dans les plaines russes.*

On a beau avancer, on a l'impression qu'on n'a pas bougé. Ce qu'on <u>voit</u> l'après-midi, on l'**a** déjà **vu** le matin. On <u>peut</u> même croire qu'on **est revenu** en arrière. La lenteur du train, les sinuosités paresseuses qu'il <u>décrit</u>, comme s'il n'avait pas envie d'atteindre son but, favorisent cette illusion. Nous <u>faisons</u> l'expérience du vrai voyage, qui est le contraire de l'excursion.

Dominique Fernandez, *Transsibérien*, 2012.

B. – Lis ce livre, qui raconte un voyage, et tu auras le sentiment de voyager aussi.

❶ À quel groupe appartiennent les verbes soulignés (texte A) ? À quel temps sont-ils conjugués ?

❷ Conjuguez au présent, à toutes les personnes, les verbes « voir » et « décrire ».

❸ Conjuguez le verbe « pouvoir » au présent, à toutes les personnes.

❹ Conjuguez le verbe « faire » au présent, à toutes les personnes. Est-il régulier ?

❺ À quel temps les verbes en caractères gras sont-ils conjugués ?

❻ Dans la phrase du texte B, relevez un verbe qui n'a pas de sujet exprimé.

 ## Retenons

I. Le présent des verbes du 3ᵉ groupe

Ces verbes suivent des modèles de conjugaison variés et ont plusieurs bases.

• Au **pluriel**, tous les verbes ont pour terminaisons : « -ons », « -ez », « -ent ».

• Au **singulier**, on distingue quatre séries de terminaisons :

– la plupart des verbes ont des terminaisons en « -s », « -s », « -t » ;

Ex. : je fai<u>s</u>, je di<u>s</u>, je doi<u>s</u>, je vai<u>s</u>.

– les verbes en « -ttre » (composés de « battre » et « mettre ») ont des terminaisons en « -ts », « -ts », « -t », « -ttons », « -ttez », « -ttent » ;

Ex. : je comba<u>ts</u>, tu prome<u>ts</u>, il reme<u>t</u>.

– les verbes en « -dre » comme « prendre » (sauf ceux en « -indre ») ont des terminaisons en « -ds », « -ds », « -d » ;

Ex. : je pren<u>ds</u>.

– trois verbes : « pouvoir », « vouloir » et « valoir », ont des terminaisons en « -x », « -x », « -t ».

Ex. : je peu<u>x</u>, tu veu<u>x</u>, il vau<u>t</u>.

Astuce : mémorisez :

– les trois verbes en « -x », « -x », « -t » ;

– la règle sur les verbes en « -dre » et en « -ttre ». Les autres verbes se conjuguent en « -s », « -s », « -t ».

II. Le passé composé

Il se forme avec l'auxiliaire « être » ou « avoir » au présent et le participe passé du verbe conjugué.

Ex. : je suis arrivé, tu as grandi, il est sorti.

III. L'impératif

1. Il sert à exprimer un ordre ou un conseil. Il n'a que trois personnes : « tu », « vous » et « nous ».

2. Il se conjugue comme le présent, mais le sujet n'est pas exprimé.

Ex. : Viens. Apprenez la leçon.

3. Les formes finissant par un « e » ne prennent pas de « s » à la 2ᵉ personne du singulier.

Ex. : Tu ouvres / Ouvr<u>e</u>. Tu parles / Parl<u>e</u>.

Entraînement

— — — — — Repérer — — — — —

1 * Dites si les verbes suivants appartiennent au 2e ou au 3e groupe.

venir • embellir • vieillir • sortir • amortir • courir • tenir • alunir • bâtir • servir

2 * Donnez l'infinitif des verbes suivants et précisez le groupe auquel ils appartiennent.

a. Je pense. **b.** Tu souffres. **c.** Il accueille. **d.** Elle découvre. **e.** Tu partages. **f.** Je constate. **g.** Nous travaillons. **h.** Vous offrez.

3 * Dites si les verbes suivants ont des terminaisons en « -s », « -s », « -t » ou en « -ts », « -ts », « -t ».

sentir • battre • soumettre • mentir • paraître • croître • permettre • reconnaître • débattre

4 * * Dites si les verbes suivants ont des terminaisons en « -ds », « -ds », « -d » ou en « -s », « -s », « -t ».

répondre • répandre • plaindre • cuire • fondre • teindre • boire • tendre • craindre

— — — — — Manipuler — — — — —

5 * Donnez les infinitifs des verbes correspondant aux participes passés suivants.

a. peint. **b.** soumis. **c.** cru. **d.** vécu. **e.** cueilli. **f.** recouru. **g.** conduit. **h.** valu. **i.** plaint. **j.** cousu.

6 * Conjuguez les verbes suivants au présent, à la 1re personne du singulier et du pluriel.

a. vouloir. **b.** croire. **c.** démettre. **d.** prendre. **e.** perdre. **f.** croître. **g.** courir. **h.** naître. **i.** savoir.

7 * Conjuguez les verbes suivants au présent, à la 2e personne du singulier et du pluriel. Puis conjuguez-les à l'impératif, à la 2e personne du singulier.

a. mourir. **b.** cueillir. **c.** perdre. **d.** exclure. **e.** contenir. **f.** vivre. **g.** passer. **h.** abattre.

8 * Conjuguez les verbes suivants au présent, à la 3e personne du singulier et du pluriel. Puis conjuguez-les (sauf « valoir » et « décevoir ») à l'impératif, à la 2e personne du singulier et du pluriel.

a. ouvrir. **b.** valoir. **c.** produire. **d.** décevoir. **e.** admettre. **f.** satisfaire. **g.** tondre.

9 * Concours de vitesse. Jeu de groupe.
Mettez-vous par équipes de trois. À l'appel du professeur, récitez en équipe, le plus vite possible et sans erreurs, le verbe demandé, d'abord au présent puis au passé composé.
Chacun des équipiers donnera une forme : équipier 1 = 1re personne du singulier ; équipier 2 = 2e personne ; équipier 3 = 3e personne. Pour le pluriel, vous suivrez le même ordre.
L'équipe gagnante sera celle qui aura répondu sans erreurs et plus vite que les autres.

Verbes à conjuguer : avoir • être • apparaître • soumettre • lire • venir • fendre • croire • ouvrir • se souvenir

10 * Conjuguez les verbes suivants au présent, à toutes les personnes, et apprenez ces formes très utiles.

faire • dire • partir • aller • paraître • devoir • savoir • vouloir • pouvoir • prendre • croire

11 * * Donnez les participes passés des verbes suivants.

offrir • apercevoir • pondre • extraire • courir • construire • écrire • convaincre • teindre

12 * Conjugaison et orthographe
Dictée n°7 : *L'arbre champêtre, première matière.*

— — — — — S'exprimer — — — — —

13 * En reprenant les verbes de l'exercice 10, rédigez un portrait moral et social de la femme ou de l'homme que vous aimeriez devenir.
Vous emploierez les verbes au présent et à la 3e personne. Vous finirez par une phrase de conclusion qui aura la forme que vous souhaitez.
Préparez ensuite une lecture orale de votre texte.
Ex. : Elle est alpiniste. Elle parcourt le monde.

— — — Réflexion sur la langue — — —

14 * Les mots de la grammaire
Le mot « auxiliaire » signifie « qui aide ».
En utilisant ce que vous savez du passé composé ou d'autres temps composés, expliquez pourquoi on appelle « être » et « avoir » des auxiliaires de conjugaison.

Observons

1. Quand tu arriveras à un carrefour, tu iras vers la gauche.
2. Lorsque tu auras marché trois heures et que tu seras arrivé à un fleuve, tu entendras une voix dire : « Je savais que quelqu'un viendrait me délivrer. »

❶ Repérez dans les phrases les verbes au futur (ne relevez pas « auras marché » ni « seras arrivé »). Conjuguez l'un de ces verbes à toutes les personnes.

❷ Trouvez, dans la phrase 1, un verbe au futur qui exprime un conseil.

❸ Relevez, dans la phrase 2, deux formes composées avec des auxiliaires au futur.

❹ Relevez, à la fin de la phrase 2, une forme qui ressemble au futur. Qu'est-ce qui l'en différencie ?

Retenons

I. Les valeurs du futur simple

1. Dans les situations de communication orale ou écrite, le futur exprime des **actions qui ont lieu après le moment où l'on s'exprime.**

Ex. : Nous partirons demain. Tu m'écriras à ma nouvelle adresse.

2. À la 2ᵉ personne, il peut aussi **exprimer un ordre ou un conseil.** Il est alors l'équivalent d'un impératif.

Ex. : Tu iras chercher le pain = Va chercher le pain. Vous parlerez à voix basse = Parlez à voix basse.

3. Dans un récit au présent, il sert à **rapporter les actions futures.**

Ex. : Le bateau échoue sur un banc de sable. Il repartira à la marée montante.

II. La conjugaison du futur simple

1. Tous les verbes ont pour terminaisons : « -rai », « -ras », « -ra », « -rons », « -rez », « -ront ». Aux 1ᵉʳ et 2ᵉ groupes et pour certains verbes du 3ᵉ groupe, l'infinitif constitue la base des formes du futur.

Ex. : j'aimerai, tu finiras, il partira, nous conclurons, vous boirez, ils tairont.

2. Pour les verbes du 3ᵉ groupe, la base n'est pas toujours formée sur l'infinitif. « Tenir », « venir » et leurs composés ont un radical en « -iend ».

Ex. : je t<u>iend</u>rai, tu ret<u>iend</u>ras, nous v<u>iend</u>rons, vous v<u>iend</u>rez.

Astuce : retenez le futur de verbes très employés : je courrai, je mourrai, j'aurai, je serai, je ferai, j'irai, je dirai, je devrai, je saurai, je voudrai, je pourrai, je verrai.

III. Le futur antérieur

1. Il exprime une **action future située avant une autre, rapportée au futur simple.**

Ex. : Quand vous <u>aurez mis</u> la table,
        futur antérieur

nous <u>mangerons</u>.
    futur simple

2. Il est composé de « être » ou « avoir » au futur simple et du participe passé du verbe.

Ex. : j'aurai vu, tu seras venu.

IV. Le conditionnel présent

Comme le futur, il est caractérisé par la lettre « r » et il utilise le même radical. Tous les verbes ont pour terminaisons : « -rais », « -rais », « -rait », « -rions », « -riez », « -raient ».

Ex. : je serais, tu aurais, il aimerait, nous finirions, vous boiriez, ils feraient.

- - - - - - Repérer - - - - - -

1 * Précisez si les verbes employés dans les phrases suivantes expriment des actions futures, des ordres ou des conseils.

a. Je commencerai par une salade niçoise. **b.** Ils prendront la suite de leurs parents à la ferme. **c.** Tu apprécieras leur accueil. **d.** Tu conduiras prudemment. **e.** Vous verrez bien la scène depuis ces places du premier balcon. **f.** Elles nous donneront leur avis. **g.** Vous parlerez les derniers. **h.** Tu lui couperas les cheveux.

2 * Distinguez les formes du futur simple de celles des autres temps.

a. Je prendrai. **b.** Elle allait. **c.** Nous viendrons. **d.** Vous disiez. **e.** Tu apporteras. **f.** Ils pourront. **g.** Ils pourraient. **h.** J'aurai écrit. **i.** Elles vont. **j.** Tu tiendras.

3 * * Distinguez les formes du futur simple de celles du conditionnel présent (forme en « -rait »).

a. J'irai. **b.** Tu feras. **c.** Nous courrions. **d.** Nous courrons. **e.** Elle prétendrait. **f.** Vous sauriez. **g.** Elle verra. **h.** Il enverrait. **i.** Ils remueraient. **j.** Elles scieront. **k.** Je paierais.

4 * Indiquez si les verbes suivants forment le futur simple sur le radical de l'infinitif ou sur un autre radical.

suspendre • mincir • savoir • ranger • faire • ouvrir • se souvenir • atterrir • vouloir • aller

- - - - - - Manipuler - - - - - -

5 * Conjuguez les verbes suivants, à toutes les personnes, au futur simple et au futur antérieur.

avoir • être • entrer • rétrécir • maigrir • découvrir • sortir • connaître • naître • prendre

6 * Conjuguez les verbes suivants, à toutes les personnes, au futur puis au conditionnel présent (forme en « -rait »).

avoir • être • avancer • obscurcir • dire • comprendre

7 * * Conjuguez les verbes suivants, à toutes les personnes, au futur simple puis au conditionnel présent (forme en « -rait »).

faire • aller • devoir • savoir • vouloir • courir • mourir • voir • envoyer • se souvenir

8 * Concours de vitesse. Jeu de groupe
Mettez-vous par équipes de trois. À l'appel du professeur, récitez en équipe, le plus vite possible et sans erreurs, le verbe demandé, d'abord au futur puis au conditionnel présent.
Chacun des équipiers donnera une forme : équipier 1 = 1re personne du singulier ; équipier 2 = 2e personne ; équipier 3 = 3e personne. Pour le pluriel, vous suivrez le même ordre.
L'équipe gagnante sera celle qui aura répondu sans erreurs et plus vite que les autres.
Une erreur est éliminatoire.

Verbes à conjuguer : être • avoir • faire • dire • comprendre • venir • courir • se souvenir • interdire • croire

9 * * Conjugaison et orthographe
Pour les verbes qui ont une voyelle au radical, n'oubliez pas le « e » devant le « r ».

Ex. : je sci*e*rai, tu clou*e*ras, il remu*e*ra.

Conjuguez les verbes suivants au futur simple, à toutes les personnes.

plier • nouer • muer • louer • nier • huer

- - - - - - S'exprimer - - - - - -

10 * Employez le premier des deux verbes de chaque paire au futur antérieur et le second au futur simple. Vous pouvez utiliser les mots « quand », « dès que », « aussitôt que », « après que ».

Ex. : Après que j'aurai rangé, je t'appellerai.
a. finir, sortir. **b.** comprendre, expliquer. **c.** entendre, répéter. **d.** recevoir, partager. **e.** planter, arroser.

11 * Travail à deux
Écrivez une lettre à un enfant à naître pour lui faire partager votre expérience et lui donner des avertissements. Vous utiliserez le futur antérieur et le futur simple. Vous emploierez le futur simple pour exprimer des actions futures et dispenser des conseils.

12 * Vocabulaire et expression
Imaginez que vous êtes, dans le futur, l'inventeur d'une machine ou d'un système. Décrivez votre travail dans un paragraphe où vous emploierez cinq des verbes suivants au futur. Votre invention peut être fantaisiste.

concevoir • expérimenter • perfectionner • élaborer • tracer • organiser • adapter • programmer

 + d'exercices sur le site

Observons

L'école du professeur Xantippe est située dans le centre de la Rome antique.
1. La rue Large était une des plus belles artères du quartier des affaires.
2. Xantippe l'ayant jugée digne d'accueillir son école, il y avait loué à prix d'or une petite maison.
3. La salle de classe était au rez-de-chaussée et donnait sur la rue, si bien que les écoliers étaient, pour ainsi dire, à l'étalage.
4. Mais ils y étaient depuis longtemps habitués, et les passants ne faisaient d'ailleurs guère attention à eux.
5. Parfois un promeneur lançait aux élèves des paroles d'encouragement ou un salut.

D'après Henry Winterfeld, *L'Affaire Caïus*, 2001.

1 Relevez les verbes à l'imparfait dans les phrases 1 et 3. Ces imparfaits permettent-ils de raconter des actions ou de décrire ?

2 Relevez, dans la phrase 2, le verbe conjugué à la 3ᵉ personne du singulier. Attention ! Cette forme est composée. L'action rapportée est-elle présentée comme terminée ou en train de se produire ?

3 Dans la phrase 4, montrez, en relevant une expression composée de deux mots, que les verbes rapportent des actions qui durent et ne sont pas finies.

4 Dans la phrase 5, l'imparfait permet de rapporter des actions répétées. Justifiez cette affirmation en relevant un mot.

Retenons

I. Les valeurs de l'imparfait

1. L'imparfait permet de rapporter une **action passée dans son déroulement**, sans préciser quand elle finit. Il sert aussi à **exposer des situations et à faire des descriptions**.

Ex. : La neige tombait, de plus en plus épaisse. Nous habitions en Afrique.

2. Il peut également servir à exprimer des **actions répétées ou habituelles**.

Ex. : Souvent, l'été, elle flânait avant de rentrer.

II. La conjugaison de l'imparfait

1. L'imparfait se conjugue de la même façon pour tous les verbes.
Les terminaisons sont : « -ais », « -ais », « -ait », « -ions », « -iez », « -aient ».
Le radical (ou base) est celui de la 1ʳᵉ personne du pluriel du présent (sauf pour « être »).

Ex. : j'avais, tu pensais, il rougissait, nous tenions, vous alliez, ils lisaient.

2. Attention aux difficultés d'orthographe ! Le « i » des 1ʳᵉ et 2ᵉ personnes du pluriel ne s'entend pas dans certains cas.

Ex. : nous riions, nous cueillions, nous peignions, vous brilliez, vous rayiez.

III. Le plus-que-parfait

1. Il exprime une **action passée située avant une autre**, rapportée à l'imparfait ou au passé simple.

Ex. : Quand le soir <u>était tombé</u>, nous <u>rentrions</u>. Elle <u>vit</u> que le soir <u>était tombé</u>.

2. Le plus-que-parfait est composé de l'auxiliaire « être » ou « avoir » à l'imparfait et du participe passé du verbe conjugué.

Ex. : j'avais vu, tu étais venue.

Entraînement

Repérer

1 * Précisez si l'imparfait exprime une action dans son déroulement ou une action répétée.

a. Elle se déplaçait souvent pour son travail. **b.** Chaque fois que l'automne revenait, vous vous sentiez mélancolique. **c.** Le tram roulait lentement dans la ville endormie. **d.** Tous les matins, la boulangère rangeait les pains au chocolat encore chauds sur une grille. **e.** Les herbes tremblaient au vent. **f.** Dès le mois de juin, nous nous baignions dans la rivière encore glacée. **g.** Le roi faisait construire une tour. **h.** Dans le métro, les voyageurs somnolaient.

2 * Distinguez les formes de l'imparfait de celles des autres temps.

a. Nous écrivons. **b.** Vous ouvriez. **c.** Il partait. **d.** Elles choisissaient. **e.** Nous courons. **f.** Vous couriez. **g.** Nous écrirons. **h.** Nous écrivions. **i.** J'aimais. **j.** J'aimerai.

3 * * Distinguez les formes de l'imparfait de celles du présent.

a. Nous sommeillons. **b.** Vous accueilliez. **c.** Vous voyez. **d.** Nous déraillions. **e.** Vous craigniez. **f.** Vous créiez. **g.** Nous envoyions. **h.** Nous brillions. **i.** Vous niez. **j.** Vous payiez.

Manipuler

4 * Conjuguez les verbes suivants à l'imparfait puis au plus-que-parfait, à toutes les personnes.

avoir • être • passer • pâlir • conduire • sortir

5 * Conjuguez les verbes suivants à l'imparfait, à toutes les personnes.

lier • cueillir • scintiller • soigner • se plaindre • peindre • scier

6 * * Conjugaison et orthographe
Les verbes en « -ger » prennent un « e » devant le « a ».

Ex. : je nageais, tu nageais, il nageait, elles nageaient / nous nagions.

Conjuguez les verbes suivants à l'imparfait, à toutes les personnes.

ranger • plonger • déranger • songer • patauger

7 * * Conjugaison et orthographe
Les verbes en « -cer » prennent une cédille devant le « a ».

Ex. : je traçais, tu traçais, elle traçait, ils traçaient / nous tracions, vous traciez.

Conjuguez les verbes suivants à l'imparfait, à toutes les personnes.

percer • annoncer • amorcer • s'exercer • agacer • glacer • avancer • placer

8 * Conjugaison et orthographe
Dictée n°8 : George Sand, *Histoire de ma vie.*

S'exprimer

9 * Employez le premier des deux verbes de chaque paire au plus-que-parfait et le second à l'imparfait. Vous pouvez utiliser les mots « quand », « dès que », « aussitôt que », « après que ».

Ex. : Après qu'il avait rangé la vaisselle, il buvait un café.
a. Lire la consigne, faire l'exercice. **b.** Mettre le moteur en marche, affaler les voiles. **c.** Balayer la neige, sortir le chien. **d.** Sélectionner la pièce jointe, envoyer le message. **e.** Battre les œufs en neige, intégrer le sucre en poudre au mélange.

10 * Travail à deux
Discutez entre vous et notez rapidement des souvenirs d'habitudes de l'école élémentaire que vous ne retrouvez pas au collège. Rédigez un paragraphe à l'imparfait pour évoquer ces rituels. Vous ferez comprendre au lecteur si vous les aimiez ou non. Variez les verbes.

Réflexion sur la langue

11 * * Le vocabulaire de la grammaire
a) Ce vélo est parfait. Il est léger, facile à conduire. Que signifie ici l'adjectif « parfait » ?

b) Le mot « parfait » vient du verbe latin *perfecere*, qui signifie « faire complètement, achever ». Expliquez le lien entre le sens du mot dans la langue et son étymologie.

c) À l'inverse, ce qui est imparfait n'est pas complètement achevé. Mettez en relation le sens du mot « imparfait », son emploi hors de la grammaire et en grammaire.

Observons

La nymphe Io a été transformée en vache par la déesse Junon, qui était en colère contre elle. Mais, à la demande de Jupiter, roi des dieux, Junon permet à Io de reprendre sa forme de nymphe. (Tous les verbes des phrases qui suivent sont au passé simple.)

1. Dès que la colère de Junon s'apaisa, Io retrouva sa forme première.

2. Son corps mincit, ses cornes rétrécirent avant de disparaître.

3. On vit son pelage tomber.

4. Ses épaules et ses mains réapparurent.

5. Elle redevint une nymphe, aussi belle qu'auparavant.

❶ Indiquez le groupe auquel appartiennent les deux verbes de la phrase 1. Quelle est leur terminaison ? Mettez-les au pluriel.

❷ Indiquez le groupe auquel appartiennent les deux verbes de la phrase 2. Quelle est leur terminaison ?

❸ Relevez une forme de passé simple du 3ᵉ groupe en « -i », une forme en « -u » et une forme en « -in ».

Retenons

I. L'emploi du passé simple

Le passé simple s'emploie uniquement dans les **récits écrits au passé**. Ce temps paraît difficile car on n'a pas l'habitude de l'employer : il n'est pas utilisé à l'oral.

Ex. : Molière <u>naquit</u> en 1622 et <u>mourut</u> en 1673.

II. Les régularités de conjugaison

1. Le radical (ou base) reste le même à toutes les personnes.

Ex. : il dit, ils dirent ; il conduisit, ils conduisirent ; il eut, ils eurent ; il vint, ils vinrent.

Exception, au 1ᵉʳ groupe : il chanta, ils chantèrent.

2. Au **pluriel**, la 3ᵉ personne finit pour tous les verbes par « -rent ».

III. Les différents modèles de conjugaison

Les voyelles que l'on trouve au radical sont :

– « a » pour les verbes en « -er » (1ᵉʳ groupe + « aller »), avec « è » à la 3ᵉ personne du pluriel ;

Ex. : elle passa, elles passèrent ; il alla, ils allèrent.

– « i » pour les verbes du 2ᵉ groupe et certains verbes du 3ᵉ groupe ;

Ex. : elle définit ; ils atterrirent ; il dit, ils dirent.

– « u » pour « être », « avoir » et des verbes du 3ᵉ groupe ;

Ex. : elle eut ; ils furent ; il dut, elles durent ; elle lut, ils lurent.

– « in » pour « tenir », « venir » et leurs composés.

Ex. : elle retint, ils retinrent ; elle vint, elles vinrent.

Astuces

– Apprenez par cœur les verbes conjugués au passé simple très employés dans les récits.

Il fut *(verbe « être »)*, ils furent ; il eut, ils eurent ; il alla, ils allèrent ; il fit *(verbe « faire »)*, ils firent ; il dit, ils dirent ; il voulut, ils voulurent ; il prit, ils prirent ; il put, ils purent ; il vit, ils virent ; il dut, ils durent ; il vint, ils vinrent.

– Pour les verbes du 2ᵉ groupe, les formes du singulier sont les mêmes qu'au présent.

Elle finit, ils finissent : *présent.* Elle finit, ils finirent : *passé simple.*

Entraînement

1 * **Précisez si les verbes suivants sont au passé simple ou à un autre temps. Attention ! Deux des formes correspondent à la fois au présent et au passé simple.**

eut • fait • mangea • fit • finit • eu • faisait • grandit • mangeait • tient • vinrent • surent • saisirent

2 * **Dans le texte suivant, indiquez les verbes conjugués au passé simple. Mettez-les ensuite au pluriel à la même personne. À quel temps sont les autres verbes (deux temps différents) ?**

Dédale et son fils Icare vivaient seuls dans une région sauvage de l'île de la Crète où le roi Minos les avait exilés. L'armée du roi les empêchait de s'évader. Mais Dédale, qui était un inventeur de génie, décida de fabriquer des ailes et de partir avec son fils par la voie des airs. Il se mit au travail. Il prit des plumes qu'il assortit soigneusement. Il les plaça sur des morceaux de bois léger et les colla avec de la cire d'abeille. Lorsque Icare vit les ailes, il eut un désir irrépressible de voler. Dédale donna à son fils des conseils de prudence dont Icare ne retint rien, tout à son envie de s'élancer dans les airs. Le père et le fils s'envolèrent.

3 ** **Précisez si les formes du passé simple des verbes suivants sont en « a », « i », « u » ou « in ».**

aller • mettre • descendre • boire • lire • entendre • revenir • se souvenir

----- **Manipuler** -----

4 * **Donnez les infinitifs de ces verbes au passé simple.**

voulurent • sut • fut • firent • allèrent • dit • saisit • vis • dut • prirent • put

5 * **Pour chaque forme verbale au passé simple, donnez la 3ᵉ personne du singulier et du pluriel.**

a. Nous continuâmes.
b. Tu sortis.
c. Je commençai.
d. Vous vécûtes.
e. Tu appris.
f. Je conduisis.
g. Nous surgîmes.

h. Tu écrivis.
i. Vous jetâtes.

6 ** **Conjuguez les verbes suivants au passé simple, à la 3ᵉ personne du singulier et du pluriel.**

passer • choisir • être • avoir • partir • aller • battre • connaître • devoir • voir

7 ** **Conjuguez les verbes suivants au passé simple, à la 3ᵉ personne du singulier et du pluriel.**

faire • dire • vouloir • prendre • pouvoir • venir • construire • écrire

8 * **Orthographe et conjugaison**

Dictée n°9 : Annie Collognat, *20 métamorphoses d'Ovide*.

----- **S'exprimer** -----

9 * **Écrivez un paragraphe de récit qui constituera la suite et la fin du texte de l'exercice 2. Vous raconterez les actions au passé simple. Vous pouvez vous aider de vos connaissances ou inventer la fin de l'histoire. Vous détaillerez les sensations qu'éprouvent Dédale et Icare pendant leur vol.**

10 * **Employez les verbes suivants au passé simple dans un paragraphe de récit. Vous avez droit à un joker : un verbe non employé.**

partir • franchir • faire • s'arrêter • revenir • traverser • courir • sauter • s'engager • parvenir

--- **Réflexion sur la langue** ---

11 * **Pourquoi appelle-t-on « passé simple » le temps étudié dans cette fiche ? Répondez en l'opposant au « passé composé ».**
Écrivez un court texte amusant dans lequel vous discuterez l'appellation « passé simple » pour un temps si peu simple à conjuguer.
Vous pouvez commencer ainsi :

Passé simple ?
Quel drôle de nom !
On aurait dû t'appeler … ou … ou …
Toi qui …

----- + d'exercices sur le site 263

Observons

1. Les héros du roman *Deux ans de vacances* de Jules Verne doivent survivre sur une île déserte.
2. Ils y <u>ont échoué</u> seuls à cause d'un incident qui a fait dériver leur bateau avant l'embarcation des marins.
3. Ils sont obligés d'apprendre la chasse, la pêche, l'agriculture.
4. Lorsqu'ils retrouveront leur vie d'adolescents, ils auront changé en raison des épreuves qu'ils auront dû affronter.

❶ Relevez les deux formes verbales dans la phrase 1. Laquelle n'a pas de marque de personne à la terminaison ?

❷ Relevez dans la phrase 2 deux verbes au passé composé (l'un est souligné, l'autre non). Quel est l'auxiliaire employé ? Relevez les participes passés.

❸ Dans la phrase 3, avec quel mot le participe passé est-il accordé en genre et en nombre ? Quel est l'auxiliaire ?

❹ Dans la phrase 2, le participe passé du verbe souligné est-il accordé ? Quel est l'auxiliaire ?

❺ Dans la phrase 4, relevez une forme de participe passé en « -é » et une forme d'infinitif. Lisez la phrase oralement. Distingue-t-on ces deux types de forme à l'oreille ? Quelle est la difficulté d'orthographe liée à ces formes ?

Retenons

I. Le participe passé et l'infinitif

1. Le participe passé et l'infinitif sont des formes verbales sans marque de personne à la terminaison. Ce sont les **formes impersonnelles du verbe.**

Ex. : porter, porté ; saisir, saisi ; venir, venu.

2. Le participe passé employé avec un nom est **variable en genre et en nombre**, comme un adjectif qualificatif.

Ex. : un sac porté, une valise portée, des sacs portés, des valises portées.

II. L'accord du participe passé dans les temps composés

Le participe passé est la forme du verbe aux temps composés. L'auxiliaire est soit « être », soit « avoir ».

Ex. : je suis venu, j'étais venu, je serai venu ; j'ai porté, j'avais porté, j'aurai porté.

Avec l'auxiliaire « **être** », le participe passé **s'accorde avec le sujet du verbe.**

Ex. : il est venu, ils sont venus, elle est venue, elles sont venues.

Avec l'auxiliaire « avoir », le participe passé ne **s'accorde pas avec le sujet du verbe.**

Ex. : il a porté, elle a porté, ils ont porté, elles ont porté.

III. Difficulté d'orthographe

Attention à ne pas confondre l'infinitif et le participe passé des verbes du 1er groupe : les terminaisons se prononcent de la même façon.

Ex. : j'ai accepté / je vais accepter.

Pour les distinguer, on peut remplacer la forme verbale du 1er groupe par celle d'un verbe du 3e groupe. On entend alors la différence.

Ex. : j'ai accepté = j'ai <u>pris</u> / je vais <u>accepter</u>
     participe passé   *infinitif*
= je vais prendre.

━━━━━ Repérer ━━━━━

1 ***** **Distinguez les formes verbales personnelles des formes impersonnelles.**

rendu • garder • embellissiez • rendons • été • grandies • permettre • accepterez • étonner • alla • tenu • retentit • vient • remise

2 ****** **Précisez si les formes soulignées sont des participes passés ou des formes personnelles du verbe.**

a. La voyante lui <u>prédit</u> qu'il deviendrait un grand musicien. **b.** Cet animal a <u>fait</u> assez de dégâts, il faut qu'il sorte. **c.** Tu <u>connus</u> bien des difficultés avant de pouvoir crier victoire. **d.** Un chauffeur l'a <u>conduit</u> à la gare. **e.** Il nous <u>fait</u> les honneurs de la maison. **f.** Nous avions <u>prédit</u> l'issue de cette rencontre. **g.** L'orchestre de chambre que nous avons <u>entendu</u> est <u>composé</u> de musiciens peu <u>connus</u>. **h.** Le détective <u>conduisit</u> son enquête avec précision et efficacité.

━━━━━ Manipuler ━━━━━

3 ***** **Conjuguez les verbes suivants au passé composé, à la 3ᵉ personne du singulier. Indiquez si c'est l'auxiliaire « être » ou l'auxiliaire « avoir » qui est utilisé pour former ce temps.**

dormir • apporter • passer • remettre • appartenir • venir • savoir • franchir • arriver

4 ***** **Grammaire et orthographe**
Conjuguez les verbes soulignés au passé composé et accordez correctement les participes passés.

Bagheera est une panthère (féminin), *Akela est un loup* (masculin). *Mowgli est un jeune garçon.*
Et Bagheera <u>vint</u> en courant jusqu'aux pieds nus de Mowgli. Ils <u>escaladèrent</u> ensemble le rocher du Conseil. Mowgli <u>étendit</u> la peau sur la pierre plate où Akela avait coutume de s'asseoir, et la fixa au moyen de quatre éclats de bambou ; puis Akela <u>se coucha</u> dessus, et <u>lança</u> le vieil appel au Conseil :
« Regardez ! Regardez bien, ô loups ! »
Rudyard Kipling, Le Livre de la jungle, 1959.

5 ***** **Grammaire et orthographe**
Recopiez et complétez les formes par « er » ou « é ».

a. Nous avons toujours refus… de particip… à des réunions inutiles. **b.** On a trouv… des indices qui prouvent que le tableau a été vol… . **c.** Chaque par-rain promet de veill… sur le jeune élève qui lui a été confi… . **d.** Comme le lampadaire est allum…, ne craignez pas de rentr… chez vous dans le noir. **e.** Ce livre est abîm…, la bibliothèque doit le répar… avant de pouvoir le prêt… à nouveau. **f.** Alice a d'abord rapetiss… avant de se mettre à pouss… comme un champignon. **g.** On entend le vent remu… les arbres, et les insectes bourdonn… . **h.** Par qui a été invent… le vaccin ? Et comment pouvait-on évit… les maladies auparavant ?

6 ***** **Grammaire et orthographe**
Dictée n° 10 : J.M.G. Le Clézio, *Printemps et autres saisons*.

━━━━━ S'exprimer ━━━━━

7 ***** **Écriture**
Voici un poème composé de verbes à l'infinitif, parfois suivis de groupes nominaux.
Imitez Georges Perec en racontant à l'infinitif un voyage, le retour des vacances et la rentrée ou les préparatifs d'une fête.

Déménager

Quitter un appartement. Vider les lieux. Décamper.
Faire place nette. Débarrasser le plancher.
Inventorier ranger classer trier
Éliminer jeter fourguer
Casser
Brûler
Descendre desceller déclouer décoller dévisser décrocher
Débrancher détacher couper tirer démonter plier couper
Rouler
Empaqueter emballer sangler nouer empiler rassembler entasser ficeler envelopper protéger recouvrir entourer serrer
Enlever porter soulever
Balayer
Fermer
Partir
Georges Perec, Espèces d'espaces, 2001.

8 ***** **Interprétation orale d'un texte**
Mettez-vous par équipes de deux. Travaillez une interprétation orale soit du texte de Georges Perec proposé à l'exercice 7, soit du vôtre écrit pour faire cet exercice. Vous pourrez varier le rythme, les tonalités et le volume de la voix. Une interprétation de style rap est possible.

+ d'exercices sur le site

Observons

C'est vendredi. Alieh a fait du riz pilaf aux lentilles. À présent, elle fait la vaisselle. Elle est en train de penser qu'il faudra bientôt acheter de nouvelles assiettes.

Zoyâ Pirzâd, « La Mouche », in Comme tous les après-midi, 2007.

❶ Dans la 3ᵉ phrase, indiquez à quel temps est le verbe. Relevez l'expression qui situe cette action dans le temps.

❷ Quelle action Alieh a-t-elle faite avant de laver la vaisselle ? À quel temps est le verbe qui la rapporte ?

❸ Dans la dernière phrase, relevez un verbe au futur. Quel mot de la phrase montre que l'action se situe après les actions racontées au présent ?

Retenons

I. Le choix d'un temps pour raconter

Lorsque l'on rédige un récit, on peut raconter l'histoire au présent ou au passé. Il faut seulement éviter de mélanger les deux systèmes. On ne peut pas utiliser le présent et le passé simple pour rapporter des actions dans un même récit.

Exemples :
Présent : Le moteur <u>cale</u> brusquement. La voiture <u>s'arrête</u> au milieu de la route.
Ou passé : Le moteur <u>cala</u> brusquement. La voiture <u>s'arrêta</u> au milieu de la route.

II. Le présent

Pour écrire un récit, on peut raconter les actions principales au présent.

Ex. : Un moineau <u>se pose</u> sur le mur. Le chat <u>bondit</u> mais l'oiseau lui <u>échappe</u> et <u>s'envole</u>.

III. Le passé composé

Pour raconter les actions qui se situent avant les actions principales rapportées au présent, on emploie le passé composé.

Ex. : Le chat <u>a guetté</u> les oiseaux toute la matinée. Un moineau se pose sur le mur du jardin. Le chat bondit mais l'oiseau lui échappe et s'envole.

IV. Le futur

Pour raconter les actions qui se situent après les actions principales rapportées au présent, on emploie le futur.

Ex. : Un moineau se pose sur le mur du jardin. Le chat bondit mais l'oiseau lui échappe et s'envole. Il <u>reviendra</u> voler aux alentours mais il ne se <u>posera</u> plus sur le mur.

Repérer

1 * Repérez les formes verbales dans les phrases suivantes et indiquez à quel temps les verbes sont conjugués.

a. La canicule s'installa vraiment : cela faisait trois mois qu'il n'avait pas plu. Les animaux avaient soif. Jean déclara qu'on verrait bientôt des chevreuils en quête d'eau près des jardins.

b. On a commandé au sculpteur un monument en mémoire des grands hommes de la ville. Il annonce qu'il livrera une statue unique qui les représentera tous.

c. Le concours du conservatoire aura lieu dans quinze jours et cela fait des mois que Louise et Farid le préparent. Ils ont travaillé ensemble pour se stimuler.

d. Le génie apparut au prince. Celui-ci avait prononcé la formule magique et frotté la lampe de cuivre par trois fois, comme on le lui avait indiqué. Mais le prince trouva le génie décevant : c'était une sorte de lutin petit et grognon.

e. Les journaux publient les déclarations des voisins du disparu. Certains disent qu'ils ont vu une soucoupe volante décoller. La police vérifiera le sérieux des témoignages quand elle les aura tous recueillis.

2 * * Précisez à quels temps sont conjugués les verbes des phrases suivantes. Puis indiquez si les récits d'où sont extraits les passages sont rédigés au présent ou non.

a. Mes enfants sont rentrés de l'école, mon mari du bureau. Ils me parlent. Je les écoute.

b. Rowshanak n'enseigna le tricot à aucune de ses trois filles. De longues années après sa mort, personne ne se demanda jamais, personne ne sut non plus vraiment qui, de la grand-mère ou de la petite fille, avait tricoté les fleurs au centre du couvre-lit.

c. Quand sa mère avait déclaré qu'elle voulait habiter au bord de la mer, Alieh s'était étonnée.

d. Demain le riz à la tomate ne me prendra pas beaucoup de temps ; je vais pouvoir écrire mon histoire. Cette histoire que je veux écrire, c'est une histoire pour les enfants, celle du lapin qui est tombé dans un trou creusé par le chasseur.

e. Le carrefour a retrouvé son calme. De l'autre côté de l'avenue, la vieille femme marche de son pas tranquille, regardant où elle pose le pied.

Zoyâ Pirzâd, Comme tous les après-midi, 2007.

Manipuler

3 * Conjuguez les verbes suivants au temps indiqué entre parenthèses, à la 3e personne du singulier et du pluriel.

a. trier (présent) **b.** venir (passé composé) **c.** tenir (futur) **d.** faire (présent) **e.** être (passé composé) **f.** avoir (futur) **g.** broyer (présent) **h.** descendre (passé composé) **i.** courir (futur) **j.** savoir (présent, futur, passé composé)

S'exprimer

4 * Employez les expressions de la liste dans des phrases comportant plusieurs verbes à des temps différents : le présent, le futur simple, le futur antérieur, le passé composé.

Vous pouvez raconter la fabrication d'une maquette, l'élaboration d'un exposé, la confection d'un plat, un départ en vacances, l'exécution d'une tâche, le déroulement d'un jeu…

Liste : d'abord • ensuite • enfin • plus tard • dès que • bientôt • auparavant • aussitôt que • dans un premier temps • déjà • au début • par la suite • à l'avenir • peu de temps après

5 * Jeu en équipe

Mettez-vous par équipes de trois et trouvez une réponse par question. La première équipe qui a trouvé toutes les réponses a gagné. Attention ! Une seule erreur disqualifie l'équipe qui l'a commise.

a. J'ai été une plante, je serai un vêtement. Qui suis-je ? *(Plusieurs réponses possibles)*

b. J'ai été un arbre, je serai un cahier. Qui suis-je ?

c. J'ai été une peau d'animal, je serai une chaussure. Qui suis-je ?

d. J'ai été la protection d'un animal, je serai une couverture. Qui suis-je ?

e. J'ai été la protection d'un animal, je remplirai un oreiller. Qui suis-je ?

f. J'ai été le cocon d'un ver, je serai une écharpe. Qui suis-je ?

g. J'ai été du pétrole, je serai un jouet. Qui suis-je ?

20 Employer les temps dans un récit au passé

Observons

1. Il était une fois un roi et une reine qui désiraient avoir un enfant.
2. Pendant des années, ils avaient fait venir inutilement sorciers et médecins.
3. Or ils eurent un jour des jumeaux.

❶ Quel est le temps des deux verbes dans la phrase 1 ? Que nous apprend cette phrase sur la situation des personnages ? Voit-on cette situation durer ou sa fin est-elle racontée ?

❷ À quel temps le verbe est-il conjugué dans la phrase 2 ? L'action rapportée a-t-elle lieu en même temps que celle de la phrase 3 ? Situez les deux actions l'une par rapport à l'autre.

❸ À quel temps le verbe est-il conjugué dans la phrase 3 ? Pourquoi peut-on dire que l'action rapportée est importante dans l'histoire ?

Retenons

➤ **Pour faire un récit au passé, on emploie** le passé simple et l'imparfait.
> *Ex. :* L'aîné <u>était</u> grand, lent et paresseux. On l'<u>appela</u> Grand-Jean.

➤ **Le passé simple ne s'utilise que dans les récits écrits. Il sert à rapporter des actions qui s'enchaînent pour constituer les faits principaux de l'histoire. Ces actions sont présentées comme terminées.**
> *Ex. :* Un jour, le roi <u>appela</u> Grand-Jean et lui <u>ordonna</u> d'aller le premier chercher la Belle-des-Belles.

➤ **L'imparfait permet de rapporter les actions présentées dans leur déroulement, et non comme terminées.**
> *Ex. :* Pendant que Grand-Jean <u>cherchait</u> sans se presser dans les écuries de son père un cheval digne de lui, son père <u>s'impatientait</u>.

> Il sert aussi à **mettre en place les éléments du cadre** (décor, personnages, situation) de l'histoire.
> *Ex. :* Petit-Jean, qui <u>était</u> bon et vaillant, <u>aimait</u> son frère et <u>souhaitait</u> sincèrement le voir réussir.

➤ **Le plus-que-parfait s'emploie pour rapporter les actions terminées au moment où se déroulent celles qui sont rapportées au passé simple et à l'imparfait.**
> *Ex. :* Grand-Jean, qui n'<u>avait</u> jamais rien <u>réussi</u> de sa vie, <u>revint</u> sans avoir trouvé d'épouse.

➤ **Dans les passages de dialogue, on utilise le présent, le futur et le passé composé.**
> *Ex. :* Grand-Jean déclara : « J'<u>ai parcouru</u> le monde, aucune jeune fille ne <u>veut</u> de moi, je <u>resterai</u> célibataire. »

Repérer

1 * Indiquez à quels temps sont conjugués les verbes.

a. Il courut. **b.** Tu finissais. **c.** J'attends. **d.** Vous avez prononcé. **e.** Elle a lu. **f.** Elle lit. **g.** Ils avaient voulu. **h.** Nous finissions. **i.** Vous étiez rentrées. **j.** Ce sera. **k.** Elle fit.

2 * Précisez à quels temps sont conjugués les verbes soulignés dans les phrases suivantes. Puis indiquez si ces phrases sont extraites d'un récit fait au présent ou au passé.

a. L'enfant <u>apprit</u> qu'il <u>restait</u> encore plusieurs heures de route à faire.
b. Le jeune homme <u>coupait</u> du bois. Il <u>glissa</u> et la tronçonneuse lui <u>échappa</u> des mains. Heureusement, il <u>avait mis</u> de grosses chaussures de cuir qui le <u>protégèrent</u> efficacement.
c. Un épais brouillard <u>empêche</u> toute visibilité. La conductrice du car <u>arrête</u> le véhicule et <u>annonce</u> qu'on <u>repartira</u> quand la nappe de brume <u>se lèvera</u>.
d. Le premier candidat, qui <u>s'est préparé</u> pendant des heures à cette audition, <u>paraît</u> très ému. Il <u>trébuche</u> et <u>tombe</u> aux pieds des membres du jury.

Manipuler

3 * Conjuguez les verbes suivants à l'imparfait et au plus-que-parfait, à toutes les personnes.

monter • accomplir • parvenir • manger • menacer • envoyer • courir • voir • sortir • naître

4 * Conjuguez les verbes de l'exercice 3 au passé simple, à la 3e personne du singulier et du pluriel.

5 * Travail par groupes de trois. Concours de vitesse.
Le premier groupe qui a donné toutes les réponses a gagné. Toute erreur est éliminatoire.
Conjuguez les formes verbales suivantes au passé simple, à l'imparfait et au plus-que-parfait. Chacun des membres du groupe se charge d'un temps.

a. Il est. **b.** Il a. **c.** Ils font. **d.** Il voyage. **e.** Il dit. **f.** Elle parvient. **g.** Elles courent. **h.** Il descend. **i.** Elle sait. **j.** Ils mettent. **k.** Elle va. **l.** Ils prennent.

6 * Grammaire
Conjuguez les verbes de ce récit au passé au temps qui convient.

Il y (avoir) une fois une fille fort honnête et bien certainement la plus belle blonde de la ville. Elle (être) au demeurant la seule enfant de ses père et mère – eux avancés en âge et tout infirmes – leur seul soutien. Il se (trouver) qu'une de ses tantes (mourir) et qu'elle en (hériter). Elle (aller) recueillir l'héritage, (vendre) la petite maison, les quelques terres que sa tante (avoir), et ayant pris cet argent avec elle, elle s'en (retourner) chez ses parents. C'(être) à deux journées de marche. Les chemins (être) sûrs, sauf un grand bois qu'il (falloir) traverser et qui de toujours (garder) mauvais renom.

D'après Henri Pourrat, « La belle assassinée », in *Le Trésor des contes*, 1962.

7 * Grammaire et orthographe
Reprenez les deux premières phrases du texte de l'exercice 6. Conjuguez les verbes au temps qui convient en remplaçant « une fille fort honnête » par « des filles fort honnêtes ». Faites toutes les modifications nécessaires : adjectifs, déterminants, verbes.

S'exprimer

8 * * Employez dans une phrase chacune des expressions suivantes. Vos phrases correspondront à un récit fait au passé et les verbes seront donc conjugués au passé simple, à l'imparfait ou au plus-que-parfait.

en ce temps-là • soudain • deux ans plus tôt • un jour • il y a bien longtemps • jadis • un beau matin • auparavant • dès le lendemain • autrefois

Réflexion sur la langue

9 * * * Temps des verbes et sens du récit
Dans le début du conte *Barbe-Bleue*, le personnage qui donne au conte son titre est présenté comme un homme très riche mais que sa barbe bleue rend laid aux yeux des jeunes filles.

Ce qui les dégoûtait encore, c'est qu'il avait **déjà** épousé plusieurs femmes et qu'on ne savait ce qu'elles étaient devenues.

Dans la phrase citée, relevez deux verbes au plus-que-parfait. À quelle partie de la vie de Barbe-Bleue ces deux verbes renvoient-ils ? En quoi cela donne-t-il une dimension inquiétante au personnage ?

Observons

Une statue inquiétante...
1. La chevelure, relevée sur le front, paraissait avoir été dorée autrefois.
2. La tête, petite comme celle de presque toutes les statues grecques, était légèrement inclinée en avant...
3. Dédain, ironie, cruauté se lisaient sur ce visage d'une incroyable beauté cependant.

D'après Prosper Mérimée, La Vénus d'Ille, 1835.

1 Relevez les six noms féminins dans les trois phrases. Classez-les en deux groupes en fonction de leur terminaison au singulier. Quelle est la marque du féminin pour quatre de ces termes ?

2 Relevez quatre adjectifs qualificatifs au féminin. Donnez leur forme au masculin. Quel adjectif reste identique ?

3 Donnez le genre, masculin ou féminin, des noms de la phrase 3 qui n'ont pas de déterminant.

 Retenons

I. La terminaison des noms féminins

1. Règle générale : les noms féminins se terminent par un « e ». Souvent, on ne l'entend pas.

Ex. : la joue, la vie, la vue, une idée, la baie, la voie *(route)*.

Exceptions : la toux, la fourmi, la brebis, la souris, la nuit, la perdrix, la tribu, la vertu, la glu, la clef, la forêt, la paix, la loi, la voix, la foi.

2. Cas particulier : les noms féminins en « -té » ou « -tié » s'écrivent sans « e ».

Ex. : la beauté, la charité.

Exceptions : la dictée, la jetée, la montée, la pâtée, la portée, une pelletée *(noms formés sur des verbes).*

II. La formation des noms féminins

– Pour former le féminin des noms, il suffit parfois d'ajouter un « e » :

Ex. : un ami, une ami<u>e</u>.

– Mais il peut aussi arriver :

• de **doubler la consonne finale** : un lion, une lio<u>nn</u>e ;

• de **modifier le suffixe** : un meunier, une meun<u>ière</u> ; un chanteur, une chant<u>euse</u> ; un lecteur, une lect<u>rice</u> ; un jumeau, une jum<u>elle</u>.

III. Le féminin des adjectifs qualificatifs

– **Règle générale :** le féminin se forme souvent en ajoutant un « e » au masculin.

Ex. : grand, grand<u>e</u>.

– Parfois, il faut **doubler la consonne finale** : pareil, parei<u>lle</u> ; aérien, aérie<u>nne</u> ; bon, bo<u>nne</u> ; coquet, coque<u>tte</u>.

– Parfois il faut **ajouter un accent** : inquiet, inqui<u>ète</u> ; complet, compl<u>ète</u> ; discret, discr<u>ète</u>.

– Parfois, on **modifie le suffixe** : peureux, peur<u>euse</u> ; craintif, craint<u>ive</u> ; nouveau, nou<u>velle</u>.

– Mais **certains adjectifs ont déjà un « e » au masculin**. Le féminin est alors semblable au masculin : un homme sév<u>ère</u>, une femme sév<u>ère</u> ; util<u>e</u>, futil<u>e</u>, tranquill<u>e</u>.

Repérer

1 * * Certains noms féminins d'animaux sont sans rapport avec leur correspondant masculin. Indiquez le féminin des noms suivants.

un jars • un coq • un cheval • un sanglier • un cochon • un bélier • un bouc • un canard • un mouton • un cerf • un taureau

Manipuler

2 * Formez le féminin correspondant aux noms masculins suivants.

un étranger • un chanteur • un charcutier • un vendeur • un acteur • un lycéen • un voleur • un navigateur • un pharmacien • un conseiller

3 * Ajoutez un adjectif qualificatif à chacun des mots féminins que vous avez trouvés à la question précédente.

4 * Imaginez des phrases avec chacun des groupes nominaux formés à la question précédente.

5 * Recopiez et complétez les noms féminins suivants.

une avenu… • une brebi… • une fourmi… • une écuri… • une fantaisi… • une jeté… • la bonté… • la porté… • une cohu… • la moru… • la vertu…

6 * Trouvez la bonne terminaison des noms féminins en « -é » dans les phrases suivantes.

a. Par sécurit…, j'ai fermé la porte à cl… . **b.** Promenez-vous en toute libert… dans cette all… . **c.** Il fait preuve de sens des responsabilit…, c'est un signe de grande maturit… . **d.** Par piti…, rends-lui cette poup… immédiatement ! **e.** Les jet… sont recouvertes par les hautes vagues. **f.** La dict… n'était pas difficile.

7 * * Trouvez trois adjectifs qualificatifs masculins terminés par « -eur », « -eux », « -el » et « -al », et donnez leur féminin. Employez ensuite chacun d'eux dans une phrase.

8 * Remplacez chaque GN masculin par un GN féminin de sens proche. Accordez l'adjectif comme il convient.

a. un homme heureux **b.** un spectacle distrayant **c.** du blé complet **d.** des mots ambigus **e.** un élève studieux **f.** un pelage épais **g.** un garçon étourdi **h.** un chien stupide **i.** un renard rusé **j.** l'oiseau moqueur

S'exprimer

9 * * * Proposez des définitions pour les noms suivants.

a. le manœuvre **b.** la manœuvre **c.** une cartouche **d.** un cartouche **e.** un livre **f.** une livre **g.** la poste **h.** le poste **i.** la tour **j.** le tour **k.** la voile **l.** le voile

10 * * Donnez les adjectifs correspondant aux noms suivants. Vous devrez parfois modifier le radical. Formez ensuite des groupes nominaux employant ces adjectifs.

Ex. : terre → terrestre → l'écorce terrestre.
a. mère, père, frère, sœur, famille. **b.** science, physique, chimie, biologie, géologie. **c.** forêt, mer, bois, désert, montagne. **d.** mois, année, trimestre, semestre.

11 * * Ajoutez un adjectif qualificatif à chaque élément de cet inventaire fantaisiste de Boris Vian, puis inventez trois autres accessoires de cuisine masculins et trois accessoires féminins.

Une tourniquette pour faire la vinaigrette, un aérateur pour chasser les odeurs, un pistolet à gaufres, une cuisinière avec un four en verre, des draps qui chauffent, un tabouret à glace.

12 * * En utilisant les noms suivants, rédigez la recette d'une potion magique dont vous indiquerez en titre les pouvoirs ; chaque nom sera accompagné d'un adjectif alléchant. Vous vérifierez dans le dictionnaire le genre des noms d'ingrédients difficiles.

Ingrédients : pomme • cerise • framboise • noix • noisette • eau • liqueur • sucre • cannelle • poivre • salsepareille • oseille • gingembre • lys • rose
Verbes : verser • mélanger • ajouter • râper • agiter

Réflexion sur la langue

13 * Classez les noms suivants en deux colonnes en fonction de leur genre. La terminaison indique-t-elle toujours le genre du nom ?

souris • tapis • perdrix • pie • chaleur • bonheur • peur • beurre • pitié • charité • thé • café • bruit • fruit • nuit

le pluriel des noms et des adjectifs

Observons

La légende de Philémon et Baucis

Jupiter et Mercure arrivent un jour chez Philémon et Baucis, deux pauvres vieillards à qui ils demandent l'hospitalité. L'homme et la femme les accueillent généreusement.
Bientôt arrivent directement du foyer le potage bouillant et les plats chauds. Puis des noix, des figues sèches, des dattes ridées, des prunes, des pommes parfumées dans de larges corbeilles… Les dieux sont ravis de l'accueil qu'ils reçoivent : les deux époux sont pauvres, certes, mais leur cœur ne l'est pas.

Annie Collognat, « Philémon et Baucis », *20 métamorphoses d'Ovide*, 2014.

1 Réécrivez le texte en mettant tous les groupes nominaux pluriels au singulier. Quelles modifications les expressions suivantes connaissent-elles : les plats chauds, des dattes ridées, les dieux, les deux époux ?

2 Recopiez et complétez cet énoncé.
La lettre qui indique le pluriel des noms et des adjectifs est le plus souvent la lettre « … ». Parfois, c'est aussi la lettre « … ».

Retenons

I. Règle générale

– Le pluriel des noms et des adjectifs se marque le plus souvent par la lettre « s ».

Ex. : un plat chaud, des plat<u>s</u> chaud<u>s</u>.

– Les noms et les adjectifs terminés par « -eau », « -au » et « -eu » ont leur pluriel en « x ».

Ex. : Un dieu, des dieu<u>x</u> ; un roseau, des roseau<u>x</u> ; un tuyau, des tuyau<u>x</u>.

Exceptions : (un) bleu, (des) bleu<u>s</u> ; un pneu, des pneu<u>s</u> ; un landau, des landau<u>s</u>.

– Les noms en « -al » ont leur pluriel en « -aux ».

Ex. : un animal, des anim<u>aux</u>.

Exceptions :
– *Noms :* un bal, des b<u>als</u> ; un carnaval, des carnav<u>als</u> ; un chacal, des chac<u>als</u> ; un récital, des récit<u>als</u> ; un régal, des rég<u>als</u>.
– *Adjectifs :* bancal, banc<u>als</u> ; natal, nat<u>als</u> ; naval, nav<u>als</u> ; fatal, fat<u>als</u>.

– Certains noms et certains adjectifs ont déjà un « s », un « z » ou un « x » au singulier. Dans ce cas, ils s'écrivent de la même façon au singulier et au pluriel.

Ex. : une souris, des souris ; un nez, des nez ; une noix, des noix ; un chien dangereux, des chiens dangereux ; un enfant heureux, des enfants heureux.

II. Cas particuliers

– Six noms en « -ail » ont leur pluriel en « -aux » : un bail, des baux ; du corail, des coraux ; de l'émail, des émaux ; un soupirail, des soupiraux ; un travail, des travaux ; un vitrail ; des vitraux.

– Sept noms en « -ou » ont leur pluriel en « -oux » : un bijou, des bijoux ; un caillou, des cailloux ; un chou, des choux ; un genou, des genoux ; un hibou, des hiboux ; un joujou, des joujoux ; un pou, des poux.

– Deux noms ont un pluriel particulier : un œil, des yeux ; le ciel, les cieux.

Repérer

1 * Chassez l'intrus dans chacun des groupes de mots suivants.

a. émail • vitrail • portail • travail
b. signal • bal • régal • carnaval
c. trou • écrou • hibou • cou
d. bois • émois • lois • rois
e. pneu • dieu • cheveu • lieu

2 * Mettez au pluriel les noms suivants et distinguez trois cas.

lot • chef • détail • marteau • héros • faux • radical • chapeau • enclos • vélo

3 * Mettez au pluriel les noms suivants en ajoutant soit un « s », soit un « x ».

un jeu • un roseau • un sou • un pou • un rayon • un pieu • un amiral • un soupirail • un rail • un hibou

4 * * Mettez au singulier les groupes nominaux suivants.

de beaux gâteaux • des fils gentils • des fils verts et bleus • des bals costumés • des cailloux pointus • des enfants nerveux • des feux lumineux • des citrons verts • des abris confortables • des époux fidèles

5 * Trouvez le singulier qui correspond à chaque mot pluriel suivant.

hôpitaux • chevaux • peaux • émaux • bourreaux • coraux • radeaux • arsenaux • maréchaux • joyaux

Manipuler

6 * * Formez des phrases avec les GN suivants que vous emploierez au pluriel.

a. un petit noyau
b. un affreux voyou
c. un général célèbre
d. un journal hebdomadaire
e. un joujou nouveau
f. le beau landau
g. une soupe chaude
h. un heureux dénouement
i. le vieux vitrail
j. un roi malheureux

7 * Accordez les mots entre parenthèses.

Le (bois) était (ténébreux), sans aucun froissement de (feuille), sans aucune de ces (vague) et (fraîche) (lueur) de l'été. De (grand) (branchage) s'y dressaient affreusement. Des (buisson) (chétif) et (difforme) sifflaient dans les (clairière). Les (haute herbe) fourmillaient sous la bise comme des (anguille). Les (ronce) se tordaient comme de (long bras armé de griffe) cherchant à prendre des (proie). Quelques (bruyère sèche), chassées par le vent, passaient rapidement et avaient l'air de s'enfuir avec épouvante devant quelque chose qui arrivait. De tous les côtés il y avait des (étendue lugubre).

D'après Victor Hugo, *Les Misérables,* 1862.

8 * Recopiez ce texte en mettant au pluriel les groupes soulignés. Vous modifierez le verbe si cela est nécessaire.

<u>Le chêne</u> est un <u>arbre imposant</u>.
Selon <u>l'espèce</u>, <u>le chêne</u> peut être <u>un arbre</u> de plus de 35 m de haut ou <u>un modeste arbuste</u> ne dépassant pas un mètre en tous sens. Ceux que l'on rencontre habituellement dans les parcs mesurent 15-20 m de hauteur, comme <u>le chêne pédonculé</u> et le <u>chêne sessile ou rouvre</u>. De croissance rapide, <u>le chêne est un arbre capable</u> de vivre plusieurs siècles, <u>son tronc</u> atteignant plus de 50 cm de diamètre. <u>Le chêne pédonculé</u> est très <u>sensible</u> <u>à la sécheresse</u> mais il supporte <u>un excès d'eau temporaire</u>.

S'exprimer

9 * Inventez des phrases avec les mots suivants que vous emploierez au pluriel.

bijou • bambou • verrou • cachou • pou • kangourou

10 * Vous ouvrez une malle. Énumérez les 20 objets que vous découvrez : 10 objets uniques et 10 objets en plusieurs exemplaires. Chaque objet sera qualifié par un adjectif. Vous commencerez votre texte par : « J'ouvre la malle et j'aperçois soudain… »

Observons

1. <u>De la route</u>, on distingue à peine <u>l'habitation et le perron à demi cachés par les grands arbres</u>.

2. <u>Des allées soigneusement sablées</u> mènent au perron, <u>sous l'ombre tremblante des hauts peupliers</u>, parmi <u>les vertes pelouses</u>.

3. Un jardin immense et fleuri entoure la villa, puis ce sont les écuries spacieuses.

D'après Jacques London, *L'Appel de la forêt*, 1903.

1. Dans la phrase 1, relevez quatre déterminants différents dans les groupes nominaux soulignés. Justifiez leur genre et leur nombre.

2. Dans la phrase 2, relevez trois adjectifs qualificatifs dans les groupes nominaux soulignés. À quel mot se rapporte chacun d'eux ?

3. Dans la phrase 2, relevez un participe passé. Avec quel mot s'accorde-t-il ?

4. Dans la phrase 3, mettez au pluriel « jardin » et mettez au singulier « écuries », puis faites les modifications nécessaires.

Retenons

I. Règle générale

Dans un GN, les déterminants, les adjectifs qualificatifs et les participes passés employés comme adjectifs s'accordent en genre et en nombre avec le nom auquel ils se rapportent.

Ex. : Les grands arbres : « les » et « grands » s'accordent avec « arbres » au masculin pluriel.

II. Cas particulier pour l'adjectif qualificatif

– Un adjectif qui qualifie plusieurs noms se met au pluriel.

Ex. : L'habitation et le perron à demi cach<u>és</u> : « *cachés* » *est au pluriel car il se rapporte à la fois à « habitation » et à « perron ».*

– Si les noms qualifiés sont de genres différents, l'adjectif se met au masculin pluriel.

Ex. : L'habitation et le perron à demi cach<u>és</u> : « *cachés* » *est au masculin car « perron » est un mot masculin (même si « habitation », qui est un nom féminin, fait partie du GN).*

- - - - - - **Repérer** - - - - - -

1 * **Justifiez l'accord des adjectifs en relevant le nom qu'ils qualifient et en précisant le genre et le nombre de ce nom.**

a. une tarte appétissante **b.** un melon trop mûr **c.** des poires blettes **d.** des abricots luisants **e.** des raisins verts **f.** des amandes épluchées **g.** une pomme pourrie **h.** un kiwi pelucheux **i.** des noix décortiquées

2 * **Réécrivez les GN de l'exercice 1 au singulier ou au pluriel, selon les cas.**

- - - - - - **Manipuler** - - - - - -

3 * * **Écrivez les GN suivants au singulier ou au pluriel, selon le cas.**

a. une belle maison **b.** la voisine aimable **c.** des paroles discutables **d.** mon ami préféré **e.** tes enveloppes décorées **f.** ses promesses oubliées **g.** ces hommes heureux **h.** ces étoiles lointaines **i.** le regard sévère **j.** un travail fatigant.

4 * **Mettez les GN suivants au pluriel.**

a. un outil utile **b.** un animal malheureux **c.** l'élève insolent **d.** une vie agréable **e.** ma copie bien rédigée **f.** ce livre bien écrit **g.** cet anniversaire tant désiré **h.** sa voiture neuve **i.** notre petit compagnon **j.** son dernier message

5 * * **Dans les phrases suivantes, accordez les adjectifs et les participes entre parenthèses.**

a. Cette maison (ancien et vénérable) a été fondée en 1800. **b.** Nous avons offert à nos amis un bouquet aux fleurs (extraordinaire et odorant). **c.** Devant les randonneurs (fatigué mais ébloui) s'étendaient d'(immense) espaces (sauvage et attirant). **d.** Vous vous entraînerez à refaire ces exercices (difficile mais déjà résolu). **e.** (Dynamique, entreprenant, déterminé), Agnès ne se lassait jamais de faire de nouveaux projets. **f.** De tous côtés, les oiseaux s'envolaient, (affolé) par le bruit des coups de fusil, (apeuré) et (aveuglé) par le soleil. **g.** Tous les enfants attendaient dans la cour, (attentif) aux bruits et (impatient) de voir commencer la fête. **h.** Parmi les invités (convié) à cette (beau) réception, figuraient des personnalités (illustre et connu) de longue date dans toute la ville.

6 * * **Enrichissez chaque GN de deux adjectifs qualificatifs que vous accorderez. Formez ensuite une phrase contenant ce GN enrichi.**

a. quelques animaux **b.** nos camarades **c.** les parents de mon cousin **d.** le livre de la bibliothèque **e.** plusieurs élèves

7 * * * **Dans le texte suivant, replacez les participes et les adjectifs dont la liste vous est donnée. Vous les accorderez comme il convient.**

Liste : coûteux • attaché • marqué • aimé • riche • traditionnel

Une enfant très …, entre des parents pas …, et qui vivait à la campagne parmi des arbres et des livres, et qui n'a connu ni souhaité les jouets …, voilà ce que je revois, en me penchant ce soir sur mon passé. Une enfant superstitieusement … aux fêtes des saisons, aux dates … par un cadeau, une fleur, un … gâteau.

D'après Colette, « Rêverie de nouvel an »,
Les Vrilles de la Vigne, 1908.

- - - - - - **S'exprimer** - - - - - -

8 * **Formez, à partir de chaque nom, deux GN de sens opposés en ajoutant des adjectifs qualificatifs. Vous écrirez ensuite deux paragraphes pour décrire d'abord un endroit accueillant et attirant, puis un endroit hostile qui fait peur. Vous pourrez introduire d'autres objets.**

maison • escalier • entrée • bureau • chambre • salon • grenier • chaises • armoire • lit • table

Observons

1. Les amis de mon petit frère regardent un film passionnant.
2. Des créatures horribles envahissent l'écran.
3. Que pensent les enfants ?
4. Jeanne est vraiment très contente.
5. « Je les trouve très rigolos, ces monstres », s'écrie-t-elle ! « Pierre, qu'as-tu ? Et toi, Sylvie ? »
6. Un dragon et un serpent se précipitent sur le héros…
7. Pierre et Sylvie ne sont pas rassurés.

❶ Dans la phrase 2, pourquoi le verbe est-il conjugué à la 3ᵉ personne du pluriel ?

❷ Dans la phrase 1, relevez le groupe nominal sujet. Avec quel mot le verbe « regardent » s'accorde-t-il ?

❸ Quel est, dans la phrase 6, le sujet du verbe « se précipitent » ?

❹ Dans la phrase 5, relevez les sujets des verbes. Précisez la personne à laquelle chaque verbe est conjugué.

❺ Dans les phrases 4 et 7, expliquez avec quels mots s'accordent « contente » et « rassurés ».

Retenons

I. Règle générale

Le sujet commande l'accord du verbe en personne et en nombre. Pour bien orthographier le verbe, il faut toujours trouver le sujet en posant la question « Qui est-ce qui ? + verbe ».

Ex. : Des créatures horribles envahissent l'écran → Qui est-ce qui envahit ? Réponse :
« des créatures » → le sujet est un pluriel, le verbe sera au pluriel.

II. Cas particuliers

– Si le sujet est un groupe nominal, le verbe s'accorde avec le mot principal du groupe nominal.

Ex. : <u>Les amis</u> de mon petit frère regard<u>ent</u>.

– Si un verbe a plusieurs sujets, l'accord se fait au pluriel.

Ex. : <u>Jeanne et Marie</u> <u>sont</u> content<u>es</u>.

III. Difficultés

– Le sujet est parfois placé après le verbe, en particulier dans les phrases interrogatives.

Ex. : Quels films <u>aime</u> <u>ton petit frère</u> ?

                       sujet

– Le sujet peut commander l'accord de plusieurs verbes.

Ex. : <u>Les enfants</u> rient, applaudissent et poussent des cris.

– Dans une phrase, le sujet peut être très éloigné du verbe auquel il se rapporte.

Ex. : <u>Mes parents</u>, à chaque période de vacances scolaires, m'<u>emmènent</u> au cinéma.

Repérer

1 * Dites avec quels mots s'accordent les verbes soulignés dans les phrases suivantes.

a. Ce critique de cinéma <u>préfère</u> le dernier film de la série à tous les précédents. **b.** Quand <u>irons</u>-nous au cinéma ? **c.** Tous les enfants, dès qu'ils ne sont pas occupés, <u>se précipitent</u> sur les jeux vidéo. **d.** Faire des films <u>coûte</u> très cher. **e.** Les courts-métrages <u>sont</u> souvent réalisés avec peu de moyens. **f.** Vous <u>avez</u> peu <u>aimé</u> le dernier film que nous avons vu ensemble. **g.** De nombreux spectateurs, dès la sortie du film, <u>sont allés</u> voir le dernier *James Bond.* **h.** Plusieurs bandes dessinées, depuis une vingtaine d'années, <u>ont été adaptées</u> au cinéma. **i.** Personne, à notre avis, ne <u>peut</u> s'ennuyer pendant le film. **j.** Je ne sais pas quel film <u>regardent</u> mes voisins en ce moment.

2 * Dans chacune des phrases suivantes, soulignez le groupe sujet et entourez le nom principal qui commande l'accord du verbe.

a. Les films de Walt Disney plaisent souvent aux enfants. **b.** La maison de leurs parents est très agréable. **c.** Les romans de Stevenson ont connu un grand succès. **d.** L'équipe des minimes a gagné facilement le match. **e.** En hiver, les pentes du mont Rose se couvrent de neige. **f.** Chacun de vous doit trouver ces documents. **g.** Tous les enfants de la classe ont réussi l'exercice. **h.** Une rangée de rosiers coupe en deux le jardin. **i.** Le chant des oiseaux emplit la forêt. **j.** Les plages de la Méditerranée étaient surpeuplées.

Manipuler

3 * Complétez les phrases suivantes en conjuguant le verbe au temps indiqué.

a. Nous (partir, imparfait) toujours trop tard. **b.** Que (vouloir, présent) tous ces gens ? **c.** Peut-être que mes amis (venir, passé composé) hier. **d.** (marcher, présent)-tu toujours aussi vite ? **e.** Où (habiter, présent) les parents de votre cousin ?

4 * * Écrivez au passé composé les phrases suivantes en veillant à accorder correctement le participe passé.

a. Ils viennent vous voir aux grandes vacances. **b.** Julie et sa mère vont à Mexico chaque année. **c.** Les élèves les plus courageux partent à pied au collège. **d.** Mes voisins restent dans leur jardin tout le dimanche. **e.** Mon frère et moi revenons chaque jour de la piscine à vélo.

5 * Soulignez les sujets inversés dans les phrases suivantes et accordez les verbes entre parenthèses en les conjuguant au présent.

a. Où (partir) Pierre et sa mère ? **b.** Devant la porte (bavarder) deux dames intarissables. **c.** Cette année, dans cette salle, (se tenir) les premières réunions de notre association. **d.** Tous les jours (arriver) de nouveaux migrants chassés par la guerre. **e.** Dans tous les pays (vivre) des gens désireux d'aider les autres. **f.** Où (trouver)-vous l'aide qui vous est nécessaire ? **g.** Dans la forêt (se dresser) des hêtres immenses.

6 * * Justifiez la terminaison des verbes employés dans les phrases suivantes.

a. Nous les aimons beaucoup. **b.** Nous leur donnerons des cadeaux. **c.** Ils vous ont compris. **d.** Ils nous prépareront un dessert délicieux. **e.** Mon oncle et sa femme vont à Paris demain.

7 * Regroupez deux à deux les héros de la liste puis imaginez un paragraphe de récit dans lequel ils interviendront ensemble. Ils seront les sujets des phrases.

Le petit Chaperon rouge • Blanche Neige • Barbe-Bleue • Harry Potter • Mowgli • La Bête

Réflexion sur la langue

8 * a) Le mot « accord » signifie « union entre des personnes ». Justifiez le sens grammatical de ce mot à partir de son sens général.
b) Écrivez correctement les terminaisons manquantes et conjuguez le verbe.

Le… dernier… épisodes passionnant… de cette série (être) disponible… en DVD.

Surlignez toutes les terminaisons accordées avec le mot « épisodes ».
Que met en valeur l'accord entre tous ces mots ?
Quelle aide à la compréhension du texte écrit cet accord fournit-il ?

c) Prononcez la phrase à l'oral. Comment entendez-vous qu'elle est au pluriel ?

Les synonymes et les hyperonymes, les homonymes

Observons

1. Il se souvenait avec nostalgie de son enfance passée dans un pays du Sud.
2. Il se rappelait avec nostalgie son enfance passée dans un pays du Sud.
3. Les chaleurs de l'été, même étouffantes, lui plaisaient.
4. Les chaleurs estivales, même étouffantes, lui plaisaient.
5. Il aimait le mimosa, le thym et la lavande.
6. Le parfum de ces plantes évoquait pour lui la Méditerranée.
7. Il avait pourtant le teint pâle et les cheveux clairs d'un homme du Nord.

❶ Y a-t-il une différence de sens entre les phrases 1 et 2 ?

❷ On appelle « synonymes » des mots différents qui ont le même sens. Quels sont les deux mots synonymes dans les phrases 1 et 2 ?

❸ Y a-t-il une différence de sens entre les phrases 3 et 4 ? Relevez les expressions qui ne sont pas exactement semblables. Donnez leur classe grammaticale.

❹ À quels mots de la phrase 5 renvoie le terme « plantes » employé dans la phrase 6 ? Le mot « plante » a-t-il un sens plus large ou plus limité que les trois mots auxquels il renvoie ?

❺ Le mot « teint » de la phrase 7 se prononce de la même façon qu'un mot de la phrase 5. Lequel ?

Retenons

I. Les synonymes lexicaux

– Les synonymes lexicaux sont des mots de même sens et de même catégorie grammaticale.

Ex. : essayer, tenter ; hardi, courageux.

– Les synonymes parfaits sont rares. Il y a le plus souvent une légère différence de sens et d'emploi entre eux.

Ex. : répondre, répliquer.
– Il a répliqué avec colère à ma critique.
– Il a répondu gentiment à ma question.

Le verbe « répliquer » suppose souvent un peu d'agressivité et de rapidité.

– On peut parler de « synonymes partiels » si la différence de sens est significative.

Ex. : heureux, ravi, enchanté.

II. Les synonymes par construction

Les synonymes par construction sont des expressions appartenant à des classes grammaticales différentes.

Ex. : de la mairie, municipal.

III. Les hyperonymes

Les hyperonymes ont un sens plus large (« hyper ») que les mots auxquels ils renvoient.

Ex. : « animal » est l'hyperonyme de « chien » ; « deux-roues » est l'hyperonyme de « scooter ».

IV. L'utilité des synonymes et des hyperonymes

Les synonymes et les hyperonymes permettent d'éviter les répétitions dans les écrits. Ils permettent aussi d'avoir une expression plus précise.

V. Les homonymes

Les homonymes sont des mots qui se prononcent ou s'écrivent de la même façon mais qui n'ont pas le même sens.

Ex. : verre, vert, ver, vers.

— — — — — Repérer — — — — —

1 * **Associez les synonymes par paires. À quelle classe grammaticale appartiennent tous ces mots ?**

courage • livre • stupéfaction • roi • maison • rapidité • demeure • étonnement • leçon • ouvrage • vaillance • vitesse • souverain • cours

2 * **Associez les synonymes par paires. À quelle classe grammaticale appartiennent tous ces mots ?**

connaître • perdre conscience • diriger • déranger • permettre • franchir • s'évanouir • savoir • admirer • vénérer • traverser • gêner • autoriser • commander

— — — — — Manipuler — — — — —

3 * **Associez à chaque hyperonyme trois mots qui lui correspondent.**

fleur • vêtement • militaire • voie publique • commerce

4 * * **Trouvez un synonyme (même partiel) pour chacun des mots suivants.**

a. fortune **b.** caillou **c.** an **d.** pensée **e.** fureur **f.** obscur **g.** lumineux **h.** pesant **i.** plaisant **j.** mélancolique **k.** jurer **l.** mêler **m.** quitter **n.** bondir **o.** réfléchir

5 * **Proposez un synonyme grammatical pour chacune des expressions suivantes.**

a. de l'école **b.** paternel **c.** de la famille **d.** du vêtement **e.** de la nation **f.** dominical **g.** hebdomadaire **h.** aquatique **i.** de la science **j.** de l'histoire

6 * **Le son [o] peut correspondre à plusieurs mots homonymes.**

Trouvez le plus possible d'homonymes du mot « eau ».

— — — — — S'exprimer — — — — —

7 * **Écrivez des couples de phrases avec les termes suivants. Dans la première, vous emploierez le mot proposé et dans la seconde, un hyperonyme de ce mot.**

a. tulipe **b.** chat **c.** éclair au chocolat **d.** bleu **e.** sapin **f.** tabouret *(deux possibilités pour la seconde phrase)* **g.** guitare

8 * **Employez, dans six couples de phrases, des synonymes empruntés aux mots des exercices 1 et 2.**

9 * **Employez les mots suivants dans des phrases.**

a. crier **b.** dire **c.** murmurer **d.** hurler **e.** gémir **f.** vociférer

10 * **a) Remplacez le verbe « faire » dans chacune des expressions suivantes par un autre plus précis. Vous garderez ou non des éléments de l'expression de départ, selon les cas.**

a. Faire son sac. **b.** Faire la tête. **c.** Faire la cuisine. **d.** Faire un cadeau. **e.** Faire le ménage. **f.** Faire une erreur. **g.** Faire un dessin. **h.** Faire un film.

b) Remplacez le verbe « devenir » par un autre dans chacune des expressions suivantes.

a. Devenir beau. **b.** Devenir grand. **c.** Devenir vieux. **d.** Devenir maigre. **e.** Devenir petit (attention au groupe de ce verbe).

11 * **Recopiez et complétez le texte par les mots qui vous semblent convenir (des synonymes partiels).**

Éloge d'une vache

Mais ce n'était pas seulement notre nourrice, c'était encore notre camarade, notre …, car il ne faut pas s'imaginer que la vache est une bête stupide, c'est au contraire un … plein d'intelligence et de qualités morales d'autant plus développées qu'on les aura cultivées par l'éducation. Nous caressions la nôtre, nous lui parlions, elle nous comprenait, et de son côté, avec ses grands yeux ronds pleins de douceur, elle savait très bien nous faire … ce qu'elle voulait ou ce qu'elle … .

D'après Hector Malot, *Sans famille*, 1878.

12 * **Employez dans des phrases les mots homonymes suivants en veillant à ne pas les confondre.**

a. conteur / compteur **b.** chant / champ **c.** cour / cours **d.** date / datte

— — — Réflexion sur la langue — — —

13 * **Indiquez si les couples de mots suivants sont vraiment synonymes (peut-on les employer l'un pour l'autre en toutes circonstances ?). Justifiez votre réponse de façon précise. De quoi doit-on tenir compte lorsque l'on s'adresse à quelqu'un ?**

a. pote / ami **b.** thune / argent **c.** caisse / voiture **d.** fringues / vêtements **e.** baraque / maison

Observons

Chaque année, près de deux cents millions d'hectares de forêts s'envolent en fumée dans le monde. On fait maintenant appel à des satellites pour surveiller la progression des incendies. Grâce aux détecteurs thermiques des satellites, on peut diagnostiquer et localiser un feu de forêt, à condition toutefois que le ciel soit bleu et sans nuages. Ainsi, un outil conçu à l'origine pour l'astronomie a-t-il bien d'autres emplois.

En violet : mots d'origine latine.
En vert : mots d'origine grecque.
En bleu : autres origines → « bleu » = mot d'origine francique (langue des Francs), « emploi » = mot d'origine italienne.

❶ Citez quatre mots d'origine latine et trois mots d'origine grecque.
❷ Quelle origine semble la plus fréquente ?
❸ Quelle origine vient en seconde position pour la fréquence ?

Retenons

➤ **La plupart des mots français viennent du latin. Cette langue était parlée par les Romains qui ont construit un grand empire s'étendant tout autour de la Méditerranée et jusqu'en Angleterre. Le latin s'est mélangé aux langues locales pour donner les « langues latines » comme le français, l'italien, l'espagnol et le roumain.**

➤ **Beaucoup de mots français viennent aussi du grec, en particulier dans le vocabulaire des sciences et de la médecine, car les Grecs ont inventé de nombreuses sciences.**

➤ **D'autres langues nous ont fourni des mots en fonction des échanges entre les hommes et de l'histoire.**

➤ **Chercher l'étymologie d'un mot, c'est dire quelle est son origine, sa racine (c'est-à-dire, par exemple, le mot grec ou latin dont il provient). On peut utiliser un dictionnaire pour la trouver.**

➤ **Les mots issus d'une même racine forment une famille de mots.**

- - - - - - **Repérer** - - - - - -

1 * Par équipes de deux, cherchez dans un dictionnaire étymologique l'origine des mots soulignés dans les phrases suivantes.

a. « Hourra ! », s'écria le cosaque en jetant en l'air sa chapka d'astrakan. **b.** Les mammouths, les aurochs et les dinosaures sont des animaux préhistoriques. **c.** Ce soir, nous mangerons des nouilles, des quenelles, des œufs, du jambon et des bananes. **d.** Les lions préfèrent la savane et les chimpanzés préfèrent la jungle. **e.** Dans ce café du boulevard Voltaire, on ne sert pas d'alcool mais des chocolats chauds. **f.** Je lui ai offert un robot de cuisine.

- - - - - - **Manipuler** - - - - - -

2 * * Faites correspondre les mots latins et les mots français qui en sont issus. Expliquez le sens de ces mots français en vous reportant à leur origine.

Mots latins : *fructus* (le fruit) • *vulnus* (la blessure) • *navis* (le bateau) • *bellum* (la guerre) • *digitus* (le doigt) • *oculus* (l'œil)

Mots français : vulnérable • nautique • digitale • fructivore • oculiste • belliqueux

3 * Cherchez dans le dictionnaire la signification des mots suivants et expliquez le sens de la première partie de chaque mot.

a. la pisciculture **b.** la monoculture **c.** la puériculture **d.** l'apiculture **e.** l'horticulture

4 * Formez les mots français issus des racines grecques indiquées.

a. Des noms d'animaux : *dinos* (terrible) + *sauros* (le reptile) • *rhinos* (le nez) + *céros* (la corne) • *hippos* (le cheval) + *potamos* (le fleuve) • *ornithos* (l'oiseau) + *rynchos* (le bec, le groin)
b. Des noms de plantes : *krusos* (en or) + *anthos* (la fleur) • *eu* (bien) + *caluptos* (caché, couvert)

5 * a) Cherchez dans le dictionnaire d'où viennent les mots « charme » et « chant ».

b) « Enchanter » signifie au sens propre « ensorceler par un chant, un breuvage, une formule magique ». Que signifie « enchanteur » ? « déchanter » ? « être désenchanté » ?

c) Complétez les phrases suivantes par des mots issus de la même racine latine : *cantus* (le chant).

a. La Castafiore est une cant… .
b. Un chant… chante des chants sacrés dans les cérémonies religieuses.
c. Les paroles magiques prononcées par un sorcier sont des incant… .
d. Bach a composé plusieurs cant… .
e. Un cant… est un chant religieux.
f. *Au clair de la lune* est une chan… .

6 * Les jours de la semaine et les mois
Les jours de la semaine portent le nom de dieux latins. Sachant que la syllabe « di » vient du mot latin *dies*, qui signifie « le jour », précisez quel est le jour de Mars, celui de la Lune, celui de Mercure, celui de Vénus et celui de Jupiter.

7 * L'eau se dit en latin *aqua*. Retrouvez les termes français issus de cette racine latine et qui correspondent aux définitions suivantes.

a. Élevage des poissons en eau de mer. **b.** Bocal pour les poissons. **c.** Peinture à l'eau. **d.** Qui vit dans l'eau. **e.** Qui contient de l'eau. **f.** Ouvrage d'art qui conduit l'eau.

- - - - - - **S'exprimer** - - - - - -

8 * Recherchez l'origine de votre prénom et expliquez-la à la classe.

- - - **Réflexion sur la langue** - - -

9 * Histoire de la langue.
Les mots suivants appartiennent à la famille du mot « sel » (latin *sal, salis*).

salade • sauce • saucisse • saline

a) Expliquez leur rapport avec le mot « sel ». Précisez combien de radicaux différents a cette famille.

b) Les mots « salaire » et « salarié » sont aussi de la famille de « sel ».
– Concluez : quelle était la valeur du sel autrefois ? Essayez de la comprendre : le réfrigérateur n'existait pas et cela entraînait une difficulté que le sel permettait de résoudre.
– Cherchez ce qu'était la gabelle. Quelle fonction le sel avait-il dans la société ?

Observons

1. Redites-moi ce qu'on vous a offert pour votre anniversaire.
2. J'ai reçu des cadeaux extraordinaires : un livre, une boîte à musique, un hippocampe naturalisé et, heureusement, une bicyclette, c'était le cadeau le plus remarquable !

1 Trouvez, dans la phrase 2, un mot composé de deux autres mots réunis par une préposition.

2 Le mot grec *hippos* signifie « le cheval » en français et *campos*, « la mer ». Expliquez la signification du mot « hippocampe » et pourquoi on a désigné ainsi cet animal.

3 Dans la phrase 1, quel verbe simple reconnaissez-vous dans « redites » ? Que signifie la syllabe « re » ajoutée à ce verbe ?

4 « Cyclette » signifie « petite roue ». Combien de roues une bicyclette (phrase 2) a-t-elle ? Citez deux autres mots dans lesquels la syllabe « bi » signifie « deux ».

5 Quel verbe reconnaissez-vous dans « remarquable » (phrase 2) ? À quelle classe grammaticale ce mot appartient-il ? Que signifie-t-il ?

6 Quel adjectif reconnaissez-vous dans « heureusement » (phrase 2) ?

Retenons

I. Les mots peuvent être simples, c'est-à-dire formés d'un seul radical issu d'une racine (latine ou grecque).

Ex. : livre, cadeau, boîte, musique.

À partir de ces mots simples, on peut former des **mots nouveaux par composition**. Ces mots nouveaux peuvent être en une seule partie ou comporter deux éléments reliés par une préposition ou un trait d'union.

Ex. : un hippocampe, une boîte à musique, un laissez-passer.

II. Les radicaux des mots simples servent aussi de base pour créer des mots dérivés, en ajoutant un préfixe ou un suffixe.

Ex. : bi-   cycl   -ette
    préfixe   radical   suffixe

1. Les préfixes sont placés avant le radical. Ils ne changent pas la classe grammaticale d'un mot mais ils en modifient le sens.
Les principaux préfixes et leur sens
a. Les préfixes latins : *in-* (dans, ne pas), *e-* ou

ex- (hors de), *re-* (répétition), *co-* (avec), *trans-* (à travers).

Ex. : impossible, transparent, refaire.
b. Les préfixes grecs : *anti-* (contre), *dia-* (à travers), *hyper-* (au-dessus de), *hypo-* (au-dessous de), *péri-* (autour de), *syn-* (avec).

Ex. : antibiotiques, diagonale, hypertension, sympathique.

2. Les suffixes sont placés après le radical. Ils permettent de former des mots de classe grammaticale différente.

Ex. : remarquer *(verbe),* remarquable *(adjectif).*
Les principaux suffixes et leur sens
a. Pour former des noms :
– « -age » : action de, ou ensemble (montage) ;
– « -eur » (féminin « -euse » ou « -rice ») : personne qui fait (un traducteur, une traductrice).
b. Pour former des adjectifs :
– « -ible », « -able » : possibilité ou capacité (perfectible, mangeable) ;
– « -âtre » : suffixe péjoratif (verdâtre, douçâtre).
c. Pour former des adverbes : « -ment » (heureusement).

Repérer

1 * Retrouvez la formation des mots suivants en remplissant le tableau après l'avoir recopié.

a. dénommer • renommer • prénommer
b. appel • appeler • appellation • rappeler
c. disposer • poser • reposer • position
d. vent • venteux • éventail
e. fréquent • fréquentable • infréquentable

Préfixe	Radical	Suffixe
dé-	nomm	-er

2 * Recopiez les mots suivants en isolant le préfixe, le radical et le suffixe. Attention ! Tous les mots ne comportent pas les trois éléments.

a. imperceptible **b.** avouable **c.** stupide **d.** courageusement **e.** discontinu **f.** indéchiffrable **g.** démontage **h.** récapitulation **i.** embarquement **j.** antimite

Manipuler

3 * * Reconstituez cinq mots en choisissant, pour chacun d'eux, le préfixe, le radical et le suffixe adéquats.

Préfixes : dé- • trans- • in- • ré- • in-
Radicaux : préhens • tremp • condition • form • soupçon
Suffixes : -able • -er • -ible • -nelle • -able

4 * À l'aide du suffixe « -on », nommez les petits des animaux suivants.

a. l'âne **b.** le chat **c.** l'aigle **d.** la girafe **e.** l'oiseau **f.** l'ours **g.** le taureau **h.** le canard

5 * Retrouvez les adjectifs formés avec les suffixes « -ible » et « -able » et correspondant aux définitions proposées.

a. Que l'on peut améliorer. **b.** Que l'on peut admirer. **c.** Que l'on peut voir. **d.** Qui fait rire. **e.** Que l'on peut jeter. **f.** Auquel on peut accéder. **g.** Que l'on peut lire facilement. **h.** Que l'on peut manger. **i.** Que l'on peut détacher. **j.** Que l'on peut négliger.

6 * * * Même consigne que l'exercice **5** avec ces mots plus difficiles.

a. Que l'on peut perfectionner (commençant par la lettre « p »). **b.** Que l'on peut élire. **c.** Que l'on peut comprendre. **d.** Que l'on peut excuser. **e.** Que l'on peut négocier. **f.** Que l'on peut entendre (commençant par la lettre « a »). **g.** Que l'on peut couper (commençant par la lettre « s »). **h.** Que l'on ne peut pas user.

7 * * Les radicaux suivants sont issus de racines grecques ou latines qui ont le même sens. Trouvez un mot contenant chaque radical et employez-le dans une phrase qui en montrera le sens.

Radical issu d'une racine latine	Radical issu d'une racine grecque	Sens
hom-	anthropo-	l'homme
libr-	bibli-	le livre
aqu-	hydr-	l'eau
voc-	phon-	la voix
vid- / vis-	scop-	la vue
di- /div-	theo-	le dieu
terr-	gè-	la terre

8 * * « Manger » se dit *vorare* en latin (que l'on retrouve dans « dévorer ») et *phagein* en grec. Ces deux mots ont donné respectivement les suffixes français « -vore » et « -phage ».
Trouvez les mots composés sur ces deux racines.

a. Qui mange de tout (*omni* : tout). **b.** Qui se nourrit de végétaux (*herba*). **c.** Qui se nourrit de chair (*carnis*). **d.** Qui se nourrit d'insectes. **e.** Qui se nourrit de chair humaine (*anthropos*). **f.** Qui prend du temps (*chrono*). **g.** Les aliments y passent avant d'arriver à l'estomac.

9 * Orthographe
Certains mots français contiennent les consonnes « rh », « ph », « th », « ch » (prononcé [k]) ou « ps ». De telles consonnes ainsi que la lettre « y » indiquent que ces mots viennent du grec. Apprenez l'orthographe des mots courants suivants, venus du grec. Inventez une phrase avec chacun d'eux.

psychologie (la science de l'âme) • ethnologie (la science des peuples) • chorale • chœur • rhododendron (arbre à roses) • philosophie • chrysanthème (fleur dorée)

S'exprimer

10 * * * Employez les adjectifs de l'exercice **6** dans des phrases qui en définiront le sens.

Observons

1. « Entrez, je vous en prie », dit le docteur Matisse, en s'effaçant devant son patient. « Que puis-je faire pour vous ? »

2. – Ben alors, dit Arthur en se précipitant dans ma chambre, tu fais quoi ?
– J'aime pas les gens qui entrent sans frapper, dégage !

❶ Dans quelle situation les personnages se connaissent-ils très bien ? Citez deux expressions qui le montrent.

❷ Dans quelle situation les personnages se connaissent-ils moins ? Citez deux expressions qui le montrent.

❸ Quels comportements des personnages montrent une plus ou moins grande familiarité ?

Retenons

> **I. Qu'est-ce que parler ?**
> Parler, c'est dire quelque chose, mais c'est aussi s'adresser à quelqu'un. La manière dont on s'adresse à un interlocuteur est liée au degré de familiarité que l'on a avec lui et à la place de chacun dans une hiérarchie. Ainsi, on ne s'adresse pas de la même façon à un camarade et à son professeur.
>
> **II. Les niveaux de langue**
> On distingue traditionnellement trois niveaux de langue.
> **1.** Si l'on connaît peu ou pas du tout l'interlocuteur, ou que l'on désire marquer du respect envers celui-ci, on emploie un **niveau de langue soutenu**. On utilise une langue particulièrement correcte dans la syntaxe et le vocabulaire. On vouvoie toujours.
>
> *Ex. : un chercheur demande à une personne qu'il ne connaît pas de lui laisser lire la correspondance de membres de sa famille.*
> Pourriez-vous, je vous prie, me permettre de consulter ces documents ?
>
> **2.** Si l'on connaît très bien son interlocuteur, on peut employer un **niveau de langue familier**. On peut tutoyer, faire des allusions, utiliser une syntaxe et un vocabulaire plus relâchés.
>
> *Ex. : un collégien demande à son camarade de lui montrer son travail.*
> Tu m'laisses regarder tes exos ?
>
> **3.** On appelle « **niveau de langue courant** » celui qui n'est ni familier ni soutenu.
>
> *Ex. : un lecteur demande à un bibliothécaire de le laisser consulter un catalogue.*
> Est-ce que je peux consulter ce document, s'il vous plaît ?
>
> **III. L'attitude et les comportements**
> La manière dont on se comporte en s'adressant à quelqu'un est une forme de langage.
>
> *Ex. : avoir ses mains dans les poches est une attitude familière, se lever pour saluer quelqu'un qui entre dans une pièce est une marque de respect.*

Repérer

1 * Classez les phrases suivantes selon le niveau de langue auquel elles appartiennent.

a. Moi, je possède quelques rudiments d'anglais. **b.** Je ne veux plus entendre ce sobriquet ridicule. **c.** « C'est vrai, a dit Rufus, c'est pas chouette ce que vous avez fait aux fleurs de Nicolas. » **d.** Nous étions en train d'étudier les phrases. **e.** Maman, elle a dit ça avec un grand sourire, mais en même temps, elle m'a fait des yeux, ceux avec lesquels il vaut mieux ne pas rigoler.

D'après Sempé, Goscinny, *Le Petit Nicolas*, 1956.

2 * Regroupez par trois les adjectifs suivants. Chaque groupe comportera un mot de chacun des trois niveaux de langue.

nonchalant • hideux • importun • abruti • ennuyeux • stupide • laid • splendide • casse-pieds • moche • harassé • fatigué • paresseux • beau • crevé • feignasse • bête • chouette

3 * Regroupez par trois les verbes suivants. Chaque groupe comportera un mot de chacun des trois niveaux de langue.

se dépêcher • donner • filer • voler • dérober • converser • se grouiller • allouer • chourer • parler • se hâter • jacter

4 * * * Travaillez à deux.
Repérez, dans le texte suivant, les éléments de langue soutenue. À l'aide d'un dictionnaire, proposez des synonymes de la langue courante.

Pour comble de malheur, ma grand'mère fut contrariée dans ses desseins par le caractère de ses fils : l'aîné, François-Henri, à qui le magnifique héritage de la seigneurie de La Villeneuve était dévolu, refusa de se marier et se fit prêtre ; mais au lieu de quêter les bénéfices que son nom lui aurait pu procurer, et avec lesquels il aurait soutenu ses frères, il ne sollicita rien par fierté et par insouciance.

François-René de Chateaubriand, *Mémoires d'outre-tombe*, I, 1849.

Manipuler

5 * Réécrivez les phrases suivantes dans un niveau de langue courant.

a. Veuillez me remettre la missive qui vous est parvenue à mon intention. **b.** T'as vu la bagnole, elle est su-

per ! **c.** Les nues obscures dissimulaient la lumière de l'astre du jour. **d.** J'en ai marre de bouffer des patates ! **e.** Cessez vos billevesées ! **f.** Peu me chaut. **g.** T'es où ? **h.** Nous demeurâmes ébaubis devant tant de pusillanimité.

S'exprimer

6 * Indiquez si les phrases suivantes sont adaptées ou non aux situations précisées entre parenthèses. Si elles ne le sont pas, trouvez la situation dans laquelle on pourrait les dire et jouez-la.

a. Veuillez accepter ce modeste don. (En payant à la boulangerie)
b. Quand est-ce qu'on mange ? (Au garçon dans un restaurant)
c. Salut, ça va ? (À un professeur en entrant en cours)
d. J'en ai marre d'être malade. (À un médecin)
e. Voulez-vous vous asseoir ? (En se levant, à une personne âgée dans un bus)
f. Veuillez croire à l'expression de mes sentiments distingués. (À la fin d'une lettre)

7 * Indiquez deux situations pour chacune des marques de respect suivantes.

a. Enlever sa casquette ou sa capuche. **b.** Se lever. **c.** Frapper à la porte. **d.** S'effacer pour laisser passer quelqu'un. **e.** Vouvoyer.

8 * Expliquez en quoi les attitudes impolies suivantes peuvent sembler grossières.

a. Garder les mains dans les poches en parlant. **b.** Poser les pieds sur la table. **c.** Interrompre quelqu'un qui parle. **d.** Ne pas regarder la personne qui vous parle. **e.** Ne pas répondre à un salut. **f.** Tutoyer un adulte que vous ne connaissez pas. **g.** Partir sans dire au revoir.

9 * Avez-vous des manières particulières de vous saluer ou de vous quitter entre camarades ? Le respect de ces codes vous semble-t-il important ? Pourquoi ? Jouez une mini-scène pour les montrer.

10 * Connaissez-vous des façons de se saluer pratiquées dans d'autres pays ? Montrez-les dans une mini-scène.

Crédits textes

P. 17 : Jacob et Wilhelm Grimm, *La Clef d'or, traduit par Armel Guerne, Flammarion, 1967.*

P. 26 : Jacob et Wilhelm Grimm, *Dame Trude*, traduit par Armel Guerne, Flammarion, 1967.

P. 38 : Jacob Grimm, Wilhelm Grimm, « Jeannot et Margot » in *Contes, traduit par Marthe Robert.* © Éditions Gallimard.

P. 61 : Eugène Guillevic, *Terraqué, 1945.* © Éditions Gallimard.

P. 64 : Marie-Odile Hartmann, *Ariane contre le Minotaure, Nathan, 2004.*

P. 73 : Jack London, *Croc-Blanc,* 1906, traduction de R. Boudet, Nathan.

P. 74 : James Fenimore Cooper, *Le dernier des Mohicans, 1826, traduit par Georges Breton* © Éditions Gallimard.

P. 84 : Jack London, *Construire un feu,* trad. de P. Gruyer et L. Postif. © Éditions Phébus, 2007, pour la traduction française

P. 88 : Roger Frison-Roche, *Premier de cordée, 1941.* © Arthaud.

P. 92 : Michael Morpurgo, *Le Royaume de Kensuké, 2000.* © Éditions Gallimard.

P. 93 : Roger Frison-Roche, *Premier de cordée, 1941.* © Arthaud.

P. 93 : Robert Louis Stevenson, *L'Île au trésor, 1883, traduit par Jacques Papy.* © Éditions Gallimard.

P. 114 : Robert Louis Stevenson, *L'Île au trésor, 1883, traduit par Jacques Papy.* © Éditions Gallimard.

P. 147 : *Le Coran,* Sourate 11, 42-46, trad. de Kazimirski, Classiques Garnier Multimédia, 1999.

P. 154 : Le Chant des Bushmen /Xam, traduit de l'anglais par Madeleine Longuenesse, éditions Karthala, 2000.

P. 159 : *Haïku.* Sous la direction de Roger Munier. Préface de Yves Bonnefoy. © Pauvert, département de la librairie arthème Fayard 1962 & 1979.

P. 164 : Raymond Queneau, « Destin d'une eau » in *Battre la campagne.* © Éditions Gallimard.

P. 166 : Eugène Guillevic, « La forêt », in *Motifs.* © Éditions Gallimard.

P. 172 : Jacques Cassabois, *Le premier roi du monde. L'épopée de Gilgamesh, Le livre de poche jeunesse, 2004.*

P. 175 : Eugène Guillevic, extrait de *Avec, 1966.* © Éditions Gallimard.

P. 245 : *La Planète des singes* de Pierre Boulle. © Éditions Julliard, Paris, 1963.

P. 260 : Henry Winterfeld, *L'Affaire Caïus,* traduction d'Olivier Séchan, Livre de poche Jeunesse, 2001.

P. 265 : Georges Perec, *Espèces d'espaces,* Galilée, 2001.

P. 266 et 267 : Zoyâ Pirzâd, « La Mouche », in *Comme tous les après-midi,* 2008, Zulma.

P. 269 : Henri Pourrat, « La belle assassinée », in *Le Trésor des contes,* 1962. © Éditions Gallimard.

P. 272 : Annie Collognat, « Philémon et Baucis », *20 métamorphoses d'Ovide,* Livre de poche jeunesse, 2014.

P. 275 : J.K. Rowling, *Harry Potter et les Reliques de la Mort, traduit par Jean-François Ménard* © Éditions Gallimard.

Crédits iconographiques

Couverture : Le rêve : Détail du tableau Le rêve, 1910, tableau par Henri Rousseau dit Le Douanier (1844-1910), Coll. Museum of Modern Art-NewYork (PVDE/Rue des Archives).

P. 8 History/Woodbury & Page/Bridgeman images ; **9 et 113 (b)** Adoc-Photos ; **10 et 145** Akg-Images ; **11 et 220 (d)** BIS/Ph. Coll. Archives Larbor ; **14 (d)** Abeadev/Fotolia ; **14 (g)** Coll. Kharbine-Tapabor ; **15 (d)** Ampon Akearunrung/Fotolia ; **15 (g)** Coll. Daglio Orti/Aurimages ; **16 (b)** Ullstein Bild/Akg-Images ; **16 (ht)** Nadezhda Illarionova ; **16 (m)** Coll. Dagli Orti/Aurimages ; **17 (h)** Dessin Marie Lévêque ; **17** *Les histoires de la Belle et la Bête racontées dans le monde,* Fabienne Morel et Gilles Bizouerne, illus. de Delphine Jacquot, coll. «Le Tour du Monde d'un conte» © Éditions Syros, 2008 ; **19** Akg-Images ; **20** Adoc-Photos ; **22** Leemage ; **23** Akg-Images ; **24 (b)** Leemage ; **24 (ht)** Adoc-Photos ; **26 (d) et 27** BIS/Ph. Coll. Archives Larbor ; **26 (g)** Bridgeman images ; **28 (b)** Leemage ; **28 (ht)** Leemage ; **29** Leemage ; **30-31** «extrait de l'ouvrage *La Belle et la Bête,* David Sala © Casterman» «Avec l'aimable autorisation des auteurs et des Éditions Casterman» ; **33** Prod DB © Andre Paulve/DR ; **33** The Kobal Coll./Aurimages ; **33** Prod DB © Andre Paulve/DR ; **33** The Kobal Coll./Aurimages ; **33** Prod DB © Andre Paulve/DR ; **33** Prod DB © Andre Paulve/DR ; **35** BIS/Ph. Veneratio ; **36 (d)** Coll. Dagli Orti/Aurimages ; **36 (g)** Coll. Kharbine-Tapabor ; **37** Justdd/Fotolia ; **37** Alena Lazareva/Fotolia ; **37** Chorazin/Fotolia ; **37** Remedia/Fotolia ; **38** Leemage ; **39** Kharbine-Tapabor ; **39** Coll. Dagli Orti/CCI/Aurimages ; **39** Kharbine-Tapabor ; **39** Kharbine-Tapabor ; **40** Pascal Victor/Artcomart ; **41** Victor Torelli/Artcomart ; **41** Victor Torelli/Artcomart ; **41** Colette Masson/Roger-Viollet ; **41** Colette Masson/Roger-Viollet ; **42 (b)** Leemage ; **42 (ht)** Photo12/Alfredo Dagli Orti/Aurimages ; **45** Leemage ; **47** BIS/Ph. C. H. Kruger-Moessner © Archives Larbor ; **48** *Ulysse,* de Yvan Pommaux/École des Loisirs ; **50** Pisces, 1999 (gouache on paper), Smith, Caroline (Contemporary Artist)/Private Coll./Bridgeman Images ; **51** Akg-Images ; **52 (b)** *Ulysse,* de Yvan Pommaux/ École des Loisirs; **52 (ht)** BIS/Ph. © British Museum - Archives Larbor ; **52 (m)** Bibliothèque nationale de France ; **54** *Ulysse,* de Yvan Pommaux/ École des Loisirs; **56** Akg-Images ; **57** Leemage ; **58** Artothek/La Coll. ; **60 (d) et 67** *Mes nouveaux animaux de compagnie,* par Catherine Leblanc et Roland Garrigue © Éditions Glénat 2015 ; **60 (g)** Coll. Christophe L © Walt Disney Animation Studios/Walt Disney Pictures ; **61 (b)** Leemage ; **61 (ht)** The Kobal Coll./Aurimages ; **62 (bd)** BIS/Ph. Coll. Archives Nathan ; **62 (g)** *Comment ratatiner les monstres ?,* par Catherine Leblanc et Roland Garrigue © Éditions Glénat 2008 ; **62 (htd)** Leemage ; **63 (d)** Leemage ; **63 (g)** Charlotte Gastaut/Éditions Amaterra ; **64** Interfoto/La Coll. ; **65** *Ariane contre le Minotaure,* Marie-odile Hartmann, coll. «Histoire Noires de la mythologie», illus. d'Elène Usdin © Éditions Nathan, 2004 ; **66 (b)** The Kobal Coll./Aurimages ; **66** Françoise Rochmuhl, *15 Légendes extraordinaires de dragons* aux Éditions Flammarion jeunesse ; **66** *Contes Russes* illustrés par Luda Bilibine aux Éditions

N° de projet : 10252362 - Dépôt légal : février 2019 - ALINEA - N° imprimeur : 201812.2471
Achevé d'imprimer en France par Loire Offset Titoulet à Saint-Etienne